p.265 irregular verbs.

A TEXTBOOK OF MODERN GREEK

for Beginners up to G.C.S.E.

5th REVISED EDITION

KYPROS TOFALLIS, M.A., Ph.D.
DIRECTOR OF THE GREEK INSTITUTE
LECTURER IN MODERN GREEK STUDIES
AT NORTH LONDON COLLEGE

A TEXTBOOK OF MODERN GREEK

COPYRIGHT: Dr. Kypros Tofallis 1977, 1991

Published by the Greek Institute
34, Bush Hill Road, London N21 2DS

5th Edition - 1991

Reprinted - 1991

British Library Cataloguing in Publication Data

Tofallis, Kypros

A textbook of modern Greek: for beginners up to G.C.S.E. 5th rev. and updated ed.

1. Modern Greek language

1. Title

489.3

ISBN 0 - 905313 - 16 - X

Printed in Cyprus by IMPRINTA LTD., P.O Box: 4105, Nicosia

CONTENTS

PART 2

READING AND LISTENING

COMPREHENSION PASSAGES AND ESSAYS

GREECE
ADMINISTRATIVE REGIONS

– – – – BOUNDARIES OF GEOGRAPHIC DISTRICTS
———— PREFECTURE BOUNDARIES
* PREFECTURE CAPITAL

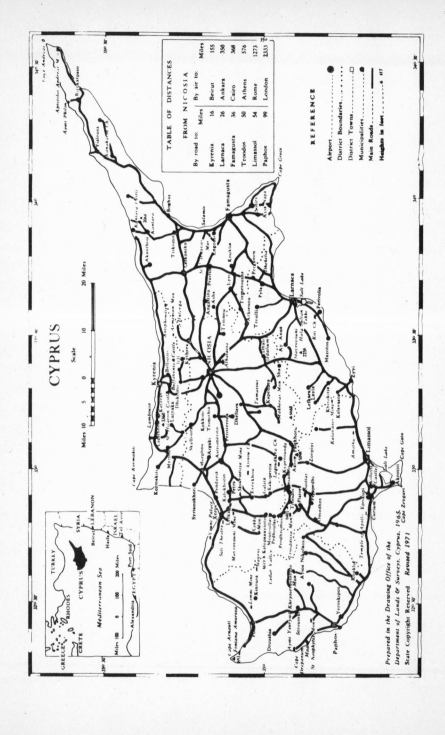

CYPRUS

Scale

Miles 10 5 0 10 20 Miles

TABLE OF DISTANCES

FROM NICOSIA

By road to:	Miles	By air to:	Miles
Kyrenia	16	Beirut	155
Larnaca	26	Ankara	350
Famagusta	36	Cairo	368
Troodos	50	Athens	576
Limassol	54	Rome	1273
Paphos	99	London	2333

REFERENCE

Airport	●
District Boundaries	
District Towns	▫
Municipalities	●
Main Roads	
Heights in feet	▲ 417

Prepared in the Drawing Office of the
Department of Lands & Surveys, Cyprus, 1965.
State Copyright Reserved   Revised 1971

PREFACE

Modern Greek is spoken by some sixteen million people. It is spoken by about 11 million in Greece and Cyprus, by about 3 million in the United States of America and by 2 million of various Greek communities scattered in many parts of the globe, notably in Australia, West Germany, Britain, France, Italy, Africa to name but only a few places.

In Britain alone, there are about 250,000 Greek-speaking people, mainly from Cyprus. The very existence of large Greek-speaking communities has encouraged many natives who are interested in the life and culture of the Greek immigrants to embark on the study of the Greek language. Thus, there has come about a dual demand for learning Greek: Firstly from the children of the Greek community who grow up in a non-Greek environment and therefore Greek ceases to be their actual mother-tongue and secondly from people who wish to visit Greece or Cyprus or have Greek friends and are interested in their language and culture.

This textbook of Modern Greek aims to help both groups - i.e. the immigrant Greek children who now learn Greek as a second language and all the others who are non-Greek speakers and wish to learn the language. The book assumes no previous knowledge of Greek. It starts from the very beginning, from the ABC and leads the student to the G.C.S.E. examination in Modern Greek or the early stages of the Greek Institute examinations. The main intention of the textbook is to help the reader to understand to speak, read, write and communicate in the Greek language.

The book has been divided into four parts: The first part covers the essential grammar because, as in all languages, grammar constitutes the backbone of Greek. The second part deals with everyday life topics, about the family, visits to places of interest, comprehension passages, and the writing of short essays in Greek. The third part consists of topics which will help students for their prepared talk and for writing short essays. The fourth part consists of G.C.S.E. level and Greek Institute examination passages.

The division of the book in four parts has been deliberate. Many books confuse the student by mixing everything up. The intention here is that the book can be used in Schools as a two year course. During the first year the grammar part could be covered and during the second year the rest of the book. Needless to say the textbook can be used as a crash-course in Greek for one year courses. The textbook is written in such a way that it could be studied by the students on their own or in a class.

The language of the book is the Demotic, i.e. the spoken, the living language of the Greek people. The Katharevousa (purist form of Greek) which dominated as the official language of Greece from 1829-1976 has now ceased to be used even by the Government and Demotic has at long last become the official language of the country. In 1982 the Greek Government abolished the accents and the breathings and introduced the one Accent System thus simplifying the learning of the language.

The accents were invented by Aristophanes of Byzantium, an Alexandrian scholar, about 200 B.C. in order to teach foreigners the correct accent in pronouncing Greek.

In this new edition (1991) the book has been revised completely. A number of corrections have been made and new material has been added. The vocabulary has been extended.

My many thanks are due to my students, members and friends of the Greek Institute, Greek teachers and my wife Katina for their constructive suggestions.

DR. KYPROS TOFALLIS

ACKNOWLEDGEMENT

The author wishes to acknowledge with thanks the London and East Anglian Group (LEAG) for G.C.S.E., for their kind permission to use some passages from past examination papers in this book.

PART ONE

LESSON 1

The Greek language is the oldest language in Europe. The Modern Greek alphabet remains the same as the ancient Greek. There are 24 letters of which 7 are vowels and 17 are consonants.

1. THE ALPHABET

Capitals	Small		Name of the letter
Α	α	Ἀλφα	Alfa
Β	β	Βήτα	Vita
Γ	γ	Γάμμα	Ghama
Δ	δ	Δέλτα	Dhelta
Ε	ε	Ἐψιλον	Epsilon
Ζ	ζ	Ζήτα	Zita
Η	η	Ἠτα	Ita
Θ	θ	Θήτα	Thita
Ι	ι *	Γιότα	Iota
Κ	κ	Κάπα	Kapa
Λ	λ	Λάμδα	Lamdha
Μ	μ	Μι	Mi
Ν	ν	Νι	Ni
Ξ	ξ	Ξι	Ksi
Ο	ο	Ὀμικρον	Omikron
Π	π	Πι	Pi
Ρ	ϱ	Ρο	Ro
Σ	σ(ς) **	Σίγμα	Sighma
Τ	τ	Ταυ	Taf
Υ	υ	Ὑψιλον	Ipsilon
Φ	φ	Φι	Fi
Χ	χ	Χι	Khi
Ψ	ψ	Ψι	Psi
Ω	ω	Ὠμέγα	Omegha.

* The ι is not dotted as in English. When it is, means a stress accent.

** (ς) is used only at the end of the word.

2. PRONUNCIATION OF THE GREEK LETTERS

Greek letter	English equivalent	Example	English
α	a	Ἀννα (Anna)	Anne
β	v	βάζο (vazo)	vase
γ	gh	before α, ο, ω, ου and consonants	
		Γαλλία (Ghallia)	France
	y	before ε, ι, αι, η, υ, ει, οι	
		Γιάννης (Yiannis)	John
δ	dh	δράμα (dhrama)	drama
ε	e	Ελλάδα (Elladha)	Greece
ζ	z	ζωή (zoi)	life
η	i	ήλιος (ilios)	sun
θ	th	θέατρο (theatro)	theatre
ι	i	Ιταλία (Italia)	Italy
κ	k	Κύπρος (Kipros)	Cyprus
λ	l	Λονδίνο (Londhino)	London
μ	m	μητέρα (mitera)	mother
ν	n	νέος (neos)	youth
ξ	ks	ξένος (ksenos)	guest foreigner
ο	o	Ὅμηρος (Omiros)	Homer
π	p	Πέτρος (Petros)	Peter
ρ	r	Ρόδος (Rodhos)	Rhodes
σ (ς)	s	Σπάρτη (Sparti)	Sparta
	z	before β, γ, δ, ζ, μ, ν, ρ	
		Σμύρνη (Zmirni)	Smyrna
τ	t	Τάμεσης (Tamesis)	Thames
υ	i	ύπνος (ipnos)	sleep
φ	f	φίλος (filos)	friend

χ	kh	before α, o, ω, ου and consonants χορός (khoros)	dance
	h	before ε, αι, η, ι, υ, ει, οι χέρι (heri)	hand
ψ	ps	ψάρι (psari)	fish
ω	o	ώρα (ora)	hour

3. THE VOWELS

There are 7 vowels and we always place the accent on them.
These are: A α, E ε, H η, I ι, O o, Y υ, Ω ω.

Pronunciation of the vowels:

$$\alpha \qquad = a$$
$$\varepsilon \qquad = e$$
$$\eta, \iota, \upsilon \quad = i$$
$$o, \omega \qquad = o$$

The other 17 letters are called consonants. These are:

B β, Γ γ, Δ δ, Z ζ, Θ θ, K χ, Λ λ, M μ, N ν, Ξ ξ,
Π π, P ρ, Σ σ, T τ, Φ φ, X χ, Ψ ψ.

4. Read the following syllables:

βα, βε, βη, βι, βο, βυ, βω
αβ, εβ, ηβ, ιβ, οβ, υβ, ωβ

  βί - α = force   Ή - βη = Hebe

γα, γε, γη, γι, γο, γυ, γω
αγ, εγ, ηγ, ιγ, ογ, υγ, ωγ

  γη = land   ε - γώ = I

15

δα,   δε,   δη,   δι,   δο,   δυ,   δω
αδ,   εδ,   ηδ,   ιδ,   οδ,   υδ,   ωδ

δά - δα = torch   ε - δώ = here

ζα,   ζε,   ζη,   ζι,   ζο,   ζυ,   ζω
αζ,   εζ,   ηζ,   ιζ,   οζ,   υζ,   ωζ

ζω - ή = life   ζώ - ο = animal

θα,   θε,   θη,   θι,   θο,   θυ,   θω
αθ,   εθ,   ηθ,   ιθ,   οθ,   υθ,   ωθ

θέ - α = view   βα - θύ = deep

κα,   κε,   κη,   κι,   κο,   κυ,   κω
ακ,   εκ,   ηκ,   ικ,   οκ,   υκ,   ωκ

κα - κό = bad   δέ - κα = ten

λα,   λε,   λη,   λι,   λο,   λυ,   λω
αλ,   ελ,   ηλ,   ιλ,   ολ,   υλ,   ωλ

Λό - λα = Lola   έ - λα = come

μα,   με,   μη,   μι,   μο   μυ,   μω
αμ,   εμ,   ημ,   ιμ,   ομ,   υμ,   ωμ

μή - λο = apple   μέ - λι = honey

να,   νε,   νη,   νι,   νο,   νυ,   νω
αν,   εν,   ην,   ιν,   ον,   υν   ων

νέ - α = young   έ - να = one

ξα, ξε,   ξη,   ξι,   ξο,   ξυ,   ξω
αξ, εξ,   ηξ,   ιξ,   οξ,   υξ,   ωξ

  ξύ - λο = wood   έ - ξω = outside

πα, πε,   πη,   πι,   πο,   πυ,   πω
απ, επ,   ηπ,   ιπ,   οπ,   υπ,   ωπ

  πά - νω = above, on,   α - πό = from

ϱα, ϱε,   ϱη,   ϱι,   ϱο,   ϱυ,   ϱω
αϱ, εϱ,   ηϱ,   ιϱ,   οϱ,   υϱ,   ωϱ

  ϱά - βω = I sew   ώ - ϱα = hour

σα, σε,   ση,   σι,   σο,   συ,   σω
ασ, εσ,   ησ,   ισ,   οσ,   υσ,   ωσ

  σα - νός = hay   σέ - λι - νο = celery

τα, τε,   τη,   τι,   το,   τυ,   τω
ατ, ετ,   ητ,   ιτ,   οτ,   υτ,   ωτ

  τό -τε = then   τα - βέϱ - να = tavern

φα, φε,   φη,   φι,   φο,   φυ,   φω
αφ, εφ,   ηφ,   ιφ,   οφ,   υφ,   ωφ

  φί - λος = friend   φως = light

χα, χε,   χη,   χι,   χο,   χυ,   χω
αχ, εχ,   ηχ,   ιχ,   οχ,   υχ,   ωχ

  χέ - ϱι = hand   έ - χω = I have

ψα, ψε,   ψη,   ψι,   ψο,   ψυ,   ψω
αψ, εψ,   ηψ,   ιψ,   οψ,   υψ,   ωψ

  ψά - ϱι = fish   ψω - μί = bread

5. THE DIPHTHONGS (Double Vowels):

The word "diphthong" comes from the Greek which means two letters giving one single sound. These are:

αι = e as in egg
αυ = af » after
av » avoid
ει = i » ink
ευ = ef » effect
ev » evangelist
οι = i » ink
ου = u » rude

Read the following syllables:

και, ναι, λαι, παι, μαι
και - ρός = weather παί - ζω = I play

καυ, ναυ, μαυ, παυ, γαυ
ναύ - της = sailor μαύ - ρος = black

κει, λει, νει, μει, βει
ε - κεί = there θέ - λει = He / She wants

κευ, λευ, νευ, μευ, γευ
λευ - κό = white γεύ - μα = lunch

λοι, μοι, νοι, κοι, ροι
ξέ - νοι = guests (foreigners) φί - λοι = friends

νου, μου, σου, του, βου
βου - νό = mountain λου - λού - δι = flower

18

Examples:

αι	e	Αιγαίο (Egheo)	Aegean
αυ	af	before θ, κ, ξ, π, σ, τ, φ, χ, ψ	
		Αυστρία (Afstria)	Austria
	av	elsewhere:	
		αύριο (avrio)	tomorrow
ει	i	ειρήνη (irini)	peace
ευ	ef	before θ, κ, ξ, π, σ, τ, φ, χ, ψ	
		ευχαριστώ (efharisto)	Thanks
	ev	elsewhere:	
		Ευρώπη (Evropi)	Europe
οι	i	οικονομία (ikonomia)	Economy
ου	u	ουρανός (uranos)	sky

6. DOUBLE CONSONANTS:

γγ	ng	Αγγλία (Anglia)	England
γκ	ng	άγκυρα (angira)	anchor
γχ	nkh	μελαγχολία (melankholia)	melancholy
μπ	b	when initial	
		μπίρα (bira)	beer
	mb	when medial Ολυμπία (Olimbia)	Olympia
ντ	d	when initial ντομάτα (domata)	tomato
	nd	when medial δόντι (dhondi)	tooth
τζ	dz	τζάμι (dzami)	window-pane

7. PUNCTUATION: All punctuation marks are the same as in English with only two exceptions. The question mark is (;) and the semi-colon (·)

8. THE ACCENT

There is one accent in Modern Greek (´). It is used to stress a particular syllable. It serves as a good guide to pronunciation. The accent may be used only: (a) on the last syllable of the word, (b) on the second syllable from the end and (c) on the third syllable from the end.

Accent on the last syllable:

ο μαθητής = the pupil

ο ψαράς = the fisherman

ο αδελφός = the brother

η αδελφή = the sister

η καρδιά = the heart

το νερό = the water

Accent on the 2nd syllable from the end:

ο πατέρας = the father

ο ναύτης = the seaman

ο δρόμος = the road, street

η μητέρα = the mother

η πόλη = the city, town

το μήλο = the apple

το χέρι = the hand

Accent on the 3rd syllable from the end:

ο δάσκαλος = the teacher

ο γείτονας = the neighbour

η ζάχαρη = the sugar

η σάλπιγγα = the trumpet

το παράθυρο = the window
το μάθημα = the lesson

Words with one syllable are not accented, with some exceptions.

με = with	ναι = yes	ποιος = who?
και = and	δεν = not	πως = that
πριν = before	που = that, which	

But που = where?   πώς = how?

Notice the shift of the accent in the Genitive Case.

HANDWRITING

A α, B β, Γ γ, Δ δ, E ε, Z ζ, H η, θ θ,
I ι, K κ, Λ λ, M μ, N ν, Ξ ξ, O o, Π π,
P ρ, Σ σ, T τ, Y υ, Φ φ, X x, Ψ ψ, Ω ω.

η Ελλάδα
η Αθήνα
η Κύπρος
η Κρήτη
ο δάσκαλος
ο πατέρας
το γάλα

το νησί
το καφενείο
ο φίλος
η ταβέρνα
το ξενοδοχείο
η ώρα
η μπίρα

21

LESSON 2

THE DEFINITE ARTICLE: ο, η, το = the

We can tell whether a word is Masculine, Feminine or Neuter by the article which goes before the word. Thus all nouns are preceded by the article as follows:

(a) Masculine words take the article: **ο**

e.g. ο πατέρας - the father

(b) Feminine words take the article: **η**

e.g. η μητέρα - the mother

(c) Neuter words take the article: **το**

e.g. το παιδί - the child

NOTE: The article is also used with Proper Nouns
e.g. η Αθήνα, ο Κώστας.

The Definite article changes in the plural.
Masculine = **οι**, Feminine = **οι**, Neuter = **τα**

THE INDEFINITE ARTICLE:
ένας, μία (μια), ένα = a or an

Masc.: ένας άντρας - a man
ένας Έλληνας - a Greek man
Fem. : μια γυναίκα - a woman
μια Αγγλίδα - an English woman
Neut.: ένα βιβλίο - a book
ένα μήλο - an apple

The Indefinite Article, like the Definite Article declines. Notice the changes when you study the Genitive and Accusative case. There is no plural of the Indefinite Article.

Read the following words:

ο άντρας - the man   η γυναίκα - the woman
ο πατέρας - the father   η μητέρα - the mother
ο ψαράς - the fisherman   η κουζίνα - the kitchen
ο ψωμάς - the baker   η καρέκλα - the chair
ο καφές - the coffee   η αδελφή - the sister
ο μαθητής - the pupil   η δραχμή - the drachma
ο δάσκαλος - the teacher   η πόλη - the city
ο ράφτης - the tailor   η τιμή - the price

το μήλο - the apple
το σπίτι - the house
το τρένο - the train
το καφενείο - the cafe
το ψωμί - the bread
το νερό - the water
το τραπέζι - the table
το γάλα - the milk

Read the following words:

ένας άντρας - a man   μία γυναίκα - a woman
ένας ψαράς - a fisherman   μία κουζίνα - a kitchen
ένας μαθητής - a pupil   μία πόλη - a city
ένας ράφτης - a tailor   μία καρέκλα - a chair

ένα μήλο - an apple
ένα σπίτι - a house
ένα καφενείο - a cafe
ένα τραπέζι - a table

NOUNS

We can also tell whether a word is Masculine, Feminine or Neuter by its ending. It is important to remember that all words (nouns) always end as follows:

Masculine words end in:

- **- ος** ο κήπος - the garden
  ο φίλος - the friend
  ο άνθρωπος - the man, person

- **- ης** ο μαθητής - the pupil
  ο ράφτης - the tailor
  ο ναύτης - the sailor

- **- ας** ο πατέρας - the father
  ο ήρωας - the hero
  ο γείτονας - the neighbour

- **- ες** ο καφές - the coffee
  ο κεφτές - the meatball
  ο καναπές - the settee

- **- ους** ο παππούς - the grandfather
  ο νους - the mind
  ο Ιησούς - Jesus

Feminine words end in:

- **- α** η γυναίκα - the woman
  η κοπέλα - the girl
  η νύχτα - the night

- **- η** η αδελφή - the sister
  η τιμή - the price
  η πόλη - the city

24

- ος	η έξοδος - the exit
	η οδός - the street
	η είσοδος - the entrance
- ου	η αλεπού - the fox
- ω	η Δέσπω - Despo

Neuter words end in:

- ο	το βιβλίο - the book
	το σχολείο - the school
	το δέντρο - the tree
- ι	το χέρι - the hand
	το παιδί - the child
	το τυρί - the cheese
- μα	το μάθημα - the lesson
	το στόμα - the mouth
	το σώμα - the body
- ος	το δάσος - the forest
	το έθνος - the nation
	το τέλος - the end
- μο	το δέσιμο - the binding
	το γράψιμο - the writing
- ας	το κρέας - the meat
- ως	το φως - the light
- ον	το παρόν - the present
	το μέλλον - the future
	το παρελθόν - the past

READING PRACTICE: The names of most countries and capitals are feminine.

Η ΕΛΛΑΔΑ - η Ελλάδα - Greece

Η ΑΘΗΝΑ - η Αθήνα - Athens

Η ΚΥΠΡΟΣ - η Κύπρος - Cyprus

Η ΚΡΗΤΗ - η Κρήτη - Crete

Ο ΠΕΙΡΑΙΑΣ - ο Πειραιάς - Pireas

Η ΑΚΡΟΠΟΛΗ - η Ακρόπολη - Acropolis

ΤΟ ΚΑΦΕΝΕΙΟ - το καφενείο - Cafe

ΤΟ ΜΟΥΣΕΙΟ - το Μουσείο - Museum

Η ΤΑΒΕΡΝΑ - η ταβέρνα - Tavern

ΤΟ ΞΕΝΟΔΟΧΕΙΟ - το ξενοδοχείο - Hotel

Ο ΣΤΑΘΜΟΣ - ο σταθμός - Station

Η ΣΤΑΣΗ - η στάση - Bus Stop

ΤΟ ΤΑΧΥΔΡΟΜΕΙΟ - το ταχυδρομείο - Post Office

ΤΟ ΦΑΡΜΑΚΕΙΟ - το φαρμακείο - Chemist's

ΤΟ ΠΑΝΤΟΠΩΛΕΙΟ - το παντοπωλείο - Grocer's

Η ΕΘΝΙΚΗ ΟΔΟΣ - η Εθνική Οδός - Motorway

EXERCISE 1

Put the missing Definite article ο, η, το = the

1. — Ελλάδα (Greece)
2. — τραπέζι (table)
3. — καρέκλα (chair)
4. — ούζο (ouzo)
5. — καφενείο (cafe)
6. — καφές (coffee)
7. — ψωμί (bread)
8. — νερό (water)
9. — ρετσίνα (retsina)
10. — άνθρωπος (man)
11. — μητέρα (mother)
12. — πατέρας (father)
13. — αδελφός (*) (brother)
14. — αδελφή (*) (sister)

15. — γαλατάς (milkman)   20. — κουζίνα (kitchen)
16. — ψαράς (fisherman)   21. — τουαλέτα (toilet)
17. — μπακάλης (grocer)   22. — τρένο (train)
18. — κατάστημα (shop)   23. — Αθήνα (Athens)
19. — σπίτι (house)   24. — καθηγητής (professor)

EXERCISE 2

Put the missing Indefinite article ένας, μια, ένα = a, an

1. — τραπέζι (table)   11. — πόλη (city)
2. — γυναίκα (woman)   12. — ψωμί (bread)
3. — καφενείο (cafe)   13. — μαθητής (pupil)
4. — άντρας (man)   14. — σπίτι (house)
5. — δάσκαλος (teacher)   15. — δραχμή (drachma)
6. — ψαράς (fisherman)   16. — ψωμάς (baker)
7. — κουζίνα (kitchen)   17. — καφές (coffee)
8. — καρέκλα (chair)   18. — μήλο (apple)
9. — μπακάλης (grocer)   19. — τουαλέτα (toilet)
10. — αδελφός (brother)   20. — αδελφή (sister)

(*) Also αδερφός, αδερφή.

Athens - The University

LESSON 3
DEMONSTRATIVE PRONOUNS/ADJECTIVES
This is AND That is

Demonstrative Words are used in pointing out a person, a place or thing, e.g. This is Athens, that is the Acropolis. When the Pronouns T h i s and T h a t are used with a Noun they are Demonstrative Adjectives. They may be used either alone or together with a noun (and article).

Α υ τ ό ς is used with Masculine words.
Α υ τ ή » » » Feminine » = **T h i s.**
Α υ τ ό » » » Neuter.

Ε κ ε ί ν ο ς, ε κ ε ί ν η, ε κ ε ί ν ο =**T h a t,** are used:

(1) To indicate a person or thing that is removed in time or place: Εκείνος έχτισε το σπίτι = He built the house.

(2) To indicate distinction: Αυτό είναι φτηνό· εκείνο είναι ακριβό = This is cheap; that is expensive.

The word **ε ί ν α ι** means **i s** in the singular and **a r e** in the plural.

Examples:

Αυτός είναι ο Νίκος   = This is Nicos.
Αυτή είναι η Αθήνα   = This is Athens.
Αυτό είναι ένα βιβλίο   = This is a book.
Εκείνος είναι ο Πέτρος   = That is Peter.
Εκείνη είναι η Μαρία   = That is Maria.
Εκείνο είναι ένα βιβλίο   = That is a book.

NOTE: The Article is used with the Demonstrative Pronoun and Proper Nouns (unlike English) when we name people, places, or things, but sometimes the article is omitted when used with things (objects). The Demonstrative Pronouns are used in reply to questions like: What is this/ that? **Τι είναι**

28

αυτό / εκείνο; OR who is this / that? **Ποιος είναι
αυτός / εκείνος;** (masc.). **Ποια είναι αυτή / εκείνη;** (femin.)
Ποιο είναι αυτό / εκείνο; (Neuter).

Examples:

Τι είναι αυτό;
What is this?

Αυτό είναι ένα βιβλίο.
This is a book.

Τι είναι εκείνο;
What is that?

Εκείνο είναι ένα τραπέζι.
That is a table.

Ποιος είναι αυτός;
Who is he?

Αυτός είναι ο Γιάννης.
This is John.

Ποια είναι αυτή;
Who is she?

Αυτή είναι η Ελένη.
This is Helen.

Ποια είναι εκείνη;
Who is that?

Εκείνη είναι η Χριστίνα.
That is Christina.

Αυτό το βιβλίο είναι ελληνικό = This book is Greek.
Αυτή η μπίρα είναι ελληνική = This beer is Greek.
Εκείνος ο τουρίστας είναι = That tourist is English.
   Άγγλος
Εκείνη η κοπέλα είναι Αγγλίδα = That girl is English.

GREETINGS:

Καλημέρα = Good morning   Χαίρετε = Goodbye,
                                    Good afternoon

Καλησπέρα = Good evening Αντίο = Goodbye
Καληνύχτα = Good night   Παρακαλώ = Please, Don't
                                    mention it

Γειά σου = Hello; Goodbye Ευχαριστώ = Thank you

THE NUMBERS FROM 0-20

0 = μηδέν
1 = ένα
2 = δύο
3 = τρία (τρεις)*
4 = τέσσερα (τέσσερις)*
5 = πέντε
6 = έξι
7 = εφτά (επτά)
8 = οχτώ, (οκτώ)
9 = εννέα (εννιά)
10 = δέκα

11 = ένδεκα (έντεκα)
12 = δώδεκα
13 = δεκατρία (εις)*
14 = δεκατέσσερα (-ις)*
15 = δεκαπέντε
16 = δεκαέξι
17 = δεκαεφτά (δεκαεπτά)
18 = δεκαοχτώ
19 = δεκαεννιά
20 = είκοσι

* NOTE: All numbers ending in 3 when they refer to Masculine or Feminine words always end in - ε ι ς. Numbers ending in 4 when they refer to Masculine or Feminine words always end in - ι ς.

VOCABULARY

το φλιτζάνι = cup
η κουζίνα = kitchen
το τραπέζι = table
η καρέκλα = chair
το ποτήρι = glass
το πιάτο = plate
το πιρούνι = fork
το κουτάλι = spoon
ο καφές = coffee
το τσάι = tea
το ψωμί = bread
το νερό = water
το μαχαίρι = knife
η τάξη = class

το βιβλίο = book
το μολύβι = pencil
η πένα = pen, penny
ο χάρτης = map
το χαρτί = paper
ο δάσκαλος = teacher
η δασκάλα = lady teacher
ο πίνακας = blackboard
ο μαθητής = pupil
ο Αντρέας = Andreas
η Ελένη = Helen
η 'Αννα = Anna
η Αθήνα = Athens
η Αθηνά = Athena

NOTE: Remember we use **Ποιος** (m), **Ποια** (f), **Ποιο** (n) = who, to find out about people and things.
We use **Τι** (what) to find out about things. Remember to use **Αυτός** / **Εκείνος** with masculine words. **Αυτή** / **Εκείνη** with Feminine words and **Αυτό** / **Εκείνο** with Neuter words.

EXERCISE 3
Answer the following questions.

Example:
Question: Τι είναι αυτό; Answer: Αυτό είναι ένα βιβλίο.

Question	Answer
1. Τι είναι αυτό;	Αυτό είναι ένα ....(a glass)
2. Τι είναι αυτή;	Αυτή είναι μία ....(a pen)
3. Τι είναι εκείνο;	Εκείνο είναι ένα........(a cup)
4. Τι είναι αυτό;	....................................(a spoon)
5. Τι είναι εκείνο;	....................................(the bread)
6. Τι είναι εκείνη;	....................................(the chair)
7. Τι είναι εκείνη;	....................................(the kitchen)
8. Ποιος είναι αυτός;	....................................(the pupil)
9. Ποιος είναι εκείνος;	....................................(Andrew)
10. Ποια είναι εκείνη;	....................................(Helen)
11. Ποια είναι αυτή;	....................................(Anna)
12. Τι είναι αυτό;	....................................(the water)
13. Τι είναι αυτό;	....................................(a fork)
14. Τι είναι εκείνος;	....................................(the blackboard)
15. Ποια είναι αυτή;	....................................(Christina)
16. Ποιος είναι αυτός;	....................................(the teacher)
17. Ποια είναι αυτή;	....................................(the mother)
18. Τι είναι αυτό;	....................................(the tea)
19. Τι είναι εκείνο;	....................................(a plate)
20. Τι είναι αυτό;	....................................(a pencil)

USING NAI = YES AND OXI = NO

When we want to confirm that something is correct we say
Ναι είναι =Yes it is. When it is incorrect we say 'Οχι δεν
είναι= No it is not.

Examples:

Αυτό είναι ένα βιβλίο;   Ναι, είναι ένα βιβλίο.
Is this a book?   Yes, it is a book.

Αυτή είναι η 'Αννα;   'Οχι, δεν είναι η 'Αννα.
Is this Anna?   No, it is not Anna.

Εκείνος είναι ο Πέτρος;   Ναι, είναι ο Πέτρος.
Is that Peter?   Yes, it is Peter.

EXERCISE 4

Answer the questions using the words Ναι / 'Οχι.

Example:

Αυτό είναι ένα τραπέζι;   'Οχι δεν είναι ένα τραπέζι.
   Is this a table?   No it is not a table.

1. Αυτό είναι ένα βιβλίο;   Ναι είναι ....
2. Αυτή είναι η Ελένη;   'Οχι δεν είναι ....
3. Αυτός είναι ο Τζακ;   'Οχι ....
4. Αυτή είναι η Σάντρα;   'Οχι ....
5. Εκείνος είναι ο Γιάννης;   Ναι ....
6. Αυτό είναι ένα τραπέζι;   Ναι ....
7. Αυτό είναι ένα μολύβι;   'Οχι ....
8. Αυτή είναι μία πένα;   Ναι ....
9. Αυτή είναι μία καρέκλα;   Ναι ....
10. Αυτό είναι ένα χαρτί;   'Οχι ....
11. Εκείνος είναι ένας
    χάρτης;   Ναι ....
12. Αυτός είναι ο
    δάσκαλος;   'Οχι ....
13. Αυτό είναι ένα ψωμί;   'Οχι ....

32

14. Αυτός είναι ένας
    καφές; ....
15. Εκείνο είναι ένα τσάι; ....
16. Εκείνο είναι ένα
    φλιτζάνι; ....
17. Αυτό είναι ένα ποτήρι; ....
18. Εκείνη είναι η Αθηνά; ....
19. Αυτός είναι ο Αντρέας; ....
20. Εκείνη είναι η 'Αννα; ....

Delphi - The Tholos - Temple of Athena

33

LESSON 4

NOUNS - SINGULARS AND PLURALS

The Masculine article **o** changes into **o ι** in the plural. The Feminine article **η** changes into **o ι** and the Neuter article **τ o** changes into **τ α**.

The cases: There are four Cases:
1. The Nominative is used when we name someone or something.
2. The Genitive is used to indicate dependence or possession.
3. The Accusative is used to indicate something as an object.
4. The Vocative is used when we want to call someone or something.

THE NOMINATIVE CASE

We use the Nominative case when we make sentences naming people, places or things; e.g. John is Greek; Athens is a capital; The car is red. We also use it to respond to questions like; W h o i s? Π ο ι ο ς / Π ο ι α ε ί ν α ι; Also in response to questions like W h a t i s t h i s? Τ ι ε ί ν α ι α υ τ ό;

Examples:

Ποιος είναι αυτός;
Who is it?

Αυτός είναι ο Γιάννης.
This is John.

Ποια είναι αυτή;
Who is it?

Αυτή είναι η 'Αννα.
This is Anna.

Τι είναι αυτό;
What is this?

Αυτό είναι το βιβλίο.
This is the book.

A. Masculine words:

Singular   **Plural**
  All masculine words end in — ς

1. Ending in — **ο ς**   Ending in — **ο ι**

ο φίλος — friend   οι φίλοι — friends
ο άνθρωπος — man   οι άνθρωποι — men
ο γέρος — old man   οι γέροι — old men
ο ᾽Αγγλος — Englishman οι ᾽Αγγλοι — Englishmen
ο γιατρός — doctor   οι γιατροί — doctors
ο βοσκός — shepherd   οι βοσκοί — shepherds

2. Ending in — **η ς**   Ending in — **ε ς**

ο μαθητής — pupil   οι μαθητές — pupils
ο ναύτης — sailor   οι ναύτες — sailors
ο εργάτης — worker   οι εργάτες — workers
ο πολίτης — citizen   οι πολίτες — citizens

3. Ending in — **α ς**   Ending in — **ε ς**

ο πατέρας — father   οι πατέρες — fathers
ο ήρωας — hero   οι ήρωες — heroes
ο γείτονας — neighbour   οι γείτονες — neighbours
ο ῎Ελληνας — Greek (man) οι ῎Ελληνες — Greeks

35

4. Ending in — **ε ς**   Ending in — **έ δ ες**

ο καφές — coffee   οι καφέδες — coffees
ο κεφτές — meatball   οι κεφτέδες — meatballs
ο καναπές — settee   οι καναπέδες — settees
ο μεζές — snack   οι μεζέδες — snacks

5. Ending in— **έ α ς**   Ending in — **ε ι ς**

ο κουρέας — barber   οι κουρείς — barbers
ο γραμματέας — secretary   οι γραμματείς — secretaries
ο συγγραφέας — author   οι συγγραφείς — authors

6. Some occupational nouns ending in - **η ς** change into - **η δ ε ς**
in the plural.

ο μπακάλης — grocer   οι μπακάληδες — grocers
ο μανάβης — greengrocer   οι μανάβηδες — green-
                                                        grocers
ο καφετζής — cafe owner   οι καφετζήδες— cafe own-
                                                        ers.

7. Most occupational nouns accented on the last syllable and
ending in - **α ς** change into - **ά δ ε ς** in the plural.

ο ψωμάς — baker   οι ψωμάδες — bakers
ο ψαράς — fisherman   οι ψαράδες — fishermen
ο γαλατάς — milkman   οι γαλατάδες — milkmen
ο παπάς — priest   οι παπάδες — priests

Other words accented on the last syllable change the final - α ς
into - ά δ ε ς.

ο καβγάς — quarrel	οι καβγάδες - quarrels
ο κουβάς — bucket	οι κουβάδες - buckets

8. Ending in - **ο υ ς**   **- ο ύ δ ε ς**
ο παππούς — grandfather   οι παππούδες— grand-
fathers

NOTE: The most common endings in Masculine words are
- ο ς, - η ς and **- α ς.**

B. Feminine Words:
Singular   **Plural**

1. Ending in **- α**   Ending in **- ε ς**

η πόρτα — door	οι πόρτες — doors
η θάλασσα — sea	οι θάλασσες — seas
η γυναίκα — woman	οι γυναίκες — women
η μητέρα — mother	οι μητέρες — mothers
η καρδιά — heart	οι καρδιές — hearts
η κουζίνα — kitchen	οι κουζίνες — kitchens
η χώρα — country	οι χώρες — countries
η γριά — old woman	οι γριές — old women.

Very few words accented on the last letter take an additional
- δ ε ς in the plural.

η γιαγιά — grandmother	οι γιαγιάδες —grandmothers
η μαμά — mum	οι μαμάδες — mothers

2. Ending in - **η**

η αδελφή — sister	οι αδελφές — sisters
η ζωή — life	οι ζωές — lives
η τιμή — price	οι τιμές — prices
η τέχνη — art	οι τέχνες — arts
η φυλακή — prison	οι φυλακές — prisons
η δραχμή — drachma	οι δραχμές — drachmas

Ending in - **ε ς**

3. Some words ending in - **η** have kept the archaic plural
- **ε ι ς**

η λέξη — word	οι λέξεις — words
η πόλη — city	οι πόλεις — cities
η τάξη — class	οι τάξεις — classes
η επίσκεψη — visit	οι επισκέψεις — visits

4. Ending in - **ο ς**   Ending in - **ο ι**

η οδός — street	οι οδοί — streets
η είσοδος — entrance	οι είσοδοι — entrances
η έξοδος — exit	οι έξοδοι — exits

Also names: η Κύπρος — Cyprus, η Ρόδος — Rhodes,
η Μύκονος — Mykonos

5. Some names end in - **ω**

η Αργυρώ, η Φρόσω, η Δέσπω, η Κλειώ, η Λητώ.
6. Ending in — **ο υ**
η αλεπού — fox   οι αλεπούδες — foxes

NOTE: The most common endings in Feminine words are
- **α** and - **η.**

C. Neuter Words

Singular	Plural
1. Ending in - o	Ending in - **α**

το βιβλίο — book	τα βιβλία — books
το μήλο — apple	τα μήλα — apples
το βουνό — mountain	τα βουνά — mountains
το λεωφορείο — bus	τα λεωφορεία — buses
το καφενείο — cafe	τα καφενεία — cafes

2. Ending in - ι	Ending in - **ι α**

το χέρι — hand	τα χέρια — hands
το ψωμί — bread	τα ψωμιά — bread
το δόντι — tooth	τα δόντια — teeth
το λεμόνι — lemon	τα λεμόνια — lemons
το μολύβι — pencil	τα μολύβια — pencils
το ψάρι — fish	τα ψάρια — fish
το πόδι — foot, leg	τα πόδια — feet, legs

3. Ending in - μ α	Ending in - **μ α τ α**

το μάθημα — lesson	τα μαθήματα — lessons
το δέμα — parcel	τα δέματα — parcels
το γράμμα — letter	τα γράμματα — letters
το σώμα — body	τα σώματα — bodies
το χρώμα — colour	τα χρώματα — colours

4. Ending in - **ο ς**   Ending in - **η**

το δάσος — forest   τα δάση — forests
το έθνος — nation   τα έθνη — nations
το βάρος — weight   τα βάρη — weights
το λάθος — mistake   τα λάθη — mistakes

NOTE: When the word is accented on the last letter like το
γεγονός - event, the plural ending is τα γεγονότα - events.

5. Very few Neuter words end in - **α ς** and - **ω ς**

το κρέας - meat   τα κρέατα - meat
το φως - light   τα φώτα - lights

6. Ending in - **ι μ ο**   Ending in - **μ α τ α**

το γράψιμο — writing   τα γραψίματα — writings
το δέσιμο — binding   τα δεσίματα — bindings

7. Ending in - **ο ν**   Ending in - **ο ν τ α**

το καθήκον — duty   τα καθήκοντα — duties
το προϊόν — product   τα προϊόντα — products

NOTE: The most common endings in Neuter words are
- **ο**, - **ι** and - **μ α**.

Η Ελληνική Βουλή - The Greek Parliament

40

EXERCISE 5

Give the plural of the following words:

Masculine	Feminine	Neuter
1. ο δάσκαλος teacher	11. η κοπέλα girl	21. το ξενοδοχείο hotel
2. ο χτίστης builder	12. η ταβέρνα tavern	22. το εστιατόριο restaurant
3. ο ράφτης tailor	13. η κουζίνα kitchen	23. το μάθημα lesson
4. ο ταχυδρόμος postman	14. η μύτη nose	24. το λουλούδι flower
5. ο εργάτης worker	15. η μηχανή engine	25. το καρπούζι watermelon
6. ο πατέρας father	16. η κάρτα card	26. το αχλάδι pear
7. ο μανάβης greengrocer	17. η μέρα day	27. το μάτι eye
8. ο αδελφός brother	18. η τράπεζα bank	28. το ψωμί bread
9. ο ταμίας cashier	19. η δραχμή drachma	29. το λεωφορείο bus
10. ο ψαράς fisherman	20. η τιμή price	30. το γράμμα letter

EXERCISE 6

Give the singular of the following words:

Remember: Masculine words usually end in $\boxed{\text{- ο ς, - η ς and - α ς}}$

Feminine endings are $\boxed{\text{- α or - η}}$

Neuter endings are $\boxed{\text{- ο, - ι or - μα}}$

Masculine

1. οι Έλληνες
   Greeks
2. οι άντρες
   men
3. οι οδηγοί
   drivers
4. οι δάσκαλοι
   teachers

5. οι βοσκοί
   shepherds
6. οι ναύτες
   sailors
7. οι μαθητές
   pupils
8. οι γιατροί
   doctors

9. οι ψωμάδες
   bakers
10. οι γείτονες
    neighbours

Feminine

11. οι ταβέρνες
    taverns
12. οι πόλεις
    cities
13. οι τάξεις
    classes
14. οι εκκλησίες
    churches
15. οι πατάτες
    potatoes
16. οι εφημερίδες
    newspapers
17. οι βάρκες
    boats
18. οι ντομάτες
    tomatoes
19. οι δραχμές
    drachmas
20. οι τιμές
    prices

Neuter

21. τα φρούτα
    fruit
22. τα ψάρια
    fish
23. τα βιβλία
    books
24. τα χρώματα
    colours
25. τα πόδια
    feet
26. τα δόντια
    teeth
27. τα λεωφορεία
    buses
28. τα μήλα
    apples
29. τα καφενεία
    cafes
30. τα βουνά
    mountains

LESSON 5
THE VERB "TO BE"
USING Ναι = Yes AND Όχι = No

Είμαι = I am   Είμαστε = We are
Είσαι = You are   Είστε (είσαστε) = You are
Είναι = He, She, It is   Είναι = They are

NOTE: The word ε ί ν α ι has a singular and plural meaning.
It means i s and a r e.

VOCABULARY

ο Έλληνας,	η Ελληνίδα	=	Greek
ο Κύπριος,	η Κυπρία	=	Cypriot
ο Άγγλος,	η Αγγλίδα	=	English
ο Βρετανός,	η Βρετανίδα	=	British
ο Γάλλος,	η Γαλλίδα	=	French
ο Γερμανός,	η Γερμανίδα	=	German
ο Ιταλός,	η Ιταλίδα	=	Italian
ο Αμερικάνος,	η Αμερικάνα (ίδα)	=	American
ο Ιρλανδός,	η Ιρλανδέζα	=	Irish
ο Σκωτσέζος,	η Σκωτσέζα	=	Scottish
ο Ουαλλός,	η Ουαλλέζα	=	Welsh
ο Σουηδός,	η Σουηδέζα	=	Swedish

Examples:

Είμαι Έλληνας	/ Ελληνίδα	= I am Greek
Είσαι Άγγλος	/ Αγγλίδα	= You are English
Είναι Γάλλος	/ Γαλλίδα	= He/She is French

43

Είμαστε Έλληνες/ Ελληνίδες	= We are Greeks
Είστε 'Αγγλοι /Αγγλίδες	= You are English
Είναι Γάλλοι / Γαλλίδες	= They are French

1. The word **Ναι** means y e s; the word **μάλιστα** means c e r t a i n l y.

2. The word **όχι** means N o or n o t. The word Όχι is used in statements, e.g.

Θέλω καφέ, **όχι** τσάι = I want coffee n o t tea.

3. The word **δεν** is a negative particle meaning n o t, e.g. δεν θέλω = I do not want.

4. The word **μην (μη)** is also negative meaning d o n o t and is used with commands, e.g. Μην καπνίζεις = Do not smoke.

QUESTIONS AND ANSWERS - ABOUT YOURSELF

We use **είσαι** - i.e. the 2nd person singular, if we want to ask in an informal way.

We use **είστε** or **είσαστε** - i.e. the 2nd person plural, if we want to ask in a formal way.

Question	**Answer**
Είσαι Έλληνας;	Ναι, είμαι Έλληνας.
Are you Greek?	Yes, I am Greek.
Είσαι 'Αγγλος;	Ναι, είμαι 'Αγγλος
Are you English?	Yes, I am English.
Είσαι Αγγλίδα;	Ναι, είμαι Αγγλίδα.
Are you English?	Yes, I am English.
Είσαι Ιταλός;	Όχι, δεν είμαι Ιταλός.
Are you Italian?	No, I am not Italian.

44

Είστε Γερμανίδα;	Όχι, δεν είμαι Γερμανίδα.
Are you German?	No, I am not German.
Είστε Γαλλίδα;	Όχι, δεν είμαι Γαλλίδα.
Are you French?	No, I am not French.
Είστε Κύπριος;	Ναι, είμαι Κύπριος.
Are you Cypriot?	Yes, I am Cypriot.

PERSONAL PRONOUNS

The Personal Pronoun in the Nominative case is used to indicate emphasis.

	(Singular)		**(Plural)**	
1st person	εγώ	= I	εμείς	= we
2nd »	εσύ	= you	εσείς	= you
3rd » (M)	αυτός	= he	αυτοί	= they
(F)	αυτή	= she	αυτές	= they
(N)	αυτό	= it	αυτά	= they

Examples:

Εγώ είμαι 'Ελληνας/ίδα	= I am Greek.
Εσύ είσαι 'Αγγλος/ίδα	= You are English.
Αυτός είναι Γάλλος	= He is French.
Αυτή είναι Αγγλίδα	= She is English.
Εμείς είμαστε 'Ελληνες	= We are Greeks.
Εσείς είστε Αμερικάνοι	= You are American.
Αυτοί είναι 'Αγγλοι	= They are English.

EXERCISE 7

Complete the following sentences:

Example: Εγώ είμαι .... (Greek)
Answer: Εγώ είμαι 'Ελληνας/ Ελληνίδα.

1. Εγώ είμαι ....(English)
2. Εσύ είσαι ....(Cypriot)
3. Αυτός είναι .... (French)
4. Αυτή είναι ....(Italian)
5. Εμείς είμαστε .... (British)
6. Εσείς είσαστε .... (Greeks)
7. Αυτοί είναι ....(Cypriots)
8. Αυτές είναι ....(English)
9. Εγώ είμαι ....(Welsh)
10. Εσύ είσαι ....(Irish)
11. Αυτός είναι ....(Scottish)
12. Αυτή είναι ....(German)
13. Εμείς είμαστε.. (American)
14. Εσείς είστε .... (English)
15. Αυτοί είναι ....(Swedish)

Η Ελληνική Σημαία - The Greek Flag

MORE QUESTIONS and ANSWERS - ABOUT OTHERS

Examples:

Ο Κώστας είναι Έλληνας;　Ναι, είναι Έλληνας.
Is Costas Greek?　Yes, he is Greek.

Η Σάντρα είναι Γαλλίδα;　Όχι, δεν είναι Γαλλίδα.
Is Sandra French?　No, she is not French.

Ο Γιάννης είναι Άγγλος;　Όχι, δεν είναι Άγγλος.
Is John English?　No, he is not English.

Η Ελένη είναι Αγγλίδα?　Ναι, είναι Αγγλίδα.
Is Helen English?　Yes, she is English.

Ο Ρόμπερτ είναι Έλληνας;　Όχι, δεν είναι Έλληνας.
Is Robert Greek?　No, he is not Greek.

Η Τερέζα είναι Ιταλίδα;　Ναι, είναι Ιταλίδα.
Is Tereza Italian?　Yes, she is Italian.

EXERCISE 8

Answer the following questions:

Example:

Ο Κώστας είναι Άγγλος;　Όχι, δεν είναι Άγγλος.
Is Costas English?　No, he is not English.

1. Η Σούζαν είναι Αγγλίδα;　Ναι, είναι ....
Is Susan English?　Yes, she is English.

2. Ο Πέτρος είναι Ιταλός;　Όχι, δεν είναι ....
Is Peter Italian?　No, he is not Italian.

3. Ο Μάρκος είναι Γάλλος;　Ναι ....
Is Mark French?　Yes he is French.

4. Η Γεωργία είναι Κυπρία;　Ναι ....
Is Georgia a Cypriot?　Yes, she is a Cypriot.

47

5. Ο Κάρολος είναι Γερμανός; Όχι ....
   Is Charles German?   No he is not.

6. Ο Κάρτερ είναι
      Αμερικάνος;   Ναι ....
   Is Carter American?   Yes ....

7. Η Χριστίνα είναι
      Ελληνίδα;   Ναι ....
   Is Christina Greek?   Yes ....

8. Ο Θωμάς είναι Ισπανός;   Όχι ....
   Is Thomas Spanish?   No ....

9. Ο Βύρωνας είναι 'Αγγλος;   Ναι ....
   Is Byron English?   Yes he is English.

10. Ο Καζαντζάκης είναι
       'Ελληνας;   Ναι ....
   Is Kazantzakis Greek?   Yes ....

48

LESSON 6

THE ADJECTIVES - SINGULAR

The Adjectives describe the Nouns. Adjectives like Nouns have a gender and number, i.e. they can be masculine, feminine or neuter and they can be singular or plural in order to agree with the Noun they describe.

Adjectives in the Singular:

If there is a consonant before the final **- o ς** then the feminine ending is **- η** e.g. καλός - καλή (good), κοντός - κοντή (short). Also if before the final **- o ς** there is a vowel but with no accent on it the feminine ending changes into **- η** e.g. βέβαιος - βέβαιη (sure, certain) όγδοος - όγδοη (eighth)

1. Masculine	Feminine	Neuter	
καλός	καλή	καλό	= good
ακριβός	ακριβή	ακριβό	= expensive
φτηνός	φτηνή	φτηνό	= cheap
μικρός	μικρή	μικρό	= small
ζεστός	ζεστή	ζεστό	= hot
ψηλός	ψηλή	ψηλό	= tall

2. If there is a vowel with an accent before the final **- o ς** of the Masculine, or if the ending is **- ι o ς** then the Feminine ending is **- α**

νέος	νέα	νέο	= young, new
ωραίος	ωραία	ωραίο	= beautiful
πλούσιος	πλούσια	πλούσιο	= rich
γενναίος	γενναία	γενναίο	= brave
άγριος	άγρια	άγριο	= wild

Examples with Masculine Adjectives

1. Ο Γιάννης είναι **καλός** - John is good.

2. Ο μανάβης είναι **ακριβός** - The greengrocer is expensive.

49

3. Ο μπακάλης είναι **φτηνός**   - The grocer is cheap.

4. Ο καφές είναι **ζεστός**   - The coffee is hot.

5. Ο ψαράς είναι **ψηλός**   - The fisherman is tall.

Examples with Feminine Adjectives

1. Η μητέρα είναι **καλή**   - Mother is good.

2. Η ταβέρνα είναι **ακριβή**   - The tavern is expensive.

3. Η γραβάτα είναι **φτηνή**   - The tie is cheap.

4. Η σούπα είναι **ζεστή**   - The soup is hot.

5. Η Μαρία είναι **ψηλή**   - Maria is tall.

Examples with Neuter Adjectives

1. Το ξενοδοχείο είναι **καλό**   - The hotel is good.

2. Το εστιατόριο είναι **ακριβό** - The restaurant is expensive.

3. Το καφενείο είναι **φτηνό**   - The cafe is cheap.

4. Το τσάι είναι **ζεστό**   - The tea is hot.

5. Το δέντρο είναι **ψηλό**   - The tree is tall (high).

3. If the Masculine adjective ends in **- υ ς,** then the feminine ending is **- ι α** and the Neuter ending is **- υ.**

βαθύς	βαθιά	βαθύ	= deep
βαρύς	βαριά	βαρύ	= heavy
πλατύς	πλατιά	πλατύ	= wide

4. If the Masculine ending is **- η ς** and not accented on the last syllable, the Feminine ending becomes **- α** and the Neuter ending becomes **- ι κ ο.**

τεμπέλης	τεμπέλα	τεμπέλικο	= lazy
ζηλιάρης	ζηλιάρα	ζηλιάρικο	= jealous
πεισματάρης	πεισματάρα	πεισματάρικο	= stubborn

5. Some adjectives change their Feminine ending into either
- ι α or **- η** e.g. ξανθιά - ξανθή (blonde).

φτωχός	φτωχιά	φτωχό	= poor - beggar
ξανθός	ξανθιά	ξανθό	= blonde
κακός	κακιά	κακό	= bad
γλυκός	γλυκιά	γλυκό	= sweet

6. **Colour adjectives** which end in **- η ς** and accented on the last syllable change their Feminine ending into **- ι α** and their Neuter ending into **- ι**.

σταχτής	- σταχτιά	- σταχτί	= grey coloured
πορτοκαλής	- πορτοκαλιά-	πορτοκαλί	= orange coloured
τριαντα - φυλλής	- τριαντα- φυλλιά	- τριαντα- φυλλί	= rose coloured (pink)

7. **Some irregular adjectives** end in **- η ς** with the exception of πολύς.

πολύς	πολλή	πολύ	= a lot, many
ακριβής	ακριβής	ακριβές	= exact, precise
διεθνής	διεθνής	διεθνές	= international

8. Adjectives from Nouns:

Some Adjectives derive from Nouns. They have the following endings:

(a) - ι ο ς , - ι α , - ι ο

η τιμή = honesty	τίμιος, α, ο = honest
η αξία = value, worthiness	άξιος, α, ο = worthy
ο Νότος = South	νότιος, α, ο = southern
ο Βοριάς = North	βόρειος, α, ο = northern

(b) - ι κ ο ς , - ι κ ή, - ι κ ó

ο 'Αγγλος = English (man)	αγγλικός, η, ο = English
ο Έλληνας = Greek (man)	ελληνικός, η, ο = Greek
ο Γάλλος = French (man)	γαλλικός, η, ο = French
η Ευρώπη = Europe	ευρωπαϊκός, η, ο = European
η Ανατολή = East	ανατολικός, η, ο = eastern
η Δύση = West	δυτικός, η, ο = western

Examples

Ο ελληνικός καφές = The Greek coffee.

Η ελληνική ταβέρνα = The Greek taverna.

Το ελληνικό καφενείο = The Greek cafe.

Ο αγγλικός καιρός = The English weather.

Η αγγλική μπίρα = The English beer.

Το αγγλικό σχολείο = The English school.

NOTE: The adjectives of places do not take a capital letter.

(c) - ι μ ο ς, - ι μ η, - ι μ ο

η χρήση - χρήσιμος, η, ο = useful

(d) - ι ν ο ς, - ι ν η, - ι ν ο

το ξύλο	- ξύλινος, η, ο	= wooden
το χαρτί	- χάρτινος, η, ο	= paper
το βόδι	- βοδινός, η, ο	= beef
το μαλλί	- μάλλινος, η, ο	= woollen

(e) - ί σ ι ο ς, - ί σ ι α, - ί σ ι ο

| το αρνί | - αρνίσιος, α, ο | = lamb |
| το βουνό | - βουνίσιος, α, ο | = mountainous |

(f) - ω τ ό ς, - ω τ ή, - ω τ ό

| το μετάξι | - μεταξωτός, η, ο | = silk |

(g) - έ ν ι ο ς, - έ ν ι α, - έ ν ι ο

| το ασήμι= silver | ασημένιος, α, ο = silvery |
| το σίδερο = metal | σιδερένιος, α, ο = metalic |

(h) A few nouns accented on the third syllable from the end can also appear as adjectives e.g. ο άρρωστος = the sick man, το άρρωστο παιδί = the sick child, η άρρωστη γυναίκα = the sick woman.

VOCABULARY

ανοιχτός, η, ο = open
κλειστός, η, ο = shut closed
καλός, η, ο = good
ψηλός, η, ο = tall
κοντός, η, ο = short
ωραίος, α, ο = beautiful, nice
φτηνός, η, ο = cheap
ακριβός, η, ο = expensive
γαλάζιος, α, ο ⎫ blue
γαλανός, η, ο ⎬ for sky, eyes
κόκκινος, η, ο = red
κίτρινος, η, ο = yellow
χοντρός, η, ο = fat
λεπτός, η, ο = slim, thin
πράσινος, η, ο = green

άσπρος, η, ο = white
ξανθός, η, (ια), ο = blonde
πλούσιος, ια, ο = rich
ζεστός, η, ο = hot
η ταβέρνα = tavern
το εστιατόριο = restaurant
το κρασί = wine
η λεμονάδα = lemonade
η μπίρα = beer
το φαγητό = food
η φούστα = skirt
το δέντρο = tree
η σημαία = flag
το σχολείο = school
η τράπεζα = bank

EXERCISE 9

Complete the following sentences:
Example: Ο Νίκος είναι .... (tall)
Answer: Ο Νίκος είναι **ψηλός**

MASCULINE ADJECTIVES

1. Ο Γιώργος είναι .... (short)
2. Ο Μάρκος είναι .... (good)
3. Ο Ζαχαρίας είναι .... (fat)
4. Ο καφές είναι .... (hot)

54

5. Ο μπακάλης είναι .... (expensive)
6. Ο μανάβης είναι .... (cheap)
7. Ο ψαράς είναι .... (tall)
8. Ο κήπος είναι .... (nice)
9. Ο Πέτρος είναι .... (poor)
10. Ο Κώστας είναι .... (rich)

FEMININE ADJECTIVES

11. Η Ελένη είναι .... (tall)
12. Η Μαρία είναι .... (short)
13. Η Χριστίνα είναι ....(slim)
14. Η ταβέρνα είναι .... (cheap)
15. Η εκκλησία είναι .... (open)
16. Η τράπεζα είναι... (closed)
17. Η 'Αννα είναι .... (blonde)
18. Η θάλασσα είναι .... (blue)
19. Η φούστα είναι .... (short)
20. Η σημαία είναι .... (Greek)

NEUTER ADJECTIVES

21. Το βιβλίο είναι .... (good)
22. Το μήλο είναι .... (red)
23. Το αχλάδι είναι .... (green)
24. Το πεπόνι είναι .... (yellow)
25. Το καρπούζι είναι .... (green)
26. Το κρασί είναι .... (cheap)
27. Το ξενοδοχείο είναι .... (expensive)
28. Το σχολείο είναι .... (open)
29. Το φαγητό είναι ....(hot)
30. Το εστιατόριο είναι ....(closed)

ATHENS CENTRE

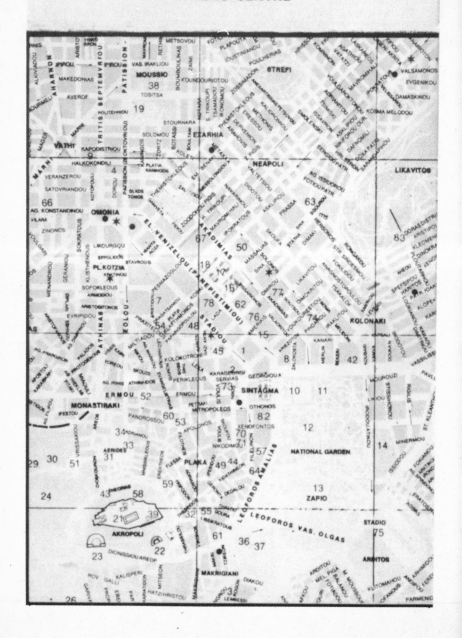

LESSON 7

ADJECTIVES IN THE PLURAL

We use singular adjectives to describe singular nouns. Similarly, we use plural adjectives to describe plural nouns. Remember: the Adjective must agree with the noun in gender and number.

Masculine Examples:

Ο δάσκαλος είναι **καλός**.
The teacher is good.

Οι δάσκαλοι είναι **καλοί**.
The teachers are good.

Ο ψαράς είναι **ψηλός**.
The fisherman is tall.

Οι ψαράδες είναι **ψηλοί**.
The fishermen are tall.

Ο κήπος είναι **ωραίος**.
The garden is nice.

Οι κήποι είναι **ωραίοι**.
The gardens are nice.

Ο μαθητής είναι **έξυπνος**.
The pupil is clever.

Οι μαθητές είναι **έξυπνοι**.
The pupils are clever.

Feminine Examples:

Η δασκάλα είναι **καλή**.
The teacher (fem.) is good.

Οι δασκάλες είναι **καλές**.
The teachers (fem.) are good.

Η ταβέρνα είναι **ανοιχτή**.
The taverna is open.

Οι ταβέρνες είναι **ανοιχτές**.
The tavernas are open.

Η σημαία είναι **ελληνική**.
The flag is Greek.

Οι σημαίες είναι **ελληνικές**.
The flags are Greek.

Η γυναίκα είναι **νέα**.
The woman is young.

Οι γυναίκες είναι **νέες**.
The women are young.

Neuter Examples:

Το καφενείο είναι **ανοιχτό**.
The cafe is open.

Τα καφενεία είναι **ανοιχτά**.
The cafes are open.

Το μουσείο είναι **κλειστό**.
The museum is closed.

Τα μουσεία είναι **κλειστά**.
The museums are closed.

Το μήλο είναι **κόκκινο**.
The apple is red.

Τα μήλα είναι **κόκκινα**.
The apples are red.

Το ξενοδοχείο είναι **ακριβό**.
The hotel is expensive.

Τα ξενοδοχεία είναι **ακριβά**.
The hotels are expensive.

To form the plural endings of adjectives we change their singular endings as follows:

(1) Masculine Adjectives   **Plural endings**

- ος	- οι
- υς	- ιοι
- ής (with acent)	- ιοι
- ης	- ηδες

Examples:

έξυπνος	- έξυπνοι	= clever
καλός	- καλοί	= good
βαθύς	- βαθιοί	= deep
σταχτής	- σταχτιοί	= grey
τεμπέλης	- τεμπέληδες	= lazy

(2) Feminine Adjectives   **Plural endings**

- α	- ες
- η	- ες

Examples:

νέα	- νέες	= young, new
άσπρη	- άσπρες	= white
καλή	- καλές	= good
έξυπνη	- έξυπνες	= clever

(3) Neuter Adjectives   **Plural endings**

- ο	- α
- υ	- ια
- ι	- ια

Examples:

καλό	- καλά	= good
άσπρο	- άσπρα	= white
βαθύ	- βαθιά	= deep
καφετί	- καφετιά	= brown
έξυπνο	- έξυπνα	= clever

Singular	Αυτός	Αυτή	Αυτό	= This
	Εκείνος	Εκείνη	Εκείνο	= That
Plural	Αυτοί	Αυτές	Αυτά	= These
	Εκείνοι	Εκείνες	Εκείνα	= Those

ADJECTIVES - AGREEMENT

An adjective agrees with its noun in **Gender**, **Number** and **Case**. This rule is simple when only **one** noun is involved; when more than one is involved things become more complicated.

1. The **Masculine** takes precedence **if people or animals are involved:**

   Άντρες, γυναίκες και παιδιά ήταν όλοι **χαρούμενοι.**

   = All men, women and children were **happy.**

2. The **Neuter** takes precedence **if inanimate things are involved:**

   Και το ούζο και η ρετσίνα είναι **φτηνά.**

   = Both ouzo and retsina are **cheap.**

3. The problem may sometimes be avoided by having the Adjective modify an all- inclusive word such as «thing».

   Ο έρωτας και τα λεφτά είναι **καλό πράγμα** (Love and money are good things - lit. good thing).

4. The problem disappears if the adjective is repeated: **Καλός** είναι ο έρωτας, *καλά* και τα λεφτά.

VOCABULARY

The Colours:

Singular	Plural
κόκκινος, η, ο	κόκκινοι, ες, α = red
άσπρος, η , ο	άσπροι, ες, α = white
πράσινος, η, ο	πράσινοι, ες, α = green
γαλάζιος, ια, ο (μπλε)	γαλάζιοι, ες, α = blue
γαλανός, η, ο	γαλανοί, ες, α = blue (for sky, eyes)
κίτρινος, η, ο	κίτρινοι, ες, α = yellow
μαύρος, η, ο	μαύροι, ες, α = black
σταχτής, ιά, ι	σταχτιοί, ες, α, (γκρίζοι, ες, α)
γκρι, (γκρίζος, α, ο)	= grey
καφέ, καφετής, ιά, ι	καφέ, καφετιοί, ες, α = brown
τριανταφυλλής, ιά, ι	τριανταφυλλιοί, ες, ά = pink
πορτοκαλής, ιά, ι	πορτοκαλιοί, ες, α = orange

Clothes:

το πουκάμισο = shirt
το πανταλόνι = trousers
το παπούτσι = shoe
η γραβάτα = tie
η κάλτσα = stocking, sock
το παλτό = overcoat
το φόρεμα = dress
η φούστα = skirt
η μπλούζα = blouse
το μαντίλι = handkerchief
στο (pl. στα) = on, at, in, to
ο σκύλος = dog

το σπίτι = house
μεγάλος, η, ο = large
μικρός, η, ο = small
το βάζο = vase
το μαχαίρι = knife
τηγανητός, η, ο, = fried
βραστός, η, ο = boiled
ζεστός, η, ο = hot
καθαρός, η, ο = clean
φιλόξενος, η, ο = hospitable
η φρυγανιά = toast
το αυτοκίνητο = car
η γάτα = cat

EXERCISE 10

Change the following sentences into the Plural.

Example:	Answer:
Το φόρεμα είναι κόκκινο	Τα φορέματα είναι κόκκινα

1. Το φόρεμα είναι γαλάζιο.
2. Το πανταλόνι είναι γκρίζο.
3. Η μπλούζα είναι άσπρη.
4. Το παλτό είναι γαλάζιο.
5. Το πουκάμισο είναι άσπρο.
6. Η γραβάτα είναι κόκκινη.
7. Το παπούτσι είναι καφετί (καφέ).
8. Το μαντίλι είναι τριανταφυλλί.
9. Η φούστα είναι πράσινη.
10. Το πανταλόνι είναι γαλάζιο.
11. Η μπλούζα είναι πορτοκαλιά.
12. Η γραβάτα είναι σταχτιά.
13. Το πουκάμισο είναι κίτρινο.
14. Το παπούτσι είναι μαύρο.
15. Το μαντίλι είναι άσπρο.
16. Ο ράφτης είναι κοντός.
17. Ο Έλληνας είναι φιλόξενος.
18. Ο γιατρός είναι ψηλός.
19. Ο δάσκαλος είναι καλός.
20. Ο μαθητής είναι έξυπνος.

TO ASK A QUESTION: To ask about the colour of something we say: Τι χρώμα είναι/ έχει; (what colour is/has?).

Example:
Τι χρώμα είναι το βιβλίο; or Τι χρώμα έχει το βιβλίο;
Το βιβλίο είναι κόκκινο.

EXERCISE 11

Complete the following sentences.

1. Το φόρεμα είναι (red)
2. Το παλτό είναι (grey)
3. Το πουκάμισο είναι (white)
4. Το μαντίλι είναι (blue)
5. Η πένα είναι (green)
6. Η μπλούζα είναι (black)
7. Η γραβάτα είναι (red)
8. Το βιβλίο είναι (orange)
9. Το μολύβι είναι (green)
10. Το παπούτσι είναι (black)

11. Η φούστα είναι (black)
12. Το αυτοκίνητο είναι
    (yellow)
13. Το πανταλόνι είναι
    (brown)
14. Το μήλο είναι (red)
15. Ο σκύλος είναι (white)
16. Η γάτα είναι (black)

EXERCISE 12

Change the following sentences into the plural:

1. Το σπίτι είναι μεγάλο.
2. Η κουζίνα δεν είναι μικρή.
3. Ο κήπος είναι ωραίος.
4. Το τραπέζι δεν είναι μεγάλο.
5. Η καρέκλα είναι άσπρη.
6. Το βάζο είναι στο τραπέζι.
7. Αυτό δεν είναι ένα μαχαίρι.
8. Αυτό είναι ένα πιρούνι.
9. Εκείνο δεν είναι ένα κουτάλι.
10. Εκείνο είναι ένα πιάτο.
11. Αυτό είναι ένα φλιτζάνι.
12. Η φρυγανιά είναι στο πιάτο.
13. Το αυγό δεν είναι τηγανητό.
14. Το αυγό είναι βραστό.
15. Το τσάι είναι ζεστό.
16. Ο καφές είναι ζεστός.

EXERCISE 13

Change the following sentences into the singular.

1. Αυτά είναι κουτάλια.
2. Εκείνα είναι φλιτζάνια.
3. Τα σπίτια δεν είναι μικρά.
4. Τα αυγά είναι άσπρα.
5. Αυτοί είναι 'Αγγλοι.
6. Οι καφέδες δεν είναι ζεστοί.
7. Εκείνα είναι τα πιρούνια.
8. Τα ψάρια είναι τηγανητά.

9. Εκείνες είναι καρέκλες.
10. Τα πιάτα είναι καθαρά.
11. Τα ποτήρια δεν είναι γεμάτα κρασί.
12. Οι ταβέρνες είναι γεμάτες.
13. Οι κουζίνες είναι μεγάλες.
14. Οι καρέκλες είναι μικρές.
15. Οι γυναίκες δεν είναι Αγγλίδες.
16. Οι άντρες είναι Έλληνες.
17. Αυτοί είναι τουρίστες.
18. Αυτοί είναι Γάλλοι.

The port of Pireas

LESSON 8

POSSESSIVE PRONOUNS
Mine, Yours, His, Hers, etc.

The Possessive Pronoun δικός μου = mine, is inflected. Possessive Pronouns are formed with the adjective δικός, δική, δικό (belongs to), and with the Unemphatic form of the Genitive of the Personal Pronouns. They are used to indicate that something belongs to someone. They may be used as Possessive adjectives.

Possessive Adjectives Unemphatic			Possessive Pronouns Emphatic		
1st	μου	= My	δικός μου	=	mine
2nd	σου	= Your	δικός σου	=	yours
3rd (m)	του	= His	δικός του	=	his
(f)	της	= Her	δικός της	=	hers
(n)	του	= Its	δικός του	=	its
1st	μας	= Our	δικός μας	=	ours
2nd	σας	= Your	δικός σας	=	yours
3rd	τους	= Their	δικός τους	=	theirs

EXAMPLES

το σπίτι μου = My house   ο καφές μου = My coffee

το σπίτι σου = Your house   ο καφές σου = Your coffee

το σπίτι του = His house   ο καφές του = His coffee

το σπίτι της = Her house   ο καφές της = Her coffee

το σπίτι του = Its house   ο καφές του = Its coffee

το σπίτι μας = Our house   ο καφές μας = Our coffee

το σπίτι σας = Your house   ο καφές σας = Your coffee

το σπίτι τους = Their house   ο καφές τους = Their coffee

το όνομά μου = My name   το όνομά μας = Our name
το όνομά σου = Your name   το όνομά σας = Your name
το όνομά του = His name   το όνομά τους = Their name
το όνομά της = Her name
το όνομά του = Its name

NOTE: If the word is accented on the third syllable from the end then an additional accent is used on the last syllable if the word is followed by μου, σου, του etc.

Emphatic:

When we want to stress that something belongs to someone, or to identify the owner, we use the adjective **δικός, δική, δικό.**

Masculine	Feminine	Neuter	
δικός μου	δική μου	δικό μου	= Mine
» σου	» σου	» σου	= Yours
» του	» του	» του	= His
» της	» της	» της	= Hers
» του	» του	» του	= Its
» μας	» μας	» μας	= Ours
» σας	» σας	» σας	= Yours
» τους	» τους	» τους	= Theirs

Plural form : δικοί μου, δικές μου, δικά μου.

Examples:

Αυτό το σπίτι είναι δικό μου = This house is mine.
Αυτό το σπίτι είναι δικό σου = This house is yours.
Αυτό το σπίτι είναι δικό του =   This house is his.
Αυτό το σπίτι είναι δικό της = This house is hers.
Αυτό το σπίτι είναι δικό μας = This house is ours.
Αυτό το σπίτι είναι δικό σας = This house is yours.
Αυτό το σπίτι είναι δικό τους = This house is theirs.

Unemphatic Examples:

Αυτό είναι το βιβλίο μου = This is my book.

Αυτός είναι ο καφές μου = This is my coffee.

Αυτή είναι η πένα μου = This is my pen.

Αυτή είναι η γραβάτα σου = This is your tie.

Αυτό είναι το τσάι του = This is his tea.

Emphatic Examples:

Αυτό είναι το δικό μου βιβλίο / Αυτό το βιβλίο είναι δικό μου = This book is mine.

Αυτός είναι ο δικός μου καφές / Αυτός ο καφές είναι δικός μου = This coffee is mine.

Αυτή είναι η δική μου πένα / Αυτή η πένα είναι δική μου = This pen is mine.

Αυτή είναι η δική σου γραβάτα / Αυτή η γραβάτα είναι δική σου = This tie is yours.

Αυτό είναι το δικό του τσάι / Αυτό το τσάι είναι δικό του = This tea is his.

NOTE: The unemphatic forms are unaccented and come immediately after the noun they modify. The emphatic forms may be added to the unemphatic forms to strengthen them.

Emphasis is also expressed by using the unemphatic

μου		εμένα
σου		εσένα
του		αυτού
της	followed by	αυτής
του		αυτού
μας		εμάς
σας		εσάς
τους		αυτούς

Examples

Η γραβάτα μου εμένα είναι ακριβή. = My tie is expensive.

Η γραβάτα σου εσένα είναι φτηνή. = Your tie is cheap.

Το σπίτι μας εμάς είναι στην Αθήνα. = Our house is in Athens.

Το σπίτι σας εσάς είναι στην Κόρινθο. = Your house is in Corinth.

Η ταβέρνα του αυτού είναι ακριβή = His tavern is expensive.

Η ταβέρνα της αυτής είνα φτηνή = Her tavern is cheap.

Το όνομά μου εμένα είναι Νίκος = My name is Nicos.

Το όνομά σου εσένα είναι Δάφνη = Your name is Daphne.

VOCABULARY

ο θείος = uncle
η θεία = aunt
ο ξάδερφος, η, = cousin
και = and
ο διευθυντής = manager
ο, η γραμματέας = secretary
ξανθός, η (ια) = blonde
τα μαλλιά = hair
τα μάτια = eyes

μεγάλος, η, ο = large, big
ο ανεψιός = nephew
η ανεψιά = niece
μικρός, η, ο = small, little
η γιαγιά = grandmother
νέος, α = young person
η φίλη / φιλενάδα = lady friend
ο παππούς = grandfather
το φαγητό = food

EXERCISE 14

Complete the sentences

1. Το σπίτι .... είναι μεγάλο (my)

2. Ο πατέρας .... είναι Έλληνας (your)

3. Η μητέρα .... είναι Αγγλίδα (his)

4. Το σχολείο .... είναι μικρό (her)

5. Η γιαγιά .... είναι καλή (our)

6. Ο παππούς .... είναι γέρος (your)

7. Η θεία .... είναι πλούσια (their)

8. Ο φίλος .... είναι 'Αγγλος (his)

9. Τα μάτια .... είναι γαλανά (our)

10. Τα μαλλιά .... είναι ξανθά (their)

11. Το βιβλίο .... είναι ελληνικό (my)

12. Η αδελφή .... είναι έξυπνη (your)

13. Ο ξάδερφος .... είναι νέος (her)

14. Οι φίλοι .... είναι φιλόξενοι (your)

15. Η φιλενάδα .... είναι Αγγλίδα (his)

EXERCISE 15

Complete the sentences:

1. .... είναι Έλληνας (my friend)
2. ....είναι Αγγλίδα (your friend)
3. .... είναι Μάρκος (his name)
4. .... είναι Ελένη (her name)
5. .... είναι κόκκινο (her dress)
6. .... είναι άσπρο (his shirt)
7. .... είναι κόκκινη (his tie)
8. .... είναι νέα (my aunt)
9. .... είναι νέος (your uncle)
10. .... είναι δάσκαλος (her brother)
11. .... είναι δασκάλα (our mother)
12. .... είναι ψηλός (their uncle)
13. .... είναι λεπτή (their sister)
14. .... είναι ωραίο (our book)
15. .... είναι γκρίζο (his trousers)
16. .... είναι ακριβό (your car)
17. .... είναι μαύρη (her skirt)
18. .... είναι μαύρα (our shoes)
19. .... είναι γαλανά (their eyes)
20. .... είναι Έλληνες (your friends)

EXERCISE 16

Complete the following sentences:

1. Ο πατέρας σου είναι .... (English)
2. Η μητέρα σου είναι .... (English)
3. Ο αδελφός σου είναι .... (fat)
4. Η αδελφή σου είναι ....(tall)
5. Ο θείος σου είναι .... (short)
6. Η γιαγιά σου είναι .... (young)
7. Ο παππούς σου είναι .... (tall)
8. Ο φίλος σου είναι .... (Greek)

9. Η ξάδερφή σου είναι .... (secretary)

10. Ο ξάδερφός σου είναι .... (teacher)

11. Η φίλη σου είναι .... (blonde)

12. Το παντελόνι σου είναι .... (black)

13. Το φόρεμά της είναι .... (red)

14. Η γραβάτα του είναι .... (blue)

15. Τα μαλλιά σου είναι .... (black)

16. Η μητέρα σου είναι .... (slim)

ASKING AND ANSWERING QUESTIONS
USING δικός μου etc.

The words δικός μου, δική μου, δικό μου are used in the singular - i.e. they refer to the ownership of one thing. The plural of these words are: δικοί μου, δικές μου, δικά μου.

Examples:

Αυτά τα βιβλία είναι δικά μου = These books are mine.

Αυτοί οι καφέδες είναι δικοί μου = These coffees are mine.

Αυτές οι κάρτες είναι δικές μου = These cards are mine.

ASKING QUESTIONS:

Αυτό το βιβλίο είναι δικό σου; = Is this book yours?

Αυτός ο καφές είναι δικός της; = Is this coffee hers?

Αυτή η ταβέρνα είναι δική του; = Is this tavern his?

Αυτά τα φρούτα είναι δικά σας; = Are these fruit yours?

REMEMBER: We use μου, σου, του, της, μας, σας, τους for Unemphatic Statements. We use δικός μου, δικός σου etc. for Emphatic Statements.

LESSON 9

ASKING ABOUT SOMEONE'S NAME

We have already met the expression: Τι είναι = What is? So to ask about someone's name we add the words το όνομά σου/σας. There are three ways of asking about someone's name.

Question	Answer
1. Τι είναι το όνομά σου/σας*;	Το όνομά μου είναι ....
What is your name?	My name is ....
2. Πώς σε/σας* λένε;	Με λένε ....
What is your name?	My name is ....
(lit. What are you called?)	I am called ....

*Note that **σε** or **σου** is used in an informal way. **Σας** is used in a formal/polite way.

3. Πώς λέγεσαι / λέγεστε;	Λέγομαι ....
What is your name?	I am called ....

Examples

1.	Με λένε Πέτρο
Πώς σε / σας λένε;	Με λένε Μαρία
What is your name?	Με λένε Χριστίνα
	Με λένε Παύλο
	Με λένε Γιάννη

2.	Το όνομά μου είναι 'Αριστος
Τι είναι το όνομά σου / σας	Το όνομά μου είναι 'Αννα
What is your name?	Το όνομά μου είναι Μιχάλης
	Το όνομά μου είναι Αθηνά

3.	Λέγομαι Γιάννης
Πώς λέγεσαι / λέγεστε;	Λέγομαι Ελένη
What is your name?	Λέγομαι Χρήστος
	Λέγομαι Όλγα

Note that in the first set of examples masculine names drop the final - **ς** e.g. Με λένε **Γιάννη**, Με λένε **Πέτρο.**

When you want to ask What is he/she/it is called, we say:

Πώς τον λένε;   What is he called?
Πώς την λένε;   What is she called?
Πώς το λένε;   What is it called?
or Πώς λέγεται (αυτός, εκείνος);
      »   »   (αυτή, εκείνη);
      »   »   (αυτό, εκείνο);

Examples

Πώς τον λένε;   Τον λένε Παύλο
What is he called?   Τον λένε Σωκράτη
                           Τον λένε Πέτρο

Πώς την λένε;   Την λένε Μαρία
What is she called?   Την λένε Ελένη
                           Την λένε Μαργαρίτα

Πώς το λένε αυτό;   Το λένε μήλο (apple)
What do they call this (thing)   Το λένε αχλάδι (pear)
What is this (thing) called?   Το λένε πεπόνι (melon)

EXERCISE 17
Answer the following questions

Πώς σε/σας λένε;	1. Γιώργος	6. Γιάννης
Πώς λέγεσαι/	2. Μαρία	7. Ελένη
λέγεστε;	3. Ανδρέας	8. Κατερίνα
What is your	4. Χριστίνα	9. Μάρκος
name?	5. Πέτρος	10. Αλίκη

Πώς τον / την λένε;	11. Ανδρέας	16. Έλλη
Πώς λέγεται;	12. Δάφνη	17. Μαρία
What is he/ she	13. Άννα	18. Φίλιππος
called ?	14. Μιχάλης	19. Ελισάβετ
	15. Δημήτρης	20. Γιώργος

LESSON 10

LIKES AND DISLIKES

Μ' αρέσει = I like (it) Δεν μ' αρέσει = I dont like (it)

In order to show that we like or dislike something or someone, we use the verb **αρέσω** (please, give pleasure) in the 3rd person singular or plural together with the Personal Pronoun **μου, σου, του, της, μας, σας, τους.**

> Μου αρέσει/μ' αρέσει = I like (it) [it pleases me]
>
> Σου αρέσει/σ' αρέσει = You like
>
> Του αρέσει / τ' αρέσει = He likes
>
> Της αρέσει = She likes
>
> Του αρέσει/τ' αρέσει = It likes
>
> Μας αρέσει = We like
>
> Σας αρέσει = You like
>
> Τους αρέσει = They like

For the negative we use **δεν** at the beginning, e.g. Δεν μ' αρέσει = I don' t like (it).

Positive Examples

Μ' αρέσει η Ελλάδα = I like Greece.

Σ' αρέσει η Κύπρος = You like Cyprus.

Τ' αρέσει η Κρήτη = He likes Crete.

Της αρέσει η Ρόδος = She likes Rhodes.

Μας αρέσει η Κέρκυρα = We like Corfu.

Σας αρέσει η Θεσσαλονίκη = You like Salonica.

Τους αρέσει η Πελοπόννησος = They like the Peloponnese.

Negative Examples

Δεν μ' αρέσει το ούζο = I don' t like ouzo.

Δεν μ' αρέσει το ψάρι = I don' t like fish.

Δεν μ' αρέσει το χοιρινό = I don' t like pork (meat).

Δεν μ' αρέσει το κάπνισμα = I don' t like smoking.

For emphasis: We use **πολύ** = much and **πάρα πολύ** = very much.

Emphatic Positive Examples:

Μου αρέσει η Ελλάδα πάρα πολύ = I like Greece very much.

Μου αρέσει πολύ η ρετσίνα = I like retsina very much.

Μου αρέσει η Κρήτη πάρα πολύ =I like Crete very much.

For Negative emphasis: We use καθόλου = not at all.

Emphatic Negative Examples:

Δεν μ' αρέσει καθόλου το κονιάκ = I don' t like brandy at all.

Δεν μ' αρέσει καθόλου ο χειμώνας = I don' t like winter at all.

To ask if you like something or someone, we say:

Σου αρέσει / σ' αρέσει; or Σας αρέσει;

Questions and Answers:

Σ' αρέσει ο καφές;
Do you like coffee?

Ναι, μ' αρέσει.
Yes, I like it.

Σ' αρέσει το τσάι;
Do you like tea?

Όχι, δεν μ' αρέσει.
No, I don' t like it.

Σας αρέσει η Ελλάδα;
Do you like Greece?

Ναι, μ' αρέσει πάρα πολύ.
Yes, I like (Greece) very much.

Σας αρέσει το χιόνι;
Do you like snow?

Όχι, δεν μ' αρέσει καθόλου.
No, I don't like it at all.

Το βουνό Όλυμπος - Mount Olympus

EXERCISE 18

Answer the following questions:

Σ' αρέσει/ Σας αρέσει Do you like	1. η θάλασσα = sea 2. ο ήλιος = sun 3. η δουλειά = work 4. το κρασί = wine 5. η μπίρα = beer 6. ο καφές = coffee 7. το τσάι = tea 8. ο μουσακάς = mousaka 9. το ψάρι = fish 10. το χοιρινό = pork 11. το μοσχάρι = veal 12. ο χειμώνας = winter 13. το χιόνι = snow 14. η βροχή = rain 15. το βουνό = mountain 16. ο Αντρέας = Andreas 17. η 'Αννα = Anna 18. η Αθήνα = Athens 19. το θέατρο = theatre 20. ο χορός = dancing	Ναι, μ' αρέσει πολύ/ πάρα πολύ Yes, I like it, much/ very much Όχι, δεν μ' αρέσει καθόλου. No, I don' t like it at all.

Εθνικές Ενδυμασίες - National Costumes

74

Which football team do you like?

Ποδοσφαιρικές ομάδες = Football teams

Question	Answer	Αγγλικές ομάδες - English teams
Ποια ομάδα σ' αρέσει;	Μ' αρέσει I like	1. η 'Αρσεναλ = Arsenal 2. η Λίβερπουλ = Liverpool 3. η Τόττενχαμ = Tottenham 4. η ' Εβερτον = Everton 5. η Μάντσεστερ = Manchester 6. η Νόττινχαμ = Nottingham 7. η Όξφορτ = Oxford
		Ελληνικές ομάδες - Greek teams
Which team do you like?	Δεν μ' αρέσει I don' t like	1. ο Παναθηναϊκός = Panathenaikos 2. ο Ολυμπιακός = Olympiakos 3. η Λάρισα = Larisa 4. ο 'Αρης = Aris 5. η ΑΕΚ = Α.Ε.Κ. 6. ο Εθνικός = Ethnikos 7. ο Ηρακλής = Iraklis
		Κυπριακές ομάδες- Cypriot teams
		1. η Ομόνοια = Omonia 2. το ΑΠΟΕΛ = Apoel 3. η Σαλαμίνα = Salamina 4. η Ανόρθωση = Anorthosi 5. η ΑΕΛ = AEL 6. ο Απόλλων = Apollo 7. η ΕΠΑ = EPA 8. ο Πεζοπορικός = Pezoporikos

Plural Examples (Positive)

Μου αρέσουν/ μ' αρέσουν = I like (them)
Μ' αρέσουν πολύ = I like them much
Μ' αρέσουν πάρα πολύ = I like them very much

Negative Examples

Δεν μ' αρέσουν = I don' t like them
Δεν μ' αρέσουν πολύ = I don' t like them much
Δεν μ' αρέσουν καθόλου = I don' t like them at all

Μου αρέσουν/ μ' αρέσουν = I like them
Σου αρέσουν / σ' αρέσουν = You like them
Του αρέσουν / τ' αρέσουν = He likes them
Της αρέσουν = She likes them
Του αρέσουν / τ' αρέσουν = It likes them *
Μας αρέσουν = We like them
Σας αρέσουν = You like them
Τους αρέσουν = They like them

Questions and Answers:

Σας αρέσουν τα μήλα;
Do you like apples?

Ναι, μ' αρέσουν.
Yes, I like them.

Σ' αρέσουν τα αχλάδια?
Do you like pears?

Όχι, δεν μ' αρέσουν.
No, I don't like them.

Σας αρέσουν τα βιβλία;
Do you like books?

Ναι, μ' αρέσουν.
Yes, I like them.

Σ' αρέσουν τα ψάρια;
Do you like fish?

Όχι, δεν μ' αρέσουν.
No, I don't like them.

---

*Referring to Neuter examples.

EXERCISE 19:

Answer the following questions:

Σ' αρέσουν Σας αρέσουν Do you like	1. οι κεφτέδες = meatballs 2. οι ελιές = olives 3. οι ντομάτες = tomatoes 4. οι μελιτζάνες = aubergines 5. οι εφημερίδες =newspapers 6. οι μεζέδες = snacks 7. οι μπανάνες = bananas 8. τα χιόνια = snow (plural) 9. οι βροχές = rain (plural) 10. οι βροντές = thunders 11. τα βουνά = mountains 12. τα ψέματα = lies 13. οι χοροί = dances 14. οι ταβέρνες = taverns 15. οι δουλειές = work (plural) 16. οι πολιτικοί = politicians 17. τα λεφτά = money 18. οι γιατροί = doctors 19. οι οδοντογιατροί = dentists 20. οι κωμικοί = comedians 21. τα ελληνικά νησιά = Greek islands	Ναι, μ' αρέσουν πολύ/πάρα πολύ Yes, I like them, much/very much Δεν μ'αρέσουν καθόλου No, I don' t like them, at all

Η σημαία της Κύπρου - The flag of Cyprus

LESSON 11
THE GENITIVE CASE - SINGULAR

The Genitive Case indicates dependence or possession. We also use the Genitive to respond to questions introduced by the Interrogative Pronoun W h o s e = Ποιου (or ποιανού) for Masculine words, ποιας (or ποιανής) for Feminine words.

The word Τίνος = Whose, is also used in all genders of the Genitive Singular.

1. The Definite Article changes as follows:

M. **o** becomes **του**
F. **η** » **της**
N. **το** » **του**

2. The Indefinite Article changes:

M. **ένας** becomes **ενός**. F. **μια** becomes **μιας**. N. **ένα** becomes **ενός**.

ένας άντρας - ενός άντρα - a man's
μια γυναίκα - μιας γυναίκας - a woman's
ένα παιδί - ενός παιδιού - a child's

Masculine Examples

Question	Answer
Ποιου είναι αυτός ο καφές; Whose coffee is this?	Είναι **του Γιάννη**. Its John's.
Τίνος είναι αυτό το βιβλίο; Whose book is this?	Είναι **του Αντρέα**. Its Andreas'.
Ποιου είναι αυτό το αυτοκίνητο; Whose car is this?	Είναι **του Πέτρου**. Its Peter's.
Τίνος είναι αυτό το ποδήλατο; Whose bicycle is this?	Είναι **του Γιώργου**. Its George's.

Feminine Examples

Ποιας (ποιανής) είναι αυτή η
τσάντα;
Whose handbag is this?

Είναι **της Μαρίας.**
Its Maria's.

Ποιας (ποιανής) είναι αυτή η
φούστα;
Whose skirt is this?

Είναι **της Ελένης.**
Its Helen's.

Ποιας είναι αυτό το καπέλο;
Whose hat is this?

Είναι **της 'Αννας.**
Its Anna's.

Neuter Examples

Ποιου είναι αυτά τα βιβλία;
Whose books are these?

Είναι **του παιδιού.**
They are the child's.

Τίνος είναι αυτά τα πιάτα;
Whose plates are these?

Είναι **του εστιατορίου.**
They are the restaurant's.

Ποιου είναι αυτά τα μολύβια;
Whose pencils are these?

Είναι **του σχολείου.**
They are the school's.

NOTE: In general we use **ποιου** = Whose, to refer to both Masculine and Feminine questions.

The Genitive in Masculine Words:

NOTE: The final **ς** is dropped in the Genitive Singular of Masculine Words ending in **- α ς** and **- η ς**. Words ending in **- ο ς** change into **- ο υ**

ο κήπος	του κήπου	(of the garden)
ο πατέρας	του πατέρα	(of the father)
ο μαθητής	του μαθητή	(of the pupil)
ο Πειραιάς	του Πειραιά	(of Pireas)
ο παππούς	του παππού	(of the grandfather)

79

The Genitive in Feminine Words:

NOTE: The final **ς** is added in the Genitive Singular of Feminine Words, ending in - **α** or - **η**

η μητέρα	της μητέρας (of the mother)
η αδελφή	της αδελφής (of the sister)
η Αθήνα	της Αθήνας (of Athens)
η οδός	της οδού (of the street)
η πόλη	της πόλης (of the city)

The Genitive in Neuter Words:

το παιδί	του παιδιού (of the child)
το βιβλίο	του βιβλίου (of the book)
το φόρεμα	του φορέματος (of the dress)
το δάσος	του δάσους (of the forest)
το μέλλον	του μέλλοντος (of the future)

Examples in the Singular:

1. Τα λουλούδια του κήπου. = The flowers of the garden
2. Το καπέλο του πατέρα. = Father' s hat.
3. Το βιβλίο του μαθητή. = The pupil' s book.
4. Τα μάτια της 'Αννας. = Anna' s eyes.
5. Η τσάντα της Ελένης. = Helen' s handbag.
6. Τα μαλλιά του παιδιού. = The child' s hair.
7. Η εικόνα του βιβλίου. = The picture of the book.
8. Τα δέντρα του δάσους. = The trees of the forest.
9. Η θάλασσα της Ελλάδας. = The sea of Greece.
10. Η ταβέρνα της Πλάκας. = The tavern of Plaka.
11. Το λιμάνι του Πειραιά. = The port of Pireas.
12. Ο Πύργος της Θεσσαλονίκηs. = Salonica' s Tower.

VOCABULARY

το φρούτο = fruit	το πεπόνι = melon
το καρπούζι = watermelon	η εφημερίδα = newspaper
το μήλο = apple	τρώγω = I eat
το αχλάδι = pear	το κοτόπουλο = chicken

η μπανάνα = banana
το σταφύλι = grapes
το πορτοκάλι = orange
το λεμόνι = lemon
η ντομάτα = tomato
η πατάτα = potato
το αγγούρι = cucumber
το φασόλι = bean
το μπιζέλι = peas
ο κρεοπώλης = butcher
ο ψωμάς = baker
το καρότο = carrot
το καπέλο = hat
πίνω = I drink
νόστιμος, η, ο = delicious
καθαρός , η, ο = clean
κοντός, η, ο = short
το ροδάκινο = peach

το κρέας = meat
το χοιρινό = pork
το αρνί = lamb
το βοδινό = beef
το ψάρι = fish
το μοσχάρι = veal
το χοιρομέρι = bacon
το ζαμπόν = ham
η ομπρέλα = umbrella
το μπιφτέκι = steak
υπέροχος, η, ο = wonderful
το βούτυρο = butter
το τυρί = cheese
το μαχαίρι = knife
το πρόσωπο = face
η κιθάρα = guitar
ο καιρός = weather
χαρούμενος, η, ο = happy

EXERCISE 20

Answer the following questions. Example: Ποιου είναι αυτός ο καφές; Είναι του Γιώργου. Whose coffee is this? Its George's

| Ποιου / Τίνος είναι; | 1. η ομπρέλα;
2. η πένα;
3. το ούζο;
4. η μπίρα;
5. το αυτοκίνητο;
6. το φόρεμα;
7. το τσάι;
8. το πανταλόνι;
9. τα βιβλία;
10. τα ψάρια;
11. τα ψωμιά;
12: τα φρούτα;
13. η κιθάρα; | Είναι του/ της | (Maria's)
(Anna's)
(Nicos')
(John's)
(father's)
(mother's)
(Helen's)
(child's)
(teacher's)
(fisherman's)
(baker's)
(greengrocer's)
(George's) |

Ποιου / Τίνος είναι	14. τα κοτόπουλα; 15. τα μήλα; 16. το καπέλο; 17. τα ροδάκινα; 18. η ταβέρνα; 19. ο καφές; 20. το ξενοδοχείο;

Είναι του / της	(butcher's) (Mark's) (grandfather's) (grandmother's) (Christos') (Christina's) (Peter's)

Remember to use **του** before Masculine words, **της** before Feminine and **του** before Neuter words.

EXERCISE 21

Put the missing article: του, της, του

1. Το καπέλο ..... Κώστα είναι άσπρο.

2. Η γραβάτα ..... Γιάννη δεν είναι κόκκινη.

3. Το φόρεμα .... Μαρίας είναι γαλάζιο.

4. Τα μάτια .... Ελένης είναι γαλανά.

5. Το αυτοκίνητο .... Κώστα δεν είναι πράσινο.

6. Τα μήλα .... μανάβη είναι κόκκινα.

7. Το ψάρι .... Πέτρου είναι τηγανητό.

8.Τα ροδάκινα .... Ελλάδας είναι νόστιμα.

9. Τα σταφύλια .... Κύπρου είναι ωραία.

10. Τα σταφύλια .... μανάβη είναι ακριβά.

11. Το μοσχάρι .... κρεοπώλη είναι ακριβό.

12. Τα μπιφτέκια .... ταβέρνας είναι υπέροχα.

13. Το τυρί .... Ελλάδας είναι καλό.

14. Το τραπέζι .... κουζίνας δεν είναι μεγάλο.

15. Τα ψάρια .... ταβέρνας είναι ωραία.

16. Η φούστα .... Σοφίας είναι άσπρη.

17. Το πανταλόνι .... Δημήτρη δεν είναι γκρίζο.

18. Η ομπρέλα .... κοπέλας είναι κόκκινη.

LESSON 12

THE GENITIVE CASE - PLURAL

The Definite Article changes as follows:

M. **οι** becomes **των**
F. **οι** » **των**
N. **οι** » **των**

The Interrogative Pronoun Whose = **Ποιου** becomes **ποιων** or **ποιανών** in the Genitive Plural.

Genitive Plural (Masculine Words)

οι άντρες -	των αντρών	of the men
οι πατέρες -	των πατέρων -	of the fathers
οι κήποι -	των κήπων -	of the gardens
οι μαθητές -	των μαθητών	of the pupils
οι παππούδες	των παππούδων -	of the grandfathers

Genitive Plural (Feminine Words)

οι γυναίκες -	των γυναικών -	of the women
οι μητέρες -	των μητέρων -	of the mothers
οι αδελφές -	των αδελφών -	of the sisters
οι οδοί -	των οδών -	of the streets
οι πόλεις -	των πόλεων -	of the cities

Some words have kept the archaic plural in the genitive - **εων.**

Genitive Plural (Neuter Words)

τα παιδιά -	των παιδιών	of the children
τα βιβλία -	των βιβλίων -	of the books
τα καταστήματα -	των καταστημάτων	of the shops
τα δάση -	των δασών -	of the forests

NOTE: The ending of the Genitive plural in all genders is - **ων**

Masculine Examples

Ποιων είναι αυτά τα βιβλία;
Whose books are these?

Είναι των δασκάλων.
They are the teachers'.

Ποιων είναι αυτά τα μολύβια;
Whose pencils are these?

Είναι των μαθητών.
They are the pupils'.

Feminine Examples

Ποιανών είναι αυτές οι τσάντες;
Whose handbags are these?

Είναι των γυναικών.
They are the women's.

Ποιανών είναι αυτά τα
φορέματα;
Whose dresses are these?

Είναι των γυναικών.

They are the women's.

Neuter Examples

Ποιων είναι αυτά τα
παιχνίδια;
Whose toys are these?

Είναι των παιδιών.

They are the children's.

Ποιων είναι αυτά τα
ποδήλατα;
Whose bicycles are these?

Είναι των παιδιών.

They are the children's.

Examples in the Plural:

1. Τα λουλούδια των κήπων   = The flowers of the gardens.
2. Τα καπέλα των πατέρων   = The hats of the fathers.
3. Τα βιβλία των μαθητών   = The books of the pupils.
4. Τα μάτια των μητέρων   = The eyes of the mothers.
5. Οι τσάντες των γυναικών   = The handbags of the women.
6. Τα μαλλιά των παιδιών   = The hair of the children.
7. Οι εικόνες των βιβλίων   = The pictures of the books.
8. Τα δέντρα των δασών   = The trees of the forests.

Movement of the accent in the Genitive plural:

A. Masculine Words:

1. In 2- syllable words ending in - **ας** and in words ending in
   - **ι α ς** the accent is shifted on the last syllable.

   ο άντρας = man   των αντρών
   ο μήνας = month   των μηνών
   ο ταμίας = treasurer των ταμιών

2. In words accented on the 3rd syllable from the end, the accent is moved to the 2nd syllable from the end.

   ο Έλληνας = Greek   των Ελλήνων
   ο γείτονας = neighbour των γειτόνων

3. In words ending in - **η ς** and **accented** on the 2nd syllable from the end, the accent is moved to the last syllable.

   ο εργάτης = worker   των εργατών
   ο ράφτης = tailor   των ραφτών

4. In occupational nouns ending and accented on - **α ς** and in other words of similar endings (but not occupational) the ending becomes - **άδων**.

   ο ψαράς = fisherman   των ψαράδων
   ο γαλατάς = milkman   των γαλατάδων
   ο βοριάς = north wind των βοριάδων

5. In occupational nouns ending in - **η ς** the accent is kept on the same letter as in the Nominative.

   ο μανάβης = greengrocer των μανάβηδων
   ο καφετζής = cafe owner των καφετζήδων
   ο παπουτσής= shoemaker   των παπουτσήδων

6. In three syllable words ending in - **o ς** and accented on the 3rd syllable from the end the accent is moved to the 2nd syllable from the end.

ο άγγελος = angel   των αγγέλων
ο δάσκαλος = teacher   των δασκάλων

B. Feminine Words:

1. In some words ending in - **α** and accented on the 2nd or 3rd syllable from the end the accent is moved to the last syllable.

η χώρα = country   των χωρών
η γυναίκα = woman   των γυναικών
η θάλασσα = sea   των θαλασσών

In all other words the accent is kept on the original letter.

η εφημερίδα = newspaper   των εφημερίδων
·η πατρίδα = homeland   των πατρίδων

In some words ending in - **η** and accented on the 2nd syllable from the end, the accent is moved to the last syllable.

η τέχνη = art   των τεχνών
η ανάγκη=necessity   των αναγκών

3. In words which have kept the ancient declension the ending is - **εων.**

η πόλη = city   των πόλεων
η κυβέρνηση=government   των κυβερνήσεων

4. In words ending in - **ος** and accented on the 3rd syllable from the end the accent is moved to the 2nd syllable from the end.

η έξοδος = exit   των εξόδων

C. Neuter words:

1. In some words ending in - **o** and accented on the 3rd syllable from the end the accent is moved to the 2nd syllable.

το άλογο = horse   των αλόγων
το έπιπλο = furniture   των επίπλων

2. In words ending in - **ι** and accented on the 2nd syllable from the end the accent is moved to the last syllable.

το τραγούδι = song   των τραγουδιών
το λουλούδι = flower   των λουλουδιών

3. In words ending in - **μ α** or - **μ o** the ending is - **ματων**

το μάθημα = lesson   των μαθημάτων
το γράμμα = letter   των γραμμάτων
το γράψιμο = writing   των γραψιμάτων

VOCABULARY

ο γονέας (γονιός) = parent   η κουρτίνα = curtain
η τιμή = price   το παράθυρο = window

EXERCISE 22 - Complete the sentences:

1. Τα ψάρια .... (of the fishermen)
2. Τα βιβλία ....(of the children)
3. Τα φορέματα.......................(of the women)
4. Τα μήλα...............................(of the greengrocers)
5. Τα τραπέζια ....(of the hotels)
6. Οι καρέκλες.........................(of the taverns)
7. Οι γονείς.............................(of the pupils)
8. Οι μητέρες...........................(of the children)
9. Τα παράθυρα.......................(of the houses)
10. Οι κουρτίνες. ....(of the windows)
11. Οι τιμές...............................(of the fruit)
12. Τα φαγητά...........................(of the Greeks)

87

LESSON 13

THE ACCUSATIVE CASE - SINGULAR

The Accusative Case tells us about the object. We also use the Accusative to respond to questions introduced by the Interrogative Pronoun Whom = **Ποιον** (for Masculine words), **Ποιαν** (for Feminine words) *ποιο* (for Neuter Words) or **Τι** = What. Example: Ξέρω το Γιάννη = I know John; Ξέρω την Ελένη = I know Helen.

1. The Definite Article changes as follows:

M.   **ο**   becomes   **τον**
F.   **η**   »   **την**
N.   **το**   »   **το**

2. The Indefinite Article

M. **ένας**   becomes   **έναν**
F. **μια**   »   **μια**
N. **ένα**   »   **ένα**

The Accusative in Masculine Words:

ο άνθρωπος	- τον άνθρωπο	- man
ο φίλος	- το φίλο	- friend
ο πατέρας	- τον πατέρα	- father
ο μαθητής	- το μαθητή	- pupil
ο παππούς	- τον παππού	- grandfather

NOTE: The final (ς) is dropped in the Singular.

η αγορά	- την αγορά	- market
η μητέρα	- τη μητέρα	- mother
η αδελφή	- την αδελφή	- sister
η γιαγιά	- τη γιαγιά	- grandmother
η πόλη	- την πόλη	- city

NOTE 2: The Words remain exactly the same. Only the Accusative article is added.

NOTE 3: The final **ν** of the Definite and Indefinite article is dropped when the next word begins with a strong consonant e.g **β, γ, δ, ζ, θ, λ, μ, ν, ϱ, σ, φ, χ.**

The Accusative in Neuter Words:

το βιβλίο	- το βιβλίο	- book
το παιδί	- το παιδί	- child
το χρώμα	- το χρώμα	- colour
το δάσος	- το δάσος	- forest
το κρέας	- το κρέας	- meat
το φως	- το φως	- light
το προϊόν	- το προϊόν	- product

NOTE 4: No changes at all in Neuter Words.

Examples with the Indefinite Article   έναν, μια, ένα

Masculine Examples

Αγαπώ έναν Έλληνα.	= I love a Greek man.
Αγαπώ έναν Άγγλο.	= I love an English man.
Πίνω έναν καφέ.	= I drink a coffee.
Βοηθώ έναν ψαρά.	= I help a fisherman.

Feminine Examples

Αγαπώ μια Ελληνίδα.	= I love a Greek woman.
Αγαπώ μια Αγγλίδα.	= I love an English woman.
Πίνω μια πορτοκαλάδα.	= I drink an orangeade.
Αγοράζω μια εφημερίδα.	= I buy a newspaper.

Neuter Examples

Βοηθώ ένα παιδί.	= I help a child.
Τρώγω ένα σάντουιτς.	= I eat a sandwich.
Ταχυδρομώ ένα γράμμα.	= I post a letter.
Αγοράζω ένα αυτοκίνητο.	= I buy a car.

Examples with the Definite Article τον, την, το

Masculine Examples

Τι κάνεις; What are you doing?	Βοηθώ τον Άριστο = I help Aristos. Βλέπω τον Αντρέα= I see Andreas. Ποτίζω τον κήπο = I water the garden.

Ποιον θέλεις; Whom do you want?	Θέλω τον Κώστα = I want Costas. Θέλω τον Πέτρο = I want Peter.

Feminine Examples

Τι κάνεις; What are you doing?	Βοηθώ την Άννα = I help Anna. Βλέπω την Ελένη = I see Helen. Διαβάζω την εφημερίδα =I read the newspaper.

Ποιαν θέλεις; Whom do you want?	Θέλω την Αθηνά = I want Athena. Θέλω την Όλγα = I want Olga.

Neuter Examples

Τι κάνεις;	Βοηθώ το παιδί = I help the child Βλέπω το βουνό = I see the mountain.

Examples in the singular:

1. Βλέπω τον ωραίο κήπο =   I see the beautiful garden.
2. Αγαπώ τον πατέρα μου=   I love my father.
3. Βοηθώ το μαθητή =   I help the pupil.
4. Ξέρω το δρόμο =   I know the way.
5. Αγαπώ την Ελένη =   I love Helen.
6. Διαβάζω το ωραίο βιβλίο =   I read the beautiful book.
7. Κοιτάζω το πράσινο δάσος =I look at the green forest.
8. Ακούω τον παππού μου =   I listen to my grandfather.
9. Στέλνω το γράμμα =   I send the letter.
10. Κοιτάζω την κοπέλα =   I look at the girl.
11. Ξέρω το Γιώργο =   I know George.
12. Ξέρω τη Μαρία =   I know Maria.

NOTE: The adjective must always agree with the noun, i.e. if the Noun is in the Accusative then the Adjective must also be in the Accusative.

Ξέρω/Γνωρίζω I know Δεν ξέρω / Γνωρίζω I do not know	τον πατέρα σου το σύζυγό σου το φίλο σου τον αδελφό σου
Ξέρω /Γνωρίζω Δεν ξέρω /γνωρίζω	τη μητέρα σου τη σύζυγό σου την αδελφή σου τη φίλη σου

QUESTION	ANSWER
Ξέρεις/Γνωρίζεις το φίλο μου; Do you know my friend?	Ναι, τον ξέρω / γνωρίζω
Ξέρεις τον αδελφό μου; » » πατέρα μου;	Όχι, δεν τον ξέρω »
Ξέρεις / Γνωρίζεις τη μητέρα μου; » την αδελφή μου; » την Άννα;	Ναι, την ξέρω » Όχι, δεν την ξέρω »

VOCABULARY

βοηθώ	= I help	ξέρω	= I know
κόβω	= I cut	ακούω	= I hear, I listen
κοιτάζω	= I look	χορεύω	= I dance
ο τουρίστας	= tourist	η εκκλησία	= church
ο χορός	= dance	το νησί	= island
το κατάστημα	= shop	ο φτωχός	= poor man
τρώγω	= I eat	το ταξί	= taxi

EXERCISE 23

Put the missing Definite Article **τον, την , το**

1. Βοηθώ ..... Πέτρο.
2. Βοηθώ ..... Άννα.
3. Ξέρω ..... Χριστίνα.
4. Αγαπώ ..... παιδί.
5. Αγαπώ ..... Γιάννη.
6. Αγαπώ ..... Μαρία.
7. Βλέπω ...... θάλασσα.
8. Κόβω ..... ψωμί.
9. Ακούω ..... γιαγιά μου.
10. Ακούω ..... δάσκαλο.
11. Διαβάζω ..... εφημερίδα.
12. Διαβάζω ...... περιοδικό.
13. Κόβω ..... μήλο.
14. Τρώγω ..... καρπούζι.
15. Θέλω ..... μητέρα μου.
16. Κοιτάζω ..... Ελένη.
17. Στέλνω ...... Αντρέα.
18. Αγοράζω ..... εφημερίδα.
19. Στέλνω ..... φωτογραφία.
20. Βοηθώ ..... τουρίστα.

EXERCISE 24

Put the missing Indefinite Article **έναν, μια, ένα**

1. Βοηθώ ..... τουρίστα.
2. Αγαπώ ..... κοπέλα.
3. Διαβάζω ..... περιοδικό.
4. Τρώγω ..... μήλο.
5. Τρώγω ..... μπανάνα.
6. Πίνω ..... ούζο.
7. Χορεύω ...... ελληνικό χορό.
8. Βοηθώ ...... μαθητή.
9. Ξέρω ..... ωραίο νησί.
10. Πίνω ..... λεμονάδα.
11. Πίνω ..... ποτήρι νερό.
12. Αγαπώ ..... Έλληνα.
13. Αγαπώ ..... Αγγλίδα.
14. Κοιτάζω ..... κατάστημα.
15. Διαβάζω ..... εφημερίδα.
16. Βλέπω ..... εκκλησία.
17. Βοηθώ ..... φτωχό.
18. Ξέρω ..... καλή ταβέρνα.
19. Ξέρω......καλό σχολείο.
20. Διαβάζω .... ωραίο βιβλίο.
21. Θέλω .... μουσακά παρακαλώ.
22. Θέλω ..... μπίρα παρακαλώ.
23. Θέλω ..... χωριάτικη σαλάτα.
24. Θέλω ...... καρπούζι.
25. Θέλω ...... ταξί παρακαλώ.

LESSON 14

THE ACCUSATIVE CASE - PLURAL

The Definite Article changes as follows:

M. **οι** becomes **τους**
F. **οι**　》　**τις** (or **τες**)
N. **τα**　》　**τα**

The Accusative in Masculine Words

οι φίλοι　　(friends)　　- τους φίλους
οι πατέρες　(fathers)　　- τους πατέρες
οι μαθητές　(students)　- τους μαθητές
οι παππούδες (grandfathers) - τους παππούδες

The Accusative in Feminine Words

οι μητέρες　(mothers)　　- τις μητέρες
οι αδελφές　(sisters)　　- τις αδελφές
οι γιαγιάδες (grandmothers) - τις γιαγιάδες
οι πόλεις　　(cities)　　- τις πόλεις　(*)

NOTE: The words remain exactly the same. Only the Accusative Article is changed.
(*) Some words like η πόλη have kept the archaic plural
οι πόλεις.

The Accusative in Neuter Words

τα βιβλία　　(books)　　- τα βιβλία
τα παιδιά　　(children)　- τα παιδιά
τα χρώματα　(colours)　- τα χρώματα
τα δάση　　　(forests)　- τα δάση
τα φώτα　　　(lights)　　- τα φώτα

NOTE: No changes at all in Neuter Words.

Masculine Examples

Βλέπω τους φίλους μου　　= I see my friends
Αγαπώ τους Έλληνες　　　= I love the Greeks
Αγαπώ τους Κύπριους　　 = I love the Cypriots
Βοηθώ τους μαθητές　　　= I help the pupils
Βοηθώ τους τουρίστες　　 = I help the tourists

Feminine Examples

Βοηθώ τις γυναίκες	= I help the women
Διαβάζω τις εφημερίδες	= I read the newspapers
Στέλνω τις φωτογραφίες	= I send the photographs
Βλέπω τις βάρκες	= I see the boats
Στέλνω τις κάρτες	= I send the post cards

Neuter Examples

Βοηθώ τα παιδιά	= I help the children
Βλεπω τα αυτοκίνητα	= I see the cars
Στέλνω τα γράμματα	= I send the letters
Αγοράζω τα φορέματα	= I buy the dresses
Κοιτάζω τα βουνά	= I look at the mountains

VOCABULARY

το γράμμα	= letter	η ελιά	= olive
η φρυγανιά	= toast	το αυγό	= egg
βράζω	= I boil	το παγωτό	= ice-cream
ψωνίζω	= I shop	οι διακοπές	= holidays
τηγανίζω	= I fry	η εφημερίδα	= newspaper
το περιοδικό	= magazine	το φασόλι	= bean
		μαζεύω	= I gather, pick

EXERCISE 25

Put the missing article: **τους, τις, τα**

1. Στέλνω ..... γράμματα.
2. Μαζεύω ..... ελιές.
3. Τρώγω ..... φρυγανιές.
4. Δεν τρώγω ..... αυγά
5. Βοηθώ ..... φίλους μου.
6. Στέλνω ..... κάρτες.
7. Διαβάζω ..... ελληνικές εφημερίδες.
8. Διαβάζω .... αγγλικά περιοδικά.
9. Τηγανίζω ...... αυγά και ..... πατάτες.
10. Τηγανίζω ..... ψάρια.
11. Βράζω ..... φασόλια και ..... πατάτες.
12. Πίνω ..... μπίρες.
13. Τρώγω ...... παγωτά.

14. Ψωνίζω ..... ρούχα για ..... διακοπές.
15. Γνωρίζω ..... αδελφούς και ..... αδελφές σου.
16. Ξέρω ..... φίλους σου.

ACCUSATIVE OF PLACE

THE PREPOSITION **σε** combines with the Definite Article in the Accusative to form **στον** (M), **στην** (F), **στο** (N) in the singular and **στους** (M), **στις** (F) **στα** (N) in the plural, meaning **to, in, into, on, at.** This is usually used to answer questions such as "**where?**"

SINGULAR	στον, στην , στο

Examples:

Πού είναι ο Νίκος;   Είναι **στον** κήπο.
Where is Nikos?   He is in the garden.

Πού είναι ο καφές;   Είναι **στο** τραπέζι.
Where is the coffee?   It's on the table.

Πού είναι η Σοφία ;   Είναι **στην** κουζίνα.
Where is Sophia?   She is in the kitchen.

Πηγαίνω **στον** κήπο   =   I go to the garden.
Τρώγω **στην** ταβέρνα   =   I eat in the tavern.
Μένω **στο** χωριό   =   I live in the village.

PLURAL	στους, στις, στα

Πηγαίνω **στους** φίλους μου.   = I go to my friends.
Πηγαίνω **στις** ταβέρνες   = I go to the tavernas.
Πηγαίνω **στα** νησιά.   = I go to the islands.
Οι νέοι είναι **στις** δισκοθήκες. = The young people are at
                                     the discos.
Οι γέροι είναι **στα** σπίτια τους. = The old (folk) are in their
                                     homes.
Οι γεωργοί είναι **στα** χωρά-   = The farmers are in
   φια τους.   their fields.

ACCUSATIVE OF TIME

When we use time (hours) we use **στην** and **στις**

Αναχωρώ **στη** μία = I depart at one o' clock.
Αναχωρώ **στις** δέκα = I depart at ten o' clock.
Φτάνει **στις** πέντε = He/She arrives at five o' clock.
Φτάνουν **στις** έξι = They arrive at six o' clock.
Το λεωφορείο φεύγει **στις** δέκα = The bus leaves at ten o' clock.
Το πάρτυ της Μαρίας είναι **στις** οκτώ = Maria΄s party is at eight o' clock.

When we use days, months and seasons we use the Accusative without any Preposition.

The Days

η Κυριακή	becomes	την Κυριακή	= On Sunday
η Δευτέρα	»	τη Δευτέρα	= On Monday
η Τρίτη	»	την Τρίτη	= On Tuesday
η Τετάρτη	»	την Τετάρτη	= On Wednesday
η Πέμπτη	»	την Πέμπτη	= On Thursday
η Παρασκευή	»	την Παρασκευή	= On Friday
το Σάββατο		το Σάββατο	= On Saturday

Examples:

Την Κυριακή πηγαίνω στην εκκλησία.
On Sunday I (usually) go to the church.
Την Τρίτη τρώγω σουβλάκια.
On Tuesday I (usually) eat kebabs.
Τα γενέθλια μου είναι τον Ιούνιο.
My birthday is in June.
Τα γενέθλια σου είναι τον Απρίλιο.
Your birthday is in April.
Τα γενέθλια της είναι τον Αύγουστο.
Her birthday is in August.
Ο γάμος τους είναι τον Οκτώβριο.
Their wedding is in October.
Οι διακοπές μας (η άδεια μας) είναι τον Ιούλιο.
Our holiday is in July

97

LESSON 15

ASKING AND ANSWERING QUESTIONS

Με = With, by. **Στον, στην, στο / στους στις (στες), στα** =in, on, at, into, to.

Examples:

Με το κουτάλι = With the spoon.
Με ένα κουτάλι = With a spoon.
Με το πιρούνι = With the fork.
Με ένα πιρούνι = With a fork.
Με το μολύβι = With the pencil.
Με την πένα = With the pen.
Με μια πένα = With a pen.
Θέλω ένα καφέ με ζάχαρη = I want a coffee with sugar.
Θέλω ένα τσάι χωρίς ζάχαρη = I want a tea without sugar.
Τρώγω με ένα πιρούνι = I eat with a fork.
Πίνω νερό από ένα ποτήρι = I drink water from a glass.
Γράφω με ένα μολύβι = I write with a pencil.
Κόβω το ψωμί με ένα μαχαίρι = I cut the bread with a knife.
Γράφω με μια πένα = I write with a pen.
Πηγαίνω με το αυτοκίνητο = I go by car.
Ταξιδεύω με το τρένο = I travel by train.
Μένω με τη γιαγιά μου = I live (stay) with my grandmother.
Ταξιδεύω με το αεροπλάνο = I travel by aeroplane.

Πού είναι; Where is?	Υπάρχει; Is there?

Examples:

Πού είναι ο Μιχάλης;   Είναι στην ταβέρνα,
Where is Michael?   He is at the tavern.

Πού είναι η Σάντρα;   Είναι στο ξενοδοχείο.
Where is Sandra?   She is at the hotel.

Υπάρχει καφενείο εδώ κοντά;   Is there a cafe near here?

Υπάρχει φαρμακείο εδώ κοντά;	Is there a chemist near here?

VOCABULARY

ο γιατρός = doctor	το νοσοκομείο = hospital
ο γεωργός = farmer	το κουρείο = barber's shop
η γραμματέας = secretary	το κρεοπωλείο = butcher's
το γραφείο = office	το ραφτάδικο = tailor's shop
ο κουρέας = barber	το φαρμακείο = chemist's
η εκκλησία = church	το χωράφι = field
το ιατρείο = surgery	το μπακάλικο = grocer's
η νοσοκόμα = nurse	ο κρεοπώλης = butcher
ο παπάς = priest	η νοικοκυρά = housewife
ο φούρνος = bakery	ο φαρμακοποιός = pharmacist
η δουλειά = work	ο δρόμος = street, road
η τάξη = classroom	το δέντρο = tree
	το πουλί = bird

EXERCISE 26:

Answer the following questions:

1. Πού είναι ο Ζαχαρίας; .... (tavern)
2. » η Ιωάννα; .... (hotel)
3. » το ψωμί; .... (table)
4. » η κουρτίνα; ....(window)
5. » το τραπέζι; ....(kitchen)
6. » το σπίτι σου; ....(Athens)
7. » το σπίτι του; | Είναι | .... (London)
8. » το βιβλίο σου; ....(table)
9. » ο πατέρας σου; .... (work)
10. » η μητέρα σου; ....(home)
11. » ο αδελφός σου; ....(Greece)
12. » η αδελφή σου; .... (England)
13. » ο φίλος σου; ....(Crete)
14. » ο Μάρκος; .... (Cyprus)
15. » η γιαγιά; .... (garden)
16. » το ξενοδοχείο; ....(Athens)

17. Πού είναι	η ταβέρνα;	..............(town)
18. »	το Μουσείο;	.... (Iraklio)
19. »	το εστιατόριο;	.... (town)
20. »	η Χριστίνα;	.... (office)
21. »	τα παιδιά;	.... (at their friends)
22. »	οι μαθητές	.... (classrooms)
23. »	τα πιάτα	.... (tables)
24. »	τα αυτοκίνητα;	.... (in the streets)
25. »	τα πουλιά	.... (on the trees)

Είναι

EXERCISE 27:

Complete the following sentences by choosing the correct word:

1. Ο ψωμάς
2. Ο γιατρός
3. Ο φαρμακοποιός
4. Η γραμματέας
5. Ο γεωργός
6. Η νοσοκόμα
7. Ο δάσκαλος
8. Ο παπάς
9. Ο μπακάλης
10. Ο ταβερνιάρης
11. Ο κουρέας
12. Ο ράφτης
13. Ο κρεοπώλης
14. Η νοικοκυρά
15. Ο μαθητής

είναι

τάξη.
κουζίνα.
χωράφι.
εκκλησία.
νοσοκομείο.
ραφτάδικο.
κρεοπωλείο
φαρμακείο.
ταβέρνα.
φούρνο.
γραφείο.
σχολείο.
μπακάλικο.
ιατρείο.
κουρείο.

The word οδός is used to name streets, e.g. Οδός
Πανεπιστημίου = University Street.

LESSON 16

THE VOCATIVE CASE

When we address someone, we always use the VOCATIVE case - or the " calling Case" as is sometimes called. We use it that is, when we call or when we address someone. The rules to remember are:

1. Masculine words, Nouns or Adjectives ending in - ος change the - ος into - ε.

Singular:			**Plural**
ο Κύριος	- Κύριε	= Sir, Mr.	Κύριοι
ο θείος	- θείε	= uncle	θείοι
ο ξένος	- ξένε	= guest, foreigner	ξένοι
ο φίλος	- φίλε	= friend	φίλοι
ο οδηγός	- οδηγέ	= driver	οδηγοί
αγαπητός	- αγαπητέ	= dear	αγαπητοί
ο Άριστος	- Άριστε	= Aristos	
ο Χριστό-φορος	- Χριστόφορε	= Christopher	
ο Πάριος	- Πάριε	= Parios	

NOTE: In names with more than two syllables the final - ος changes into - ε in the Vocative.

Examples:

Γειά σου θείε = Hello uncle.
Γειά σας φίλοι = Hello friends.

2. All other Masculine words and proper Nouns simply drop the final « ς » in the Vocative.

e.g.
ο Νίκος	- Νίκο	= Nikos

101

ο Γιάννης   -   Γιάννη   = John
ο Κώστας   -   Κώστα   = Costas

			Plural
ο γαλατάς - γαλατά		= milkman	γαλατάδες
ο ταβερνιά - - ταβερνιάρη		=tavern	
ρης		keeper	ταβερνιάρηδες
ο ψωμάς - ψωμά		= baker	ψωμάδες

Examples:

Καλημέρα Αντρέα = Good morning Andreas.
Γεια σου Νίκο = Hello Nicos.
Στην υγειά σου ταβερνιάρη = To your health tavern keeper
                                                (owner).

3. **All Feminine and Neuter words remain exactly the same in the Vocative.**

e.g.   **Plural endings**
η Κυρία   -   Κυρία   = Madam   Κυρίες
η Μαρία   -   Μαρία   = Mary   -
η Ελένη   -   Ελένη   = Helen   -
η μητέρα -   μητέρα = mother   μητέρες
το παιδί -   παιδί   = child   παιδιά
αγαπητή   -   αγαπητή = dear   αγαπητές

Examples:

Γειά σου Άννα = Hello Anna.
Καλημέρα Μαρία = Good morning Maria.
Καλησπέρα μητέρα =Good evening mother.

NOTE: There is no article in the Vocative Case.

VOCABULARY

η υγεία = health   Στην υγεία σου = Cheers / to
αντίο=goodbye   your health
η δεσποινίδα = Miss   η αγάπη = love
ο Αριστοτέλης = Aristotle   αγάπη μου = My darling (love)

GREEK NAMES

Man (Mr.)		Woman (Mrs / Miss)		
Κύριος Σωκράτης		Κυρία / Δίδα* Σωκράτη		
»	Χριστόδουλος	»	»	Χριστοδούλου
»	Αριστοτέλης	»	»	Αριστοτέλη
»	Θεόδωρος	»	»	Θεοδώρου
»	Παυλίδης	»	»	Παυλίδη
»	Παπαδόπουλος	»	»	Παπαδοπούλου
»	Φιλιππίδης	»	»	Φιλιππίδη
»	Κωνσταντίνος	»	»	Κωνσταντίνου
»	Χατζηχρίστος	»	»	Χατζηχρίστου
»	Νικόλαος	»	»	Νικολάου

* Δίδα is abbreviated form of Δεσποινίδα.

EXERCISE 28 - Complete the following sentences:

1. Καλημέρα Χριστόφορ....
2. Καλησπέρα Κυρία Αριστοτέλ....
3. Καληνύχτα Κύρι .... Παπαδόπουλ...
4. Γεια σου Σωκράτ...
5. Γεια σου Χριστόδουλ...
6. Στην υγεία σου φιλ... μου
7. Αγαπητ ... Κύριε .... Παυλίδ ...
8. Αγαπητ... Κύρι.... Παπαδόπουλ....
9. Αγαπητ... δεσποινίδα Κωνσταντίν....
10. Στην υγεία σας φίλ .... μου
11. Στην υγεία σου Χριστόφορ....
12 Καλημέρα Κύρι... Θεόδωρ....
13. Καλησπέρα πατέρ....
14. Καλημέρα παππ....
15. Καληνύχτα θεί...

NOUN MASCULINE ENDINGS	FEMININE	NEUTER
Nom. - ος - ης - ας	- α - η - ος	- ο - ι - μα
Gen. - ου - η - α	- ας - ης - ου	- ου - ου - τ ος
Acc. - ο - η - α	- α - η - ο	- ο - ι - μα
Voc. - ε - η - α	- α - η - ος	- ο - ι - μα
Nom. - οι - ες - ες	- ες - ες - οι	- α - ια - τα
Gen: - ων - ων - ων	- ων - ων - ων	- ων - ιων - των
Acc - ους - ες - ες	- ες - ες - ους	- α - ια - τα
Voc. - οι - ες - ες	- ες - ες - οι	- α - ια - τα

SUMMARY OF THE CASES

	Masculine	Feminine	Neuter
Nom.	ο πατέρας	η μητέρα	το παιδί
Genit.	του πατέρα	της μητέρας	του παιδιού
Accus.	τον πατέρα	τη μητέρα	το παιδί
Vocat.	πατέρα	μητέρα	παιδί
Nom.	οι πατέρες	οι μητέρες	τα παιδιά
Genit.	των πατέρων	των μητέρων	των παιδιών
Accus.	τους πατέρες	τις μητέρες	τα παιδιά
Vocat.	πατέρες	μητέρες	παιδιά
	ο μπακάλης (1)	η αδελφή (2)	το μάθημα
	του μπακάλη	της αδελφής	του μαθήματος
	τον μπακάλη	την αδελφή	το μάθημα
	μπακάλη	αδελφή	μάθημα
	οι μπακάληδες	οι αδελφές	τα μαθήματα
	των μπακάληδων	των αδελφών	των μαθημάτων
	τους μπακάληδες	τις αδελφές	τα μαθήματα
	μπακάληδες	αδελφές	μαθήματα

Masculine	Feminine	Neuter
ο φίλος	η οδός	το γραφείο
του φίλου τον φίλο	της οδού	του γραφείου
φίλε	την οδό οδός	το γραφείο γραφείο
οι φίλοι	οι οδοί	τα γραφεία
των φίλων	των οδών	των γραφείων
τους φίλους	τις οδούς	τα γραφεία
φίλοι	οδοί	γραφεία

(1) NOTE: This declension concerns mainly occupational nouns ending in -ης or - ας or - as, e.g. ο μανάβης (greengrocer), ο ψαράς (fisherman) etc.

(2) Some feminine words which have classical Greek origins have kept their ancient plural, e.g η λέξη = οι λέξεις, των λέξεων, τις λέξεις, η πόλη - οι πόλεις etc.

Thessaloniki

105

LESSON 17

VERBS - AN INTRODUCTION

Verbs have the following:

1. Person - First, second and third

εγώ γράφω	=	I write
εσύ γράφεις	=	You write
αυτός , η, ο, γράφει	=	He, she , it writes

2. Number - Singular and Plural. The above examples are in the singular. The following are in the plural:

εμείς γράφουμε	=	We write
εσείς γράφετε	=	You write
αυτοί γράφουν	=	They write.

3. Tense - There are eight tenses: Present, Future Simple, Future Continuous, Past (Aorist), Imperfect, Perfect, Future Perfect, and Past Perfect. Each of these tenses will be treated in later chapters.

4. Aspect - Perfective and Imperfective.

(A) **The Perfective Aspect** indicates that an action is perceived as momentary or as a completed whole, regardless of whether it is extended over a length of time or consists of occurences. This aspect is conveyed in the following tenses:

(i) **Simple Past (Aorist)** -

έγραψα	=	I wrote
έστειλα	=	I sent
ήπια	=	I drank

(ii) **Future Simple** - Θα το γράψεις δυο φορές= You will write it two times.

(iii) **Simple Subjunctive** - να γράψω, να στείλω.

106

(iv) **Simple Imperative** - διάβασε, γράψε, στείλε.

(B) **The Imperfective Aspect** refers to an action perceived in its duration, usually in relation to a point of time otherwise specified or implied. It indicates that an action or series of repetitions is **incomplete** at that point of time. This aspect is conveyed in the following tenses:

(i) **Imperfect (Past Continuous)**
   έγραφα = I was writing
   έστελλα = I was sending
   διάβαζα = I was reading

(ii) **Future Continuous**
   θα γράφω = I shall be writing
   θα διαβάζω = I shall be reading
   θα στέλλω = I shall be sending

(iii) **Continuous Subjunctive** - να γράφω, να διαβάζω, να στέλλω

(iv) **Imperative** - γράφε, διάβαζε, στέλλε

5. **Moods** - Verbs in Modern Greek have three Moods.

(i) **The Indicative** - used in statements and questions of fact. The negative is **δε(ν)**.

(ii) **The Subjunctive** - used in connection with wishes, desires, expectations; actions that are conditional, uncertain, or which will occur in the future; especially common in subordinate clauses.

The negative is **μη(ν)**. The Subjunctive is governed by a subordinating conjuction such as **αν, όταν, μόλις, πριν** or by one of the particles which indicate mood - **να, θα, ας.**

Αν έρθεις, θα σε δω = If you come, I΄ll see you. The subjunctive has continuous (γράφω, διαβάζω and simple forms (γράψω, διαβάσω).

(iii) **The Imperative** - used in Commands, demands requests.

Negative commands take **μη(ν)** plus the Subjunctive.

6. **Voices** - Greek verbs have two voices:

(i) **Active** - the Subject performs the action which either takes effect on some object (Transitive verbs) or an action which does not take effect on an object (Intransitive verbs). Examples:

Χτύπησε το κουδούνι = He rang the bell.
Έγραψε το γράμμα = He wrote the letter.
(Active, Transitive).

Θα φύγω τώρα = I'll leave now.
Θα χορέψω τώρα =I'll dance now (Active Intransitive).

(ii) **Passive** - the subject is acted upon
διδάσκομαι = I am taught.
χτυπήθηκα = I was hit.

Verbs which are " passive" in form may also be:

(a) **Reflexive** - the subject acts upon itself, e.g.
Χτυπιέται γιατί είναι τρελός = He hits himself, because he is crazy.

(b) **Reciprocal** - two subjects act upon each other, e.g. Τα παιδιά εκείνα πάντα χτυπιούνται = Those children are always hitting each other.

The Verb "to go"	= πηγαίνω / πάω

πηγαίν-ω		πάω	= I go
- εις		πας	= You go
- ει		πάει	= He, she, It goes
- ουμε		πάμε	= We go
- ετε		πάτε	= You go
- ουν		πάν (ε)	= They go

VOCABULARY

η εκκλησία = church   το εστιατόριο = restaurant
η τράπεζα = bank   το κατάστημα = shop
ο γάμος = wedding   το καφενείο = cafe
το ταχυδρομείο = Post Office

Examples:

Πάω στην τράπεζα	=	I go to the bank.
Πας στο ταχυδρομείο	=	You go to the Post Office.
Πάει στο εστιατόριο	=	He, She goes to the restaurant.
Πάμε στο ξενοδοχείο	=	We go to the hotel.
Πάτε στην εκκλησία	=	You go to the church.
Πάνε στο γάμο	=	They go to the wedding.

QUESTIONS AND ANSWERS

EXERCISE 29

Example: Πού πάει ο Γιάννης; Where does John go?
Ο Γιάννης πάει στο φαρμακείο. John goes to the chemist.

1. Πού πάει η Μαρία; .... (bank)
2.   »   η Άννα;   .... (office)
3.   »   η Ελένη; .... (hotel)
4.   »   ο Νίκος;   .... (tavern)
5.   »   ο Πέτρος; .... (restaurant)

6. Πού πάει ο Γιάννης; .... (school)
7.   »   ο τουρίστας; .... (Acropolis)
8.   »   ο παππούς; .... (cafe)
9.   »   η γιαγιά;   .... (church)
10. »   ο δάσκαλος; .... (school)
11. »   ο πατέρας; .... (work)
12. »   η μητέρα;   .... (shop)
13. »   ο Χρήστος; .... (barber´s)
14. »   η Χριστίνα; ....(hospital)
15. »   ο παπάς;   .... (church)
16. »   ο γεωργός; .... (field)
17. »   ο γιατρός; .... (surgery)
18. »   η μητέρα;   .... (kitchen).

Corfu - Achilleon

LESSON 18

THE VERB: THE PRESENT INDICATIVE

All verbs in the Active Voice end in - ω. A verb is a doing word e.g. τρώγω = I eat, πίνω = I drink, χορεύω = I dance. Greek verbs are conjugated in such a way requiring the Personal Pronoun only for emphasis. We can tell from the ending of the verb whether it is 1st, 2nd or 3rd person singular or plural. The Indicative is used in statements and questions of fact. Normally expresses a reality, an action or state which has occured or prevailed in the past or is occuring in the present. The Negative is **δεν.**

The Personal Pronouns are:

Εγώ = I
Εσύ = You
Αυτός, η, ο = He, She, It

Εμείς = We
Εσείς = You
Αυτοί = They

Active verbs are divided into two groups:

1. Verbs with no accent on the last syllable

διαβάζω = I read
διδάσκω = I teach

γράφω = I write
αγοράζω = I buy

These verbs change their final - **ω** into - **ομαι** to form the Passive.

e.g. διδάσκω = I teach   διδάσκομαι = I am taught

2. Verbs with an accent on the last syllable

αγαπώ = I love
μιλώ = I speak

φιλώ= I kiss
φορώ = I wear

These verbs change their final **-ω** into **-ιεμαι** to form the Passive.

e.g. φιλώ = I kiss   φιλιέμαι = I am kissed.

ACTIVE VERBS denote an action done by the subject.

Verbs have three Moods:

1. **Indicative**   2. **Subjunctive**   3. **Imperative**

Active Verbs are divided into:

(a) Transitive and (b) Intransitive

The Transitive Verbs indicate that the subject acts on a person, animal, or object. **Transitive verbs a re always followed by the object.**

e.g. Η μητέρα χτενίζει την Άννα = Mother combs Anna's
hair.

Ο κηπουρός ποτίζει τα λουλούδια = The gardener waters
the flowers.

The **Intransitive Verbs** indicate that the action does not go on anything, i.e. **there is no object.**

e.g. Το παιδί χαμογελά   = The child smiles.
    Το παιδί τρέχει   = The child runs.
    Ο μαθητής γελάει   = The pupil laughs.

3. Neutral verbs may have an Active or Passive ending.

ξυπνώ	=	I wake up.	χρειάζομαι =	I need.
πεινώ	=	I am hungry.	χαίρομαι =	I am pleased.
διψώ	=	I am thirsty.	έρχομαι =	I come.

4. Deponent verbs have only a Passive ending e.g.

αισθάνομαι = I feel   εργάζομαι = I work

εὔχομαι = I wish θυμοῦμαι = I remember
φοβοῦμαι = I am afraid δέχομαι = I accept
γίνομαι = I become

They are called **Deponent** because in the past it was thought that they had lost their Active Voice.

CONJUGATION OF VERBS: 1st CATEGORY

The Auxiliary Verb: ἔχω = I have

ἔχω = I have ἔχουμε = We have
ἔχεις = You have ἔχετε = You have
ἔχει = He, She, It has ἔχουν = They have

(A) Verbs ending in - νω Future ending is -σω

πληρώνω	=	I pay
πληρώνεις	=	You pay
πληρώνει	=	He, she, It pays
πληρώνουμε	=	We pay
πληρώνετε	=	You pay
πληρώνουν	=	They pay

Other verbs conjugated like πληρώνω are : δένω = I tie, χάνω = I lose, miss, ψήνω = I bake, ντύνω = I dress, απλώνω = I spread, διορθώνω = I correct, διπλώνω = I fold, ενώνω = I unite, λιώνω = I melt, περικυκλώνω = I surround, στεφανώνω = I crown, etc.

(B) Verbs ending in - πω, - βω, - φω. - Future ending is - ψω

γράφω = I write γράφουμε = We write
γράφεις = You write γράφετε = You write
γράφει = He She, It writes γράφουν = They write

Other Verbs of this group are κρύβω = I hide, ράβω = I sew, λείπω = I am away (absent), βάφω = I dye, δουλεύω = I work

113

γιατρεύω = I cure, σκάβω = I dig etc.

(C) Verbs ending in - κω, - γω - χω, - χνω, - άζω - Future ending is - ξω

ανοίγω	= I open	αλλάζω	= I change
ανοίγεις	= You open	αλλάζεις	= You change
ανοίγει	= He, She, It opens	αλλάζει	= He, She, It changes
ανοίγουμε	= We open	αλλάζουμε	= We change
ανοίγετε	= You open	αλλάζετε	= You change
ανοίγουν	= They open	αλλάζουν	= They change

Other Verbs of this group are: διαλέγω = I select, τρέχω = I run, δείχνω = I show, ρίχνω = I throw, παίζω = I play, κοιτάζω = I look, πλέκω = I knit, etc.

(D) Verbs ending in - ίζω, - άζω, - θω - Future ending is - σω

ελπ- ίζω	= I hope
- ίζεις	= You hope
- ίζει	= He, She, It hopes
- ίζουμε	= We hope
- ίζετε	= You hope
- ίζουν	= They hope
εξετ- άζω	= I examine
- άζεις	= You examine
- άζει	= He, She, It examines
- άζουμε	= We examine
- άζετε	= You examine
- άζουν	= They examine

Other Verbs of this group are στολίζω = I decorate, δανείζω = I lend, αγκαλιάζω = I embrace, λογαριάζω = I intend, reckon, πείθω =I persuade, δροσίζω = I cool, refresh.

114

EXERCISE 30

(1) Conjugate the following verbs.

(2) Make one sentence with each verb.

1. θέλω   = I want
2. ταξιδεύω = I travel
3. αγοράζω = I buy
4. δουλεύω = I work

5. χορεύω = I dance
6. ξέρω   = I know
7. μένω   = I stay
8. κάνω   = I make (do)

LESSON 19

CONJUGATION OF VERBS: 2nd CATEGORY

(A) Verbs taking an accent on the last letter - ω . - Future ending is - ησω

αγαπ - ώ = I love   ρωτ - ώ = I ask
αγαπ - άς = You love   ρωτ - άς = You ask
αγαπ - ά = He, She, It loves ρωτ - ά = He , She, It asks
αγαπ - ούμε / άμε = We love ρωτ- ούμε = We ask
αγαπ - άτε = You love   ρωτ- άτε = You ask
αγαπ - ούν = They love ρωτ- ούν = They ask

Other verbs of this group are: απαντώ = I answer (reply), νικώ = I win, τιμώ = I honour, χαιρετώ = I greet, χτυπώ = I hit (knock), βαστώ = I hold, διψώ = I am thirsty, περνώ = I pass, κυβερνώ = I govern, etc.

(B) Verbs taking an accent on the last letter but having different endings from the above.

προσπαθ - ώ = I try   φιλ - ώ = I kiss
προσπαθ- είς = You try   φιλ- είς = You kiss
προσπαθ - εί = He, She, It φιλ - εί = He, She, It
            tries   kisses
προσπαθ-ούμε = We try   φιλ- ούμε = We kiss
προσπαθ- είτε = You try   φιλ- είτε = You kiss
προσπαθ - ούν = They try φιλ - ούν = They kiss

Other verbs of this group are : αργώ = I am late, δημιουργώ = I create, επιχειρώ = I attempt, ζω = I live, κατοικώ = I reside, ποθώ = I long (for), προχωρώ = I proceed, υπηρετώ = I serve, = φρουρώ = I guard, καλώ = I invite, μπορώ = I can, etc.

VERBS CONJUGATED EITHER WAY

Some verbs are conjugated in either way in the 2nd Category. Such verbs are: μιλώ = I speak, ζητώ = I ask (seek), κρατώ = I hold, τραγουδώ = I sing, πουλώ = I sell, τηλεφωνώ = I telephone, συγχωρώ = I forgive, φορώ = I wear, etc.

CONTRACTED VERBS

λέ(γ) ω	= I say	πάω	= I go
λες	= You say	πας	= You go
λέει	= He, She, It says	πάει	= He , She, It goes
λέμε	= We say	πάμε	= We go
λέτε	= You say	πάτε	= You go
λέν(ε)	= They say	πάν(ε)	= They go

ακούω = I hear		κλαίω = I cry		τρώ(γ)ω = I eat
ακούς		κλαίς		τρως
ακούει		κλαίει		τρώ(γ)ει
ακούμε = We hear		κλαίμε		τρώμε
ακούτε		κλαίτε		τρώτε
ακούν(ε)		κλαίνε		τρώνε

A number of commonly used verbs end in **- αω** e.g. μιλάω = I speak, αγαπάω = I love, τραγουδάω = I sing, πεινάω = I am hungry, διψάω = I am thirsty, πονάω = I feel pain (hurt). These conjugate as follows: μιλάω, μιλάς, μιλάει, μιλάμε, μιλάτε, μιλάνε.

Other Contracted Verbs are: τρώγω = I eat, φυλάγω = I save (protect), κλαίω = I cry, ακούω = I hear (listen).

ACTIVE VERBS WITH A PASSIVE ENDING (DEPONENT)

θυμούμαι	= I remember
θυμάσαι	= You remember
θυμάται	= He, She, It remembers
θυμούμαστε	= We remember
θυμάστε	= You remember
θυμούνται	= They remember

117

Other verbs in this group are: κοιμούμαι = I sleep, λυπούμαι = I am sorry, φοβούμαι = I am afraid.

VOCABULARY

θέλω = I want
βλέπω = I see
παίρνω = I take
μένω = I stay
δίνω = I give
ξέρω = I know
αρχίζω = I start
από = from
τραγουδώ = I sing
ο παπάς = priest
έχω = I have
χορεύω = I dance
ωραίος, α, ο = beautiful
ξανθός,η, ο = blonde
μπλε, γαλάζιο = blue
η δουλειά = work
δουλεύω = I work

καπνίζω = I smoke
ταξιδεύω = I travel
τα λαχανικά = vegetables
φεύγω = I leave (depart)
το ποδόσφαιρο = football
το λεωφορείο = bus
η τράπεζα = bank
το γκαρσόν = waiter
καταλαβαίνω = I understand
αγοράζω = I buy
πουλώ = I sell
στέλνω = I send
υπάρχω = I exist
υπάρχει = there is
ψάλλω = I chant
το γραμματόσημο = stamp
το εργοστάσιο = factory
για = for, in order to

Examples:

1. Μιλώ Ελληνικά = I speak Greek.
2. Ο Κώστας μιλά Αγγλικά = Costas speaks English.
3. Η Ελένη μιλά Γαλλικά = Helen speaks French.
4. Τρώγω σουβλάκια = I eat kebab.
5. Τρώγεις μουσακά = You eat mousaka.
6. Πίνουμε ρετσίνα = We drink retsina.
7. Γράφει ένα γράμμα = He / She writes a letter.
8. Ταξιδεύετε με αεροπλάνο = You travel by aeroplane.
9. Πηγαίνω στην Ακρόπολη = I go to the Acropolis.
10. Πηγαίνεις στην ταβέρνα = You go to the tavern.
11. Μένω στο ξενοδοχείο = I stay at the hotel.
12. Χορεύουμε στην ταβέρνα = We dance at the tavern.
13. Δεν καταλαβαίνω Ελληνικά = I do not understand Greek.
14. Μαθαίνει Ελληνικά = He/ She is learning Greek.
15. Πάμε στο θέατρο = We go to the theatre.

GREEK CITIES

η Αθήνα = Athens
η Θεσσαλονίκη = Salonica
ο Πειραιάς = Pireas
η Λάρισα = Larisa
η Κόρινθος = Corinth

τα Γιάννενα = Jannena
η Πάτρα = Patra
η Καβάλα = Kavala
ο Βόλος = Volos
η Καλαμάτα = Kalamata

EXERCISE 31

Conjugate the following verbs and make sentences.

1. γελώ = I laugh
2. διψώ = I am thirsty
3. ξυπνώ = I wake up
4. βαστώ = I hold

EXERCISE 32

Complete the following sentences using the right person of the verb given at the end.

Example: Ο Παύλος .... Ελληνικά (μιλώ).

Answer: Ο Παύλος **μιλά** Ελληνικά

1. Ο Πέτρος........................ στο γραφείο (δουλεύω).
2. Η Άννα .... ένα γράμμα (γράφω).
3. Ο κ. Σμιθ .... Ελληνικά (μαθαίνω).
4. Εμείς ....Ελληνικά (μαθαίνω).
5. Η κ. Ρένα δεν ....Αγγλικά (μιλώ).
6. Ο Σταύρος .... σουβλάκια (τρώγω).
7. Εσείς .... ρετσίνα (πίνω).
8. Η Χριστίνα .... λεμονάδα (πίνω).
9. Ο Γιώργος δεν .... (καπνίζω).
10. Ο Νίκος δεν .... το Σάββατο (δουλεύω).
11. Ο ψαράς .... ψάρια (πουλώ).
12. Τα παιδιά .... το μάθημά τους (διαβάζω).
13. Ο μανάβης .... φρούτα (πουλώ).
14. Η Θεοδώρα .... λαχανικά (αγοράζω).
15. Εσύ .... Ελληνικά και Αγγλικά (μιλώ).
16. Εγώ δεν .... Ιταλικά (ξέρω).
17. Ο αδελφός μου .... Ελληνικά (διδάσκω).

119

18. Οι τουρίστες ....με αεροπλάνο (ταξιδεύω).
19. Εμείς .... στην ταβέρνα (πηγαίνω).
20. Εσείς .... στην Ακρόπολη (πηγαίνω).
21. Η Μαρία δεν .... Γαλλικά (μιλώ).
22. Οι τουρίστες .... κάρτες (στέλνω).
23. Οι Έλληνες .... τους ξένους (αγαπώ).
24. Η Δάφνη .... το Σοφοκλή (αγαπώ).
25. Εσείς .... ελληνικά τραγούδια (τραγουδώ).

EXERCISE 33

Complete the sentences:

1. Η μητέρα μου .... στην Ελένη (speaks)
2. Ο Νίκος .... καφέ κάθε πρωί (drinks)
3. Η Ελένη .... στο γραφείο (works)
4. Το καλοκαίρι εγώ δεν .... στο Λονδίνο (stay)
5. Η Χριστίνα .... ένα γράμμα (writes)
6. .... ένα ποτήρι κονιάκ παρακαλώ (I want)
7. Ο Γιάννης .... λαχανικά (buys)
8. Ο πατέρας και η μητέρα .... για τη δουλειά (leave)
9. Ο Χαράλαμπος .... παγωτά (sells)
10. Ο παπάς .... στην εκκλησία (chants)
11. Εσύ .... το μάθημα στις οκτώ (start)
12. Το λεωφορείο .... στις δέκα (leaves)
13. Οι τουρίστες .... κάρτες (send)
14. Εμείς .... γραμματόσημα από το ταχυδρομείο (buy)
15. Εσείς .... στο εργοστάσιο (work)

ASKING AND ANSWERING QUESTIONS

USING Τι = What AND Πού = Where?

We use the 2nd person singular for informal expressions and the 2nd person plural for formal expressions.

Examples:

Question

Τι κάνεις/
Τι κάνετε;

What do you do?
What are you doing?

Answer

Πίνω καφέ = I drink coffee .
Τρώγω ένα σάντουιτς = I eat
a sandwich.
Διαβάζω ένα περιοδικό = I
read a magazine.
Γράφω ένα γράμμα=
I write a letter.
Μαγειρεύω = I cook.

Question:

Τι κάνεις /
κάνετε;

Answer:

Βλέπω τηλεόραση.
I watch television.

Μαθαίνω Ελληνικά.
I learn Greek.

Βλέπω τον δάσκαλο.
I see the teacher.

Τι κάνεις / κάνετε το Σάββατο;
What do you do on Saturday?

Πηγαίνω στην αγορά.
I go to the market.

Πού μένεις / μένετε;
Where do you live?

Μένω στο Λονδίνο.
I live in London.

Πού μένει ο φίλος σου;
Where does your friend live?

Μένει στην Σκωτία.
He lives in Scotland.

Τι πίνεις / πίνετε;
What do you drink?

Πίνω πορτοκαλάδα.
I drink orangeade.

Τι τρώγεις (τρως);   Τρώγω μουσακά.
What are you eating?   I eat mousaka.

Πού τρώγεις (τρως);   Τρώγω στο εστιατόριο.
Where are you eating?   I eat at the restaurant.

Πού μαθαίνεις Ελληνικά;   Μαθαίνω στο σχολείο.
Where do you learn Greek?   I learn (Greek) at school.

USING THE PERSONAL PRONOUNS

Εγώ είμαι ο δάσκαλος = I am the teacher
Εσύ είσαι ο μαθητής (η μαθήτρια) = You are the pupil.

Αυτός είναι Άγγλος = He is English.
Αυτή είναι Ελληνίδα = She is Greek.
Αυτό είναι ένα τραπέζι = This is a table.

Εμείς είμαστε τουρίστες = We are tourists.
Εσείς είστε (είσαστε) Άγγλοι = You are English.
Αυτοί είναι Έλληνες = They are Greeks.

NOTE : The personal Pronoun is used to respond to questions
like: W h o i s o r W h o d o e s. e.g. Ποιος καπνίζει;
Who smokes? Εγώ = I do. Ποιος τραγουδά; = Who sings?
Αυτή = She does.

Εγώ	= I	Εμείς	= We
Εσύ	= You	Εσείς	= You
Αυτός	= He	Αυτοί	= They (M)
Αυτή	= She	Αυτές	= They (F)
Αυτό	= It	Αυτά	= They (N)

LESSON 20

THE PRESENT SUBJUNCTIVE

The Subjunctive is used in connection with **wishes, commands, desires** and **expectations** actions that are conditional, uncertain or which will occur in the future; especially common in subordinate clauses. The negative is **μη ν**. The Subjunctive is governed by a subordinating conjuction such as: **α ν, ό τ α ν, μ ό λ ι ς, π ρ ι ν** or by one of the particles which indicate mood: **ν α, θ α, ας**. The Subjunctive like the Indicative has Continuous and Simple form. The endings of the Subjunctive are the same as those of the Indicative. The Subjunctive may make a statement about future time, it may express a supposition, a wish, a desire, a command or it may appear in some talk which is not actually a statement. The Present Subjunctive may be described as **Imperfective non - past** and the Aorist Subjunctive as **Perfective non - past.**

Continuous	Simple
γράφω (write)	γράψω
γράφεις	γράψεις
γράφει	γράψει
γράφουμε	γράψουμε
γράφετε	γράψετε
γράφουν	γράψουν

Present	Simple Subjunctive	
αγοράζω	αγοράσω	= to buy
βλέπω	δω	= to see
διαβάζω	διαβάσω	= to read
ακούω	ακούσω	= to hear, listen
τηλεφωνώ	τηλεφωνήσω	= to telephone
μιλώ	μιλήσω	= to speak
τρώ(γ) ω	φάω	= to eat
παίρνω	πάρω	= to take
απαντώ	απαντήσω	= to reply, answer
λέω (λέγω)	πω	= to say

123

When the verbs have any of the following words before them **να, ας, αν, όταν, για να,** they do not show something certain but something that we wish or expect to happen. Commands can also be conveyed by means of the subjunctive (simple or continous) preceded by the particle **να.**

Examples:

Πηγαίνει στο περίπτερο ν΄ αγοράσει μια εφημερίδα =
He goes to the kiosk to buy a newspaper.

Να πας στην εκκλησία = You should go to church.

Να στρίψεις αριστερά = You should turn left.

Θα της γράφει = He will write to her (habitually).

Θα του στείλει λεφτά = He will send him money.

Εγώ θέλω να γράφω = I want to write.

Η Άννα θέλει να πηγαίνει περίπατο = Anna wants to go for
                                                           a walk (often).

Ο Θανάσης θέλει να καπνίζει. Thanasis wants to smoke.

Όταν τρέχεις ιδρώνεις. = When you run, you sweat.

The Subjunctive is used in the Present Tense (να γράφω),
and the Perfect Tense (να έχω γράψει).

θέλω		πάω(*)	= I want to go
θέλεις		πας	= You want to go
θέλει	να	πάει	= He, She, It wants to go
θέλουμε		πάμε	= We want to go
θέλετε		πάτε	= You want to go
θέλουν		πάνε	= They want to go

   (*) The word παω is the Indefinite of πηγαίνω.

Examples:

Θέλω να αγοράσω ένα βιβλίο = I want to buy a book.

Θέλει να ταξιδέψει στην Κρήτη = He / She wants to travel to
                                                          Crete.

Θέλουμε να φάμε μουσακά = We want to eat mousaka.

124

θέλω	έχω	κάνω	είμαι
θέλεις	έχεις	κάνεις	είσαι
θέλει να	έχει να	κάνει να	είναι
θέλουμε	έχουμε	κάνουμε	είμαστε
θέλετε	έχετε	κάνετε	είστε
θέλουν	έχουν	κάνουν	είναι

(1) Θέλω να πιω ρετσίνα = I want to drink retsina.
(2) Θέλω να κάνω νηστεία = I want to fast.
(3) Θέλω να χορέψω = I want to dance.

Examples:

1. Θέλω να έχω ένα βιβλίο = I want to have a book.
2. Θέλω να κάνω έναν καφέ = I want to make a coffee.
3. Θέλω να είμαι στην Ελλάδα = I want to be in Greece.

Constitution Square. The Tomb of the Unknown Soldier.

LESSON 21

THE DAYS OF THE WEEK AND THE MONTHS

η Κυριακή	= Sunday	η Πέμπτη	= Thursday
η Δευτέρα	= Monday	η Παρασκευή	= Friday
η Τρίτη	= Tuesday	το Σάββατο	= Saturday
η Τετάρτη	= Wednesday		

ο Ιανουάριος	Γενάρης	= January
ο Φεβρουάριος	Φλεβάρης	= February
ο Μάρτιος	Μάρτης	= March
ο Απρίλιος	Απρίλης	= April
ο Μάιος	Μάης	= May
ο Ιούνιος	Ιούνης	= June
ο Ιούλιος	Ιούλης	= July
ο Αύγουστος	—	= August
ο Σεπτέμβριος	Σεπτέμβρης	= September
ο Οκτώβριος	Οκτώβρης	= October
ο Νοέμβριος	Νοέμβρης	= November
ο Δεκέμβριος	Δεκέμβρης	= December

η Άνοιξη	= Spring
το Καλοκαίρι	= Summer
το Φθινόπωρο	= Autumn
ο Χειμώνας	= Winter
η Ανατολή	= East
ο Νότος	= South
η Δύση	= West
ο Βοριάς	= North

(Ancient Turkey)

Σήμερα είναι	Κυριακή Δευτέρα Τρίτη Τετάρτη Πέμπτη Παρασκευή Σάββατο	Αύριο .... θα είναι ....
Today is		Tomorrow will be

126

<table>
<tr><td>Γεννήθηκα
τον

I was born
in</td><td>ΙΑΝΟΥΑΡΙΟ
ΦΕΒΡΟΥΑΡΙΟ
ΜΑΡΤΙΟ
ΑΠΡΙΛΙΟ
ΜΑΪΟ
ΙΟΥΝΙΟ
ΙΟΥΛΙΟ
ΑΥΓΟΥΣΤΟ
ΣΕΠΤΕΜΒΡΙΟ
ΟΚΤΩΒΡΙΟ
ΝΟΕΜΒΡΙΟ
ΔΕΚΕΜΒΡΙΟ</td></tr>
</table>

Examples:

1. Κάθε Κυριακή πηγαίνω στην εκκλησία.
   Every Sunday I go to the church.

2. Τη Δευτέρα πηγαίνω στη δουλειά.
   On Monday I go to work.

3. Τον Ιούλιο πηγαίνω στην Ελλάδα.
   In July I go to Greece.

4. Το καλοκαίρι κάνει ζέστη στην Ελλάδα.
   It is hot in Greece in the Summer.

5. Το χειμώνα κάνει κρύο στην Αγγλία.
   It is cold in England in the Winter.

6. Σήμερα είναι Κυριακή 15 Μαρτίου
   Today is Sunday 15th March.

TELLING THE TIME - VOCABULARY

η ώρα = the hour / time
το λεπτό = minute
μισός, η, ο = half
το τέταρτο = quarter

τι = what
είναι = is
παρά = less / to
παρακαλώ = please

127

TELLING THE TIME

1.00 Μία	1.30 Μία και μισή (μιάμιση)
2.00 Δύο	2.30 Δύο και μισή (δυόμισι)
3.00 Τρεις	3.30 Τρεις και μισή (τρεισήμισι)
4.00 Τέσσερις	4.30 Τέσσερις και μισή (τεσσερισήμισι)
5.00 Πέντε	5.30 Πέντε και μισή (πεντέμισι)
6.00 Έξι	6.30 Έξι και μισή (εξίμισι)
7.00 Εφτά	7.30 Εφτά και μισή (εφτάμισι)
8.00 Οχτώ	8.30 Οχτώ και μισή (οχτώμισι)
9.00 Εννιά	9.30 Εννιά και μισή (εννιάμισι)
10.00 Δέκα	10.30 Δέκα και μισή
11.00 Έντεκα	11.30 Έντεκα και μισή (εντεκάμισι)
12.00 Δώδεκα	12.30 Δώδεκα και μισή (δωδεκάμισι)

Τι ώρα είναι; - What is the time?

	+		
Είναι εφτά	και	πέντε	7.05
		δέκα	7.10
		τέταρτο	7.15
		είκοσι	7.20
		είκοσι πέντε	7.25

Είναι εφτά	και μισή	7.30
Είναι οχτώ	— **παρά** είκοσι πέντε	7.35
	είκοσι	7.40
	τέταρτο	7.45
	δέκα	7.50
	πέντε	7.55

Π.Μ. = Πριν το μεσημέρι = A.M.
M.M. = Μετά το μεσημέρι = P.M.

Examples:

1. Τι ώρα είναι; What time is it?
2. Είναι πέντε = It is five.
3. Είναι έξι και δέκα = It is ten past six.
4. Είναι οχτώ παρά τέταρτο = It is quarter to eight.
5. Είναι δέκα και μισή = It is half past ten.
6. Είναι δώδεκα ακριβώς = It is twelve exactly.
7. Είναι μιάμιση = It is half - past one.
8. Είναι τρεις και είκοσι = It is twenty past three.

MORE NUMBERS 21 - 100

είκοσι ένα = 21
είκοσι δυο = 22
είκοσι τρία = 23
τριάντα = 30
σαράντα = 40
σαράντα πέντε = 45
πενήντα = 50
εξήντα =60
εβδομήντα = 70

ογδόντα = 80
ενενήντα = 90
εκατό(ν) * =100
εκατόν ένα = 101
εκατόν έξι = 106
διακόσια = 200
τριακόσια = 300
τετρακόσια = 400
πεντακόσια = 500

* The final ν is used when the next word begins with a vowel.

129

When we want to refer to the age of a person, we say that he / she is:

εικοσάρης	- εικοσάρα	= in his / her	20's
τριαντάρης	- τριαντάρα	= »	30's
σαραντάρης	- σαραντάρα	= »	40's
πενηντάρης	- πενηντάρα	= »	50's
εξηντάρης	- εξηντάρα	= »	60's
εβδομηντάρης	- εβδομηντάρα	= »	70's
ογδοντάρης	- ογδοντάρα	= »	80's

VOCABULARY

η άφιξη = arrival
το αεροπλάνο = aeroplane
το κιλό = kilo
το κεράσι = cherry
το πορτοκάλι = orange
η πορτοκαλάδα = orangeade
το παγωτό = ice cream
η μπίρα = beer
το κονιάκ = brandy
το βερίκοκο = apricot
το ροδάκινο = peach
η μελιτζάνα= aubergine

η αναχώρηση = departure
το αεροδρόμιο = airport
το Λονδίνο = London
το Παρίσι = Paris
η Ρώμη = Rome
το Μόναχο = Munich
η Μαδρίτη = Madrid
η Μόσχα = Moscow
η Βίεννη = Vienna
η Λάρνακα = Larnaca
η Νέα Υόρκη = New York
το Κάιρο = Cairo

EXERCISE 34

Στο Αεροδρόμιο = At the Airport

Question : Τι ώρα φτάνει το αεροπλάνο από το Λονδίνο; = What time does the aeroplane arrive from London?

Answer: Το αεροπλάνο από το Λονδίνο φτάνει στις 7.15 = The aeroplane from London arrives at 7.15.

Αφίξεις = Arrivals   Αναχωρήσεις = Departures

ΛΟΝΔΙΝΟ	7.15	ΛΟΝΔΙΝΟ	10.30
ΑΘΗΝΑ	10.20	ΑΘΗΝΑ	11.15
ΠΑΡΙΣΙ	7.45	ΠΑΡΙΣΙ	10.55
ΡΩΜΗ	8.10	ΡΩΜΗ	11.05
ΜΟΝΑΧΟ	8.25	ΜΟΝΑΧΟ	11.45
ΜΑΔΡΙΤΗ	8.40	ΜΑΔΡΙΤΗ	12.10
ΜΟΣΧΑ	0.05	ΜΟΣΧΑ	13.20
ΒΙΕΝΝΗ	9.20	ΒΙΕΝΝΗ	13.50
ΛΑΡΝΑΚΑ	10.15	ΛΑΡΝΑΚΑ	14.10
ΚΑΪΡΟ	10.30	ΚΑΪΡΟ	14.25
ΝΕΑ ΥΟΡΚΗ	11.40	ΝΕΑ ΥΟΡΚΗ	15.15

ASKING THE PRICE

(1) Πόσο κάνει; Πόσο κοστίζει; (3) Πόσο έχει; (4) Πόσο στοιχίζει; All these expressions mean:

How much does it cost? i.e. referring to one particular item.

To ask the price of more than one item, you say: (1) Πόσο κάνουν; (2) Πόσο κοστίζουν; (3) Πόσο έχουν; (4) Πόσο στοιχίζουν, meaning : How much do they cost?

Examples:

Πόσο κάνει ο καφές; = How much does the coffee cost?
Πόσο κάνει η μπίρα; = How much does the beer cost?
Πόσο κάνουν τα μήλα; = How much do the apples cost?

EXERCISE 35

Answer the following questions.

Example:

Πόσο κάνουν / κοστίζουν τα μήλα; = How much do the apples cost?

Τα μήλα κοστίζουν 120 δραχμές το κιλό = The apples cost 120 drachmas per kilo.

The prices are given in numbers.

		το κιλό
	1. τα κεράσια	(200 Δρ.)
Πόσο κάνουν;	2. τα πορτοκάλια	(100 Δρ.)
» έχουν;	3. τα καρπούζια	(95 Δρ.)
	4. τα πεπόνια	(90 Δρ.)
	5. τα αχλάδια	(210 Δρ.)
	6. τα ροδάκινα	(150 Δρ.)
Πόσο στοιχίζουν;	7. τα βερίκοκα	(160 Δρ.)
» κοστίζουν;	8. οι πατάτες	(90 Δρ.)
	9. οι ντομάτες	(200 Δρ.)
	10. οι μελιτζάνες	(250 Δρ.)
	11. ο καφές	(500 Δρ.)
	12. το ούζο	(250 Δρ.)
Πόσο κάνει;	13. η ρετσίνα	(150 Δρ.)
» έχει;	14. η πορτοκαλάδα	(90 Δρ.)
	15. το παγωτό	(100 Δρ.)
	16. η μπίρα	(120 Δρ.)
Πόσο στοιχίζει;	17. η λεμονάδα	(85 Δρ.)
» κοστίζει;	18. η κόκα - κόλα	(95 Δρ.)
	19. το κονιάκ	(300 Δρ.)
	20. το κρασί	(200 Δρ.)

NOTE: το κιλό = The kilo, per kilo
το μισό κιλό = half a kilo

ORDERING VARIOUS THINGS

Ένα κιλό ντομάτες παρακαλώ = A kilo of tomatoes please.

Ένα μπουκάλι ρετσίνα = A bottle of retsina.

Δύο κιλά μήλα = Two kilos of apples.

Δέκα κιλά πατάτες = Ten kilos of potatoes.

Μισό κιλό φασόλια = Half a kilo of beans.

Ένα τέταρτο μανιτάρια = A quarter (of a kilo) of mushrooms.

Θέλω ένα πεπόνι = I want a sweet melon.

Μια κασέτα παρακαλώ = A cassette please

Μια ελληνική βιντεοκασέτα = A Greek video cassette.

132

GREEK MONEY = ΕΛΛΗΝΙΚΑ ΛΕΦΤΑ

The Greek unit of currency is the Δραχμή.

The following banknotes and coins are in circulation:

το πεντοχίλιαρο	= 5000	Drachmas	
το χιλιάρικο	= 1000	»	
το πεντακοσάρικο	= 500	»	
το κατοστάρικο	= 100	Drachmas coin	
το πενηντάρικο	= 50	»	»
το εικοσάρικο	= 20	»	»
το δεκάρικο	= 10	»	»
το τάλιρο	= 5	»	»
το δίφραγκο	= 2	»	»
η δραχμή / το φράγκο	= 1	»	»

CYPRUS MONEY = ΚΥΠΡΙΑΚΑ ΛΕΦΤΑ

The Cyprus unit of currency is the Pound = **η Λίρα**. One Cyprus Pound has 100 cents. The following Banknotes and coins are in circulation:

£20, £10, £5, £1, b/notes, 50, 20, 10, 5, 2, 1 cents

LESSON 22

THE FUTURE TENSE

There are two forms of the Future Tense:

1. The Future Continuous - Imperfective.

2. The Future Simple - Perfective.

The FUTURE CONTINUOUS is formed with **Θα** followed by the present indicative:

Θα γράφω	= I shall be writing
Θα γράφεις	= You will be writing
Θα γράφει	= He, She, It will be writing
Θα γράφουμε	= We shall be writing
Θα γράφετε	= You shall be writing
Θα γράφουν	= They shall be writing
Θα τραγουδώ	= I shall be singing
Θα τραγουδάς	= You will be singing
Θα τραγουδά	= He, She, It will be singing
Θα τραγουδούμε (άμε)	= We shall be singing
Θα τραγουδάτε	= You shall be singing
Θα τραγουδούν (άνε)	= They shall be singing

The Future Continuous (Imperfective) is used when the future action in **incomplete** or **repetitive.** When an action is continuous, repeated or habitual, the Present stem of the verb is retained even after the particle **ν α** or in cases which take the Subjunctive. (1) Single action: Θέλω να φάω σουβλάκια σήμερα = I want to eat kebab today. (2) Repeated action: Μου αρέσει να τρώγω σουβλάκια κάθε μέρα = I like eating kebab every day.

Examples:

1. Η ταβέρνα θα ανοίγει κάθε μέρα στις οκτώ η ώρα.
   The tavern will open at eight o'clock every day.

2. Ο Γιάννης θα γράφει στο φίλο του μια φορά το μήνα.
   John will write to his friend once a month.

3. Ο Μπιθικότσης θα τραγουδά κάθε βράδυ στις δέκα.
   Bithikotsis will sing at ten o'clock every night.

THE FUTURE SIMPLE - PERFECTIVE

The Future Simple (Perfective) is used when the future action is perceived as momentary or as a completed whole.

e.g. Η ταβέρνα θα ανοίξει αύριο στις οκτώ.
   The tavern will open at eight o'clock tomorrow.

The Future Simple is formed as follows:

1. Verbs with the letters ζ, ν, θ, σ, τ, before the final - ω change their ending into - σω.

e.g. αγοράζω   - θα αγοράσω   = I shall buy
      θαυμάζω   - θα θαυμάσω   = I shall admire
      πληρώνω   - θα πληρώσω   = I shall pay
      αρχίζω   - θα αρχίσω   = I shall start
      χάνω   - θα χάσω   = I shall lose, miss
      νοιώθω   - θα νοιώσω   = I shall feel
      αρέσω   - θα αρέσω   = I shall like

NOTE: Some Verbs ending in - άζω change their ending into --άξω e.g. αλλάζω - θα αλλάξω = I shall change, φωνάζω - θα φωνάξω = I shall call.

2. Verbs with αυ, ευ, β, π, φ, before the final - ω change their ending into - ψω.

e.g. ράβω   - θα ράψω   = I shall sew
     δουλεύω   - θα δουλέψω   = I shall work
     κόβω   - θα κόψω   = I shall cut
     γράφω   - θα γράψω   = I shall write
     μαγειρεύω   - θα μαγειρέψω   = I shall cook

3. Verbs with γ, κ, χ, χν before the final - ω change their ending into - ξω.

e.g. ανοίγω   - θα ανοίξω   = I shall open
     πλέκω   - θα πλέξω   = I shall knit
     τρέχω   - θα τρέξω   = I shall run
     διώχνω   - θα διώξω   = I shall expel

4. Most Verbs accented on the last letter - ω change their ending into - ήσω.

e.g. μιλώ   - θα μιλήσω   = I shall talk
     φιλώ   - θα φιλήσω   = I shall kiss
     τηλεφωνώ   - θα τηλεφωνήσω   = I shall phone
     αγαπώ   - θα αγαπήσω   = I shall love

Some verbs, especially those ending in - ρω change their ending into - έσω.

e.g. μπορώ   - θα μπορέσω   = I shall be able
     φορώ   - θα φορέσω   = I shall wear
     καλώ   - θα καλέσω   = I shall invite
     παρακαλώ   - θα παρακαλέσω   = I shall beg

Some other verbs, especially those ending in - νώ change their ending into - άσω.

e.g. πεινώ   - θα πεινάσω   = I shall be hungry
     περνώ   - θα περάσω   = I shall pass
     ξεχνώ   - θα ξεχάσω   = I shall forget
     γελώ   - θα γελάσω   = I shall laugh
     διψώ   - θα διψάσω   = I shall be thirsty

EXAMPLES OF FUTURE CONJUGATION

θα μιλήσω = I shall speak   θα δω   I
θα μιλήσεις = You will speak   θα δεις   shall
θα μιλήσει = He, She, It will speak   θα δει   see

θα μιλήσουμε = We shall speak   θα δούμε
θα μιλήσετε = You will speak   θα δείτε
θα μιλήσουν = They will speak   θα δουν

θα γελάσω = I shall laugh   θα καλέσω = I shall invite
θα γελάσεις   θα καλέσεις
θα γελάσει   θα καλέσει

θα γελάσουμε   θα καλέσουμε
θα γελάσετε   θα καλέσετε
θα γελάσουν   θα καλέσουν

IRREGURAL VERBS IN THE FUTURE

μαθαίνω	- θα μάθω	= I shall learn
πηγαίνω	- θα πάω	= I shall go
τρώγω	- θα φά(γ)ω	= I shall eat
πίνω	- θα πιω	= I shall drink
βλέπω	- θα δω	= I shall see
παίρνω	- θα πάρω	= I shall take
φεύγω	- θα φύγω	= I shall leave
λέγω	- θα πω	= I shall say
μένω	- θα μείνω	= I shall stay
βάζω	- θα βάλω	= I shall put
βγαίνω	- θα βγω	= I shall go out
στέλνω (*)	- θα στείλω	= I shall send

* Also στέλλω

NOTE: All the Verbs in the Future are conjugated exactly in the same way as those of the Present Tense.

Some of the Irregular Verbs are conjugated differently as it can be seen from below.

θα πάω = I shall go   θα φάω = I shall eat
θα πας = You will go   θα φας = You will eat
θα πάει = He, She, It will go   θα φάει = He, She, It will eat

θα πάμε = We shall go   θα φάμε = We shall eat
θα πάτε = You will go   θα φάτε = You will eat
θα πάνε = They will go   θα φάνε = They will eat

THE INDEFINITE

The Indefinite endings are the same as those of the Future Simple. The Indefinite is roughly equivalent to the English Infinitive, e.g. I want to write = Θέλω να γράψω.The Indefinite is exactly the same as the Future Simple but without the particle **θα**. It is used to form (1) the Future Simple (2) The Aorist subjunctive and (3) The Imperative. 1. θα αγοράσω, 2. να αγοράσω, 3. αγόρασε.

αγοράζω	- αγοράσω	= to buy
γράφω	- γράψω	= to write
φεύγω	- φύγω	= to leave
στέλνω	- στείλω	= to send
διαβάζω	- διαβάσω	= to read
μένω	- μείνω	= to stay
κρατώ	- κρατήσω	= to keep
τρώγω	- φάω	= to eat
πίνω	- πιω	= to drink
βλέπω	- δω	= to see
κόβω	- κόψω	= to cut
δουλεύω	- δουλέψω	= to work
ανοίγω	- ανοίξω	= to open
χορεύω	- χορέψω	= to dance
φτάνω	- φτάσω	= to arrive
καταλαβαίνω	- καταλάβω	= to understand
ρωτώ	- ρωτήσω	= to ask
φιλώ	- φιλήσω	= to kiss
χάνω	- χάσω	= to lose

EXAMPLES USING THE FUTURE TENSE

Θα πάω στην Ελλάδα = I shall go to Greece.

Θα πάμε στην Αθήνα = We shall go to Athens.

Θα πάνε στη Θεσσαλονίκη = They will go to Salonica.

Θα μείνω για δέκα μέρες = I shall stay for ten days.

Θα μείνουμε για δύο βδομάδες = We shall stay for two weeks.

Θα δω την Επίδαυρο = I shall see Epidavros.

Θα πιούμε ρετσίνα. = We shall drink retsina.

Θα χορέψετε ελληνικούς χορούς = You will dance Greek
                                                            dances.

Θα φάει αρνί ψητό = He / She will eat roast lamb.

Θα μάθω Ελληνικά = I shall learn Greek.

Πού θα πας / πάτε το καλοκαίρι; Where will you go in the summer?	Το καλοκαίρι θα πάω στην	Αθήνα Κρήτη Κύπρο Ρόδο Κέρκυρα

VOCABULARY

η γυναίκα = wife / woman

το χωριό = village

η φίλη = girl - friend

το κοστούμι = suit, costume

οι διακοπές = holidays

το θέατρο = theatre

η ακρογιαλιά = beach

βλέπω = I see, watch

η τηλεόραση = television

ο κόσμος = people

αύριο = tomorrow

μεθαύριο = the day after
                       tomorrow

φορώ = I wear

το σινεμά = cinema

μαθαίνω = I learn

φεύγω = I leave

η Ρόδος= Rhodes

ο σταθμός = station

χορεύω = I dance

το κέντρο = Club, centre

ο ξάδερφος = cousin

όλοι = all

γιατί = why / because

ταξιδεύω = I travel

κόβω = I cut

το ανθοπωλείο = florist

το παλτό = overcoat

140

EXERCISE 36
Complete the following sentences:

1. Ο Νίκος θα ....στη θάλασσα αύριο (πηγαίνω/
πάω)
2. Η Μαρία θα .... στο σπίτι (μένω)
3. Τα παιδιά θα .... στο σχολείο μεθαύριο (πηγαίνω/
πάω)
4. Ο Γιάννης θα .... στο σινεμά απόψε (πηγαίνω/
πάω)
5. Ο κόσμος θα .... στη θάλασσα (είμαι)
6. Εγώ θα .... στην ταβέρνα (χορεύω)
7. Εγώ θα .... ένα έργο στο θέατρο (βλέπω)
8. Την Κυριακή εσείς θα .... στην εκκλησία
(πηγαίνω/ πάω)
9. Τον Αύγουστο εμείς θα .... διακοπές (έχω)
10. Εμείς θα .... Ελληνικούς χορούς (μαθαίνω)
11. Εσείς θα .... λουλούδια από το ανθοπωλείο
(αγοράζω)
12. Αυτοί θα .... γλυκά στο ζαχαροπλαστείο (τρώγω)
13. Εσύ θα .... την γιαγιά σου την Κυριακή (βλέπω)
14. Το Σάββατο η Ελένη θα .... ένα παλτό
(αγοράζω)
15. Οι μαθητές θα .... τα μαλλιά τους (κόβω)

EXERCISE 37
Change the following sentences into the Future Simple Tense.

Example: Η Μαρία τ η γ α ν ί ζ ε ι πατάτες = Maria fries
potatoes. Η Μαρία θ α τ η γ α ν ί σ ε ι πατάτες.

1. Ο Νίκος αγοράζει ένα παγωτό.
2. Η Άννα χορεύει στην ταβέρνα.
3. Η μητέρα μαγειρεύει στην κουζίνα.
4. Η γιαγιά ετοιμάζει τον καφέ.
5. Ο Αντρέας πίνει πορτοκαλάδα.
6. Η Ελισάβετ μαθαίνει Ελληνικά.
7. Οι τουρίστες βλέπουν τον Παρθενώνα.

141

8. Το παιδί διαβάζει το μάθημά του.
9. Ο παππούς γράφει ένα γράμμα.
10. Η Σάντρα δουλεύει στο γραφείο.
11. Η Ελένη κόβει το ψωμί.
12. Τα παιδιά βλέπουν τηλεόραση.
13. Ο πατέρας πηγαίνει στην αγορά.
14. Οι τουρίστες ταξιδεύουν με αεροπλάνο.
15. Οι Έλληνες βοηθούν τους ξένους.
16. Η Αντιγόνη τηγανίζει ψάρια.
17. Ο ξένος πίνει πορτοκαλάδα.
18. Ο Ρόμπερτ στέλνει κάρτες.
19. Πηγαίνουμε στην Ολυμπία με το λεωφορείο.
20. Πηγαίνω στο χωριό του πατέρα μου.

Olympia

LESSON 23
THE PAST TENSE (AORIST)

To construct the Past Tense we follow two rules:

1. We change the final - ω of the Indefinite into - α and we move the accent to the third syllable from the end.

2. In 2-syllable verbs which are not accented on the final - ω in the Present, we add an initial ε or ε ι or η i.e. at the beginning of the verb and follow the same rule as above.

Examples:

FIRST RULE

Present	Indefinite	Past	
δουλεύω	- δουλέψω	- δούλεψα	= I worked
αλλάζω	- αλλάξω	- άλλαξα	= I changed
καταλαβαίνω	- καταλάβω	- κατάλαβα	= I understood
αγοράζω	- αγοράσω	- αγόρασα	= I bought
μιλώ	- μιλήσω	- μίλησα	= I spoke
γελώ	- γελάσω	- γέλασα	= I laughed

SECOND RULE

στέλνω	- στείλω	- έστειλα	= I sent
μένω	- μείνω	- έμεινα	= I stayed
κάνω	- κάνω	- έκανα	= I made
έχω	- έχω	- είχα	= I had
ξέρω	- ξέρω	- ήξερα	= I knew
πίνω	- πιω	- ήπια	= I drank

NOTE: Most of the 2-syllable verbs take an initial **ε,** and sometimes an - **η.**

IRREGULAR VERBS

Irregular Verbs do not follow the above rules and have their own form of Past Tense. The most common verbs are:

Present	Future	Past	
πηγαίνω	- θα πάω	- πήγα	= I went
τρώγω	- θα φάω	- έφαγα	= I ate
πίνω	- θα πιω	- ήπια	= I drank
μένω	- θα μείνω	- έμεινα	= I stayed
βλέπω	- θα δω	- είδα	= I saw
παίρνω	- θα πάρω	- πήρα	= I took
λέγω	- θα πω	- είπα	= I said
βγαίνω	- θα βγω	- βγήκα	= I went out

CONJUGATION OF VERBS IN THE PAST TENSE

δούλεψ - α	= I worked	έγραψα	= I wrote
δούλεψ - ες	= You worked	έγραψες	= You wrote
δούλεψ - ε	= He, She, It worked	έγραψε	= He, She, It wrote
δουλέψ - αμε	= We worked	γράψαμε	= We wrote
δουλέψ - ατε	= You worked	γράψατε	= You wrote
δούλεψ - αν	= They worked	έγραψαν	= They wrote

NOTE: When the verb takes an initial **ε** or **η** in the Past Tense this is dropped in the 1st & 2nd person plural if there are three or more syllables.

EXAMPLES USING THE PAST TENSE

1. Πήγα στην Αθήνα = I went to Athens.
2. Πήγαμε στην Ακρόπολη = We went to the Acropolis.
3. ' Ηπιαμε ρετσίνα = We drank retsina.
4. Φάγαμε σουβλάκια = We ate kebab.
5. Μείναμε 15 μέρες = We stayed (for) 15 days.
6. Είδαμε τους Δελφούς = We saw Delphi.

7. Χορέψαμε πολύ = We danced a lot.

8. Αγόρασα ελληνικά δώρα = I bought Greek presents.

9. 'Αλλαξε τα λεφτά της = She changed her money.

10. Διασκεδάσαμε πολύ = We enjoyed ourselves a lot.

VOCABULARY

η ελιά = olive
το λάδι = oil
το ξύδι = vinegar
το ψάρι = fish
το αλάτι = salt
το πιπέρι = pepper
ράβω = I sew
η αγορά = market

γεμιστός, η, ο = filled, stuffed
η μπάμια = okra/lady's fingers
το κολοκύθι = marrow
το καρπούζι = watermelon
το κουκί = broad bean
το αναψυκτικό = soft drink
η μπριζόλα = cutlet, chop

CONJUGATION OF IRREGULAR VERBS

The conjugation of Irregular verbs is exactly the same **as** the other verbs in the Past Tense, i.e. exactly the same as the ones conjugated above.

Examples:

είδα	= I saw	πήγα	= I went
είδες	= You saw	πήγες	= You went
είδε	= He, She, It saw	πήγε	= He, She, It went
είδαμε	= We saw	πήγαμε	= We went
είδατε	= You saw	πήγατε	= You went
είδαν	= They saw	πήγαν	= They went

145

THE AORIST SUBJUNCTIVE

This is formed with **ν α, α ς, ό τ α ν, α ν, γ ι α ν α**, followed by the Indefinite. This may be described as Perfective non-past.

e.g.
να μιλήσω	να γράψω
να μιλήσεις	να γράψεις
να μιλήσει	να γράψει
να μιλήσουμε	να γράψουμε
να μιλήσετε	να γράψετε
να μιλήσουν	να γράψουν

Examples:

1. Θέλω να τηλεφωνήσω   Ας γράψω ένα γράμμα
   I want to telephone   Let me write a letter

2. Θέλω να χορέψω   Ας πάω στην Ελλάδα
   I want to dance   Let me go to Greece

NOTE: The Subjunctives are timeless and can refer to the present, past or future e.g.

Έμαθα Ελληνικά πριν να πάω στην Κρήτη
I learned Greek before I went to Crete.

ASKING AND ANSWERING QUESTIONS

Question	Answer
Τι ήπιες / ήπιατε;	Ήπια καφέ
What did you drink?	» τσάι
	» μπίρα
	» κρασί
	» νερό
	» ούζο
	» πορτοκαλάδα
	» κόκα - κόλα

Τι έφαγες/φάγατε;   Έφαγα ένα σάντουιτς
What did you eat?   »   ψάρι
                                 »   φρυγανιές — toast
                                 »   σαλάτα
                                 »   αρνί
                                 »   πατάτες
                                 »   φρούτα

Πού πήγες/πήγατε χτες/χθες; Πήγα στο σινεμά
Where did you go yesterday? »   στο σχολείο
                             »   στο γραφείο — office
                             »   στην εκκλησία —
                             »   στο σπίτι μου
                             »   στο εστιατόριο
                             »   στην ταβέρνα
                             »   στη θάλασσα

EXERCISE 38

Change the following sentences into the Past Tense.

Example:

Ο Γιώργος πίνει καφέ.   Ο Γιώργος ήπιε καφέ.

    1. Τρώγω ψωμί και τυρί.
    2. Πίνω λεμονάδα.
    3. Δεν δουλεύεις σήμερα.

4. Αγοράζω φρούτα το Σάββατο.

5. Τηγανίζουμε πατάτες και αυγά.

6. Κάνεις ένα καφέ.

7. Μαγειρεύω ένα κοτόπουλο.

8. Τηγανίζουμε ψάρια.

9. Χορεύετε στο κέντρο.

10. Διαβάζει το μάθημά της.

11. Δουλεύει στο εργοστάσιο.

12. Δεν πηγαίνει στο σχολείο.

13. Ράβεις ένα φόρεμα.

14. Μαγειρεύει κολοκύθια γεμιστά.

15. Αρχίζουμε τη δουλειά στις οκτώ.

EXERCISE 39

Conjugate the following verbs and also make sentences (in the first person singular).

1. έφυγα = I left
2. ταξίδεψα = I travelled
3. ξύπνησα = I woke up
4. πούλησα = I sold
5. αγόρασα = I bought
6. έστειλα = I sent
7. έκανα = I made (did)
8. συνάντησα = I met
9. οδήγησα = I drove
10. ήπια = I drank
11. φίλησα = I kissed
12. τραγούδησα =I sang

EXERCISE 40
Put the missing words

1. .... από την Ελλάδα τον Ιούλιο. (I left)
2. .... ψάρι και πατάτες. (I ate)
3. Η Ελένη .... μελιτζάνες. (She cooked)
4. Ο Κώστας .... μπάμιες. (He ate)
5. Τα παιδιά .... καρπούζι και πεπόνι. (they ate)
6. Η σαλάτα .... πιπέρι, ντομάτες και αγγούρι. (it had)

148

7. .... μουσακά και ήπιαμε πορτοκαλάδα
   (We ate).
8. Ο Μιχάλης .... λεμονάδα (he drank)
9. Η Άννα .... ένα γράμμα (she wrote)
10. Τα παιδιά .... ένα βιβλίο (read)
11. .... τη Μαρία στην αγορά (I saw)
13. .... στην τράπεζα το πρωί (he/ she went)
14. .... ένα γράμμα στο Λονδίνο (you sent)
15. .... κάλτσες και παπούτσια (he / she bought)

Καλή Όρεξη

LESSON 24
NUMBERS AND GREETINGS

CARDINALS - ΑΠΟΛΥΤΑ

ένας, μια, ένα = one
δύο = two
τρία (τρεις) =three
τέσσερα (ις) = four
πέντε = five
έξι = six
εφτά = seven
οχτώ = eight
εννιά (εννέα)=nine
δέκα = ten
ένδεκα (έντεκα) = eleven
δώδεκα = twelve
δεκατρία = thirteen
δεκατέσσερα = fourteen
είκοσι = twenty
τριάντα = thirty
σαράντα = forty

πενήντα = fifty
εξήντα = sixty
εβδομήντα =seventy
ογδόντα = eighty
ενενήντα = ninety
εκατόν = 100
διακόσια = 200
τριακόσια =300
τετρακόσια = 400
πεντακόσια = 500
εξακόσια = 600
εφτακόσια = 700
οχτακόσια = 800
εννιακόσια = 900
χίλια, - οι, - ες = 1000
δύο χιλιάδες = 2000
τρεις χιλιάδες = 3000

ένα εκατομμύριο = 1.000.000.

N.B. The numbers from 200 to 1000 end according to the gender, e.g.

διακόσιοι άντρες,	διακόσιες γυναίκες,	διακόσια παιδιά.
τριακόσιοι »	τριακόσιες »	τριακόσια »
τετρακόσιοι »	τετρακόσιες »	τετρακόσια »
πεντακόσιοι »	πεντακόσιες »	πεντακόσια »
χίλιοι »	χίλιες »	χίλια »

ORDINALS - TAKTIKA

πρώτος, η, ο = first
δεύτερος, η, ο = second
τρίτος, η, ο = third
τέταρτος, η, ο = 4th
πέμπτος, η, ο = 5th
έκτος, η, ο = 6th
έβδομος, η, ο = 7th
όγδοος, η, ο = 8th
ένατος, η, ο = 9th
δέκατος = 10th
ενδέκατος 11th
δωδέκατος = 12th

δέκατος τρίτος = 13th
δέκατος τέταρτος = 14th
δέκατος πέμπτος = 15th
εικοστός = 20th
εικοστός πρώτος= 21st
εικοστός δεύτερος = 22nd
τριακοστός = 30th
τεσσαρακοστός = 40th
πεντηκοστός = 50th
εκατοστός = 100th
διακοσιοστός = 200th
χιλιοστός = 100th

GREETINGS

Τι κάνεις;
Πώς είσαι;
Τι γίνεσαι;

Singular (or informal expres -
sion) of How do you do?

Τι κάνετε;
Πώς είστε;
Τι γίνεστε;

Plural (or formal expression)
of How are you? How do you
do ?

Στην υγειά σου / Γεια σου = To your health!
Στην υγειά μας / Γεια μας = To our health! Cheers!
Στην υγειά της / Γεια της = To her health! Cheers!

Καλωσορίζω = I welcome.
Καλωσόρισες = You are welcome (singular).
Καλωσορίσατε = You are welcome (plural).

ΚΑΛΩΣΟΡΙΣΑΤΕ ΣΤΗΝ ΕΛΑΔΑ = WELCOME TO GREECE

ΚΑΛΩΣΟΡΙΣΑΤΕ ΣΤΗΝ ΚΥΠΡΟ = WELCOME TO CYPRUS.

Η ΑΘΗΝΑ ΣΑΣ ΚΑΛΩΣΟΡΙΖΕΙ = ATHENS WELCOMES YOU.

Η ΛΕΥΚΩΣΙΑ ΣΑΣ ΚΑΛΩΣΟΡΙΖΕΙ = NICOSIA WELCOMES YOU.

Τι κάνετε κύριε Νικολάου; = How are you Mr. Nicholas?

Πώς είστε κυρία Αντωνίου; How are you Mrs. Antoniou?

Τι γίνεστε δεσποινίδα Έλλη; = How are you Miss Elli?

REPLY: Πολύ καλά ευχαριστώ και εσείς; Very well, thank you, and you?

Τι κάνεις Γιώργο; = How are you George?

Πώς είσαι Αλίκη; = How are you Alice?

Τι γίνεσαι Κωστάκη; = How are you Costakis?

REPLY: Πολύ καλά, ευχαριστώ, και εσύ; = Very well, thank you, and you?

Athens - The Academy

152

ASKING AND ANSWERING QUESTIONS

Τι κάνεις	Σάντρα;	Είμαι πολύ καλά, ευχαριστώ.
Πώς είσαι	Πέτρο;	Δεν είμαι πολύ καλά.
Τι γίνεσαι	Σούζαν;	Έτσι και έτσι. (so, so)
(How are you)	Μαργαρίτα;	Μια χαρά. (very well)
Τι κάνει	ο πατέρας σου;	Είναι καλά ευχαριστώ
Πώς είναι	η μητέρα σου;	
Τι γίνεται	η αδελφή σου;	Δεν είναι πολύ καλά
(How is)	ο αδελφός σου; η γυναίκα σου; ο άντρας σου, ο φίλος / η φίλη σου;	Έτσι και έτσι

USING THE MONTHS AND NUMBERS

VOCABULARY

ο σύζυγος = husband
η σύζυγος = wife
τα Χριστούγεννα= Christmas
το πλοίο / καράβι = ship
ο χρόνος = year
η δουλειά = work
τελειώνω = I finish

τα γενέθλια = birthday
το δωμάτιο = room
το Πάσχα=Easter
πότε = when
ποτέ = never
ο μήνας = month
αρχίζω = I start
το στενό = side street

153

ψητός, η, ο = roast
αριστερά = left
δεξιά = right
ευθεία (ίσια) = straight on
το δώρο = present, gift

το στρίψιμο = turning
συγγνώμη = excuse me, pardon
η γωνιά = corner
η πλατεία = square
το δίκλινο = double room

Examples:

Πότε είναι τα γενέθλια σου; = When is your birthday?

Τα γενέθλια μου είναι στις 25 Δεκεμβρίου = My birthday is on the 25th December.

Πού είναι το φαρμακείο; = Where is the Chemist?

Το τρίτο στενό αριστερά = The third street on the left.

Πού είναι το Μουσείο; = Where is the Museum?

Το δεύτερο στενό δεξιά = The third turning on the right.

EXERCISE 41

Answer in Greek:

1. Πότε είναι τα γενέθλια;	του πατέρα σου; της μητέρας σου; του αδελφού σου; της αδελφής σου; του / της συζύγου σου;

2. Πόσο κάνει;	ένα μπουκάλι ούζο; 300 Δρ. » » κονιάκ; 500 Δρ. » » κρασί; 200 Δρ. » » ουίσκι; 950 Δρ. μια μπίρα; 100 Δρ.

154

3. Πότε είναι τα Χριστούγεννα/ το Πάσχα;

4. Πόσο κάνει ένα δίκλινο δωμάτιο (3000 δρ.);

5. Πότε θα πάτε στην Ελλάδα;

6. Τι μήνας είναι τώρα;

7. Τι μήνας θα είναι μετά ;

8. Τι χρόνος είναι τώρα;

9. Τι ώρα είναι τώρα;

10. Τι ώρα αρχίζετε δουλειά;

11. Τι ώρα τελειώνετε το μάθημα;

EXERCISE 42

Put the missing words

1. .... πηγαίνω στη θάλασσα (On Sunday)

2. .... τρώγω σουβλάκια (on Thursday)

3. .... πήγα στην Κρήτη (In November)

4 .... πήγαμε στη Ρόδο (In May)

5. .... θα πάμε στο χωριό (On Wednesday)

6. .... θα φάμε στο εστιατόριο (Tonight)

7. .... θα δούμε ένα φιλμ (Tomorrow)

8. .... θα μείνουμε στο σπίτι (On Saturday)

9. .... θα διαβάσουμε ένα περιοδικό (On Sunday)

10. .... τα παιδιά θα πάνε στο σχολείο (In September).

11. .... είναι ο τρίτος μήνας του χρόνου (March)

12. .... είναι ο έκτος μήνας του χρόνου (June)

13. Η τράπεζα είναι στο .... στενό δεξιά (third)

14. Το ξενοδοχείο είναι στο .... στενό δεξιά (second)

15. Η πλατεία είναι ευθεία, στο .... στενό αριστερά (fourth)

LESSON 25

THE IMPERFECT (PAST CONTINUOUS)

The Imperfect is almost the same as the Past Tense. The following rules must be followed in order to construct the Imperfect:

1. We always change the final - **ω** of the present into - **α** and transfer the accent to the third syllable from the end.

Examples:

πηγαίνω	- πήγαινα	= I was going
ανοίγω	- άνοιγα	= I was opening
διδάσκω	- δίδασκα	= I was teaching
δουλεύω	- δούλευα	= I was working

2. If the verb is accented on the last letter then we change the final - **ω** into - **ουσα**.

ρωτώ	- ρωτούσα	= I was asking
μιλώ	- μιλούσα	= I was speaking
κρατώ	- κρατούσα	= I was holding
αγαπώ	- αγαπούσα	= I was in love
μπορώ	- μπορούσα	= I was able to

CONJUGATION OF THE IMPERFECT

πήγαινα	= I was going
πήγαινες	= You were going
πήγαινε	= He, She, It, was going
πηγαίναμε	= We were going
πηγαίνατε	= You were going
πήγαιναν	= They were going

μιλούσα	= I was speaking
μιλούσες	= You were speaking
μιλούσε	= He, She, It was speaking
μιλούσαμε	= We were speaking
μιλούσατε	= You were speaking
μιλούσαν	= They were speaking

3. Verbs which consist of two syllables, beginning with a consonant and are NOT accented on the last syllable, change the final - **ω** of the present into **α** and take an initial **έ**.

Examples:

πίνω	- έπινα	= I was drinking
τρώγω	- έτρωγα	= I was eating
γράφω	- έγραφα	= I was writing
στέλνω (1)	- έστελνα	= I was sending
μένω	- έμενα	= I was staying
ξέρω	- ήξερα*	= I knew
θέλω	- ήθελα *	= I wanted

* The verbs θέλω and ξέρω take an initial **ή**.
(1) Also στέλλω - έστελλα.

All these are conjugated in exactly the same way as the other examples. Here is one more example.

έπινα	= I was drinking
έπινες	= You were drinking
έπινε	= He, She, It was drinking
πίναμε	= We were drinking
πίνατε	= You were drinking
έπιναν	= They were drinking

NOTE: In the 1st and 2nd person plural the initial **ε** is dropped if there are 3 syllables but it returns in the 3rd person plural.

EXAMPLES WITH THE IMPERFECT

1. Πήγαινα στο σχολείο = I was going to school.
2. Έπινα τσάι = I was drinking tea.
3. Έτρωγε μήλα = He/ She was eating apples.
4. Τραγουδούσε στην τάξη =He/ She was singing in the class.
5. ΄Εμεναν στο σπίτι μας = They were staying in our house.
6. Μιλούσαμε Ελληνικά= We were speaking Greek.
7. Έμενα στην Αθήνα = I was staying in Athens.
8. Σπούδαζα φιλολογία = I was studying literature.
9. Πίναμε ρετσίνα = We were drinking retsina.
10. Τρώγαμε ψάρια = We were eating fish.
11. Ήξερε την Αθήνα πολύ καλά = He / She knew Athens very well.
12. Ήθελα να πάω στη Σπάρτη = I wanted to go to Sparta.

ήθελα		πάω		είμαι		κάνω
ήθελες		πας		είσαι		κάνεις
ήθελε	να	πάει	να	είναι	να	κάνει
θέλαμε		πάμε		είμαστε		κάνουμε
θέλατε		πάτε		είστε		κάνετε
ήθελαν		πάνε		είναι		κάνουν

(1) ήθελα να πάω = I wanted to go.

(2) ήθελα να είμαι = I wanted to be.

(3) ήθελα να κάνω = I wanted to make.

VOCABULARY

η πτήση = flight
τα λεφτά = money
όταν = when
ήμουν = I was
το ενθύμιο = souvenir
ταξιδεύω = I travel
το κέντρο = club, centre
η αναχώρηση = departure
τα γενέθλια = birthday

ο φτωχός= poor man
ο πλούσιος = rich man
η Λευκωσία = Nicosia
φτάνω = I arrive
η Λάρνακα = Larnaca
αεροπορικώς = by air
η άφιξη = arrival
γιορτάζω = I celebrate

GREEK MOUNTAINS

ο Όλυμπος = Mt. Olympus
ο Ταΰγετος =Mt. Taygetus
ο Παρνασός = Mt. Parnasus

η Πίνδος = Mt. Pindus
ο Γράμμος = Mt. Grammos
ο Σμόλικας = Mt. Smolikas

EXERCISE 43

Conjugate the following Imperfects and make sentences.

1. έγραφα   = I was writing
2. αγόραζα   = I was buying
3. έστελνα   = I was sending
4. έμενα   = I was staying
5. έτρωγα   = I was eating
6. τραγουδούσα   = I was singing
7. φιλούσα   = I was kissing
8. γελούσα   = I was laughing
9. σταματούσα   = I was stopping
10. ρωτούσα   = I was asking

159

EXERCISE 44

Complete the sentences:

1. Αυτός έγραφ.... ένα γράμμα.
2. Η Ελένη αγόραζ..... φρούτα.
3. Αυτοί έστελν..... δώρα.
4. Εμείς μέν..... στο χωριό.
5. Εσύ έτρωγ..... καρπούζι.
6. Αυτή μιλούσ.... με τη μητέρα της.
7. Εσείς τραγουδούσ.... όλο το βράδυ.
8. Εγώ φιλούσ.... τη γιαγιά και τον παππού.
9. Ο Νίκος σταματούσ.... κάθε πέντε λεπτά.
10. Εμείς ρωτούσ......... πού είναι το Μουσείο.
11. Αυτοί έγραφ..... στους φίλους τους.
12. Εσείς αγοράζ...... λαχανικά.
13. Το καλοκαίρι έμεν..... με το θείο της
14. Εμείς τραγουδούσ...... ένα ελληνικό τραγούδι.
15. Αυτοί πήγαιν..... στην εκκλησία την Κυριακή.

Olympia

LESSON 26

THE IMPERATIVE IN ACTIVE VERBS

The Imperative is used to express a **command,** a **demand or a request,** e.g. Στείλε αυτό το γράμμα παρακαλώ = Send (post) this letter please. Φέρε μου ένα καφέ παρακαλώ = Bring me a coffee please.

Negative commands or requests take **μ η (ν)** plus the subjunctive, e.g. Μη στείλεις αυτό το γράμμα = Do not send this letter, or Δεν πρέπει να = You should / must not.

There are two types of Imperative:

(a) the Continuous Imperative (Imperfective)
    i.e. indicating continuity, habitual and
(b) Simple Imperative (Perfective) i.e. indicating one action, a complete action.

1. Continuous Imperative (Imperfective) indicating continuity.

A. Verbs not accented on last letter.

We change the final **-ω** of the Present into **- ε** for the Singular (or informal) or into **- ετε** for the plural (or formal) expression.

Examples:

γράφω	- γράφε	- γράφετε	= you write
αγοράζω	- αγόραζε	- αγοράζετε	= you buy
δουλεύω	- δούλευε	- δουλεύετε	= you work
διαβάζω	- διάβαζε	- διαβάζετε	= you read
ανοίγω	- άνοιγε	- ανοίγετε	= you open
κοιτάζω	- κοίταζε	- κοιτάζετε	= you look (watch)

1. Γράφε μου κάθε Σάββατο = Write to me every Saturday.
2. Αγόραζε φρέσκα φρούτα κάθε Τρίτη =
   Buy fresh fruit every Tuesday.
3. Διάβαζε αυτή την εφημερίδα κάθε πρωί =
   Read this newspaper every morning.

Irregular verbs follow the same rule:

πηγαίνω	- πήγαινε	- πηγαίνετε	= you go
λέγω	- λέγε	- λέγετε	= you say
φέρνω	- φέρνε	- φέρνετε	= you bring
τρώγω	- τρώγε	- τρώγετε	= you eat
φεύγω	- φεύγε	- φεύγετε	= you leave
πίνω	- πίνε	- πίνετε	= you drink

1. Πίνετε χυμό πορτοκάλι κάθε πρωί =
   Drink orange juice every morning.
2. Πηγαίνετε στο Μουσείο = Go to the museum.

B. Verbs accented on last letter.

If the verb is accented on the last lettter, then the final - ω
changes into - α and the accent moves to the second syllable
from the end (for the singular) or into - άτε for the Plural.

Examples:

αγαπώ	- αγάπα	- αγαπάτε	= you love
ταχυδρομώ	- ταχυδρόμα	- ταχυδρομάτε	= you post
μιλώ	- μίλα	- μιλάτε	= you speak
φιλώ	- φίλα	- φιλάτε	= you kiss
ρωτώ	- ρώτα	- ρωτάτε	= you ask
φορώ	- φόρα	- φοράτε	= you wear
κρατώ	- κράτα	- κρατάτε	= you hold
			(keep)

1. Ταχυδρόμα τα γράμματα. = Post the letters.
2. Μίλα παιδί μου! = Speak my child!
3. Μιλάτε σιγά παρακαλώ = Speak slowly please.

2. The Simple Imperative (Perfective) indicating one action.

This is formed by changing the final **- ω** of the Aorist subjunctive into - **ε** or - **ετε**. This indicates a completed action.

Examples:

γράψω	- γράψε	- γράψετε	= you write
διαβάσω	- διάβασε	- διαβάστε	= you read
δουλέψω	- δούλεψε	- δουλέψετε	= you work
ανοίξω	- άνοιξε	- ανοίξετε	= you open

NOTE: Usually the second **ε** from the end is dropped,
e.g. γράψετε - γράψτε.

NOTE: In verbs with three syllables the accent is placed on the 3rd syllable from the end , in the singular.

1. Άνοιξε αυτή τη βαλίτσα = Open this suitcase.
2. Ελένη, άνοιξε την πόρτα =Helen, open the door.
3. Νίκο, φύλαξε τις κάρτες = Nicos, save the cards.
4. Μαρία, διάβασε αυτό το ποίημα = Maria read this poem.

Irregular verbs

μαθαίνω	- μάθω	- μάθε	- μάθετε	= you learn
τρώγω	- φάω	- φά(γ) ε	- φάτε	= you eat
παίρνω	- πάρω	- πάρε	- πάρ(ε)τε	= you take
φεύγω	- φύγω	- φύγε	- φύγετε	= you leave

163

φέρνω	- φέρω	- φέρε	- φέρ(ε)τε	= you bring
λέγω	- πω	- πες	- πέστε	= you tell

1. Πέστε μου την αλήθεια = Tell me the truth.
2. Πάρτε αυτά τα φρούτα = Take these fruit.

Verbs accented on the last syllable in the Present follow the same rule i.e. they change the final **- ω** of the Aorist subjunctive into **- ε** or **- έτε**

NOTE: The irregular verb πάω = to go takes the particle **να** in front of the 2nd person singular or plural, i.e. να πας - **να** πάτε = you (must) go.

Examples:

μιλήσω	- μίλησε	- μιλήσ(ε) τε*	=You speak
φιλήσω	- φίλησε	- φιλήστε	= You kiss
ρωτήσω	- ρώτησε	- ρωτήστε	= You ask
κρατήσω	- κράτησε	- κρατήστε	= You hold (keep)

* Usually the plural is **- ήστε** unless the verb ends in **- ρω**, when it is **- έστε**

φορέσω	- φόρεσε	- φορέστε	= you wear
μπορέσω	- μπόρεσε	- μπορέστε	= you may

1. Κρατήστε τα ρέστα = Keep the change.
2. Φορέστε το κόκκινο φόρεμα = Wear the red dress.
3. Ρωτήστε στην τράπεζα = Ask at the bank.
4. Φίλησε τη γιαγιά = Kiss grandmother.

3. Negative Imperative.

This is formed by adding **μη(ν)** to the Subjunctive, or **δεν πρέπει να.**

A. Continuous Imperative (Negative)

Μην πηγαίνεις	- μην πηγαίνετε	= Do not go.
Μην καπνίζεις	- μην καπνίζετε	= Do not smoke.
Μη γράφεις	- μη γράφετε	= Do not write.
Μη διαβάζεις	- μη διαβάζετε	= Do not read.
Μη ρωτάς	- μη ρωτάτε	= Do not ask.
Μη φεύγεις	- μη φεύγετε	= Do not leave.
Μη δουλεύεις	- μη δουλεύετε	= Do not work.
Μη μιλάς	- μη μιλάτε	= Do not speak.

Examples:

1. Μην καπνίζετε εδώ = Do not smoke here.
2. Μη μιλάτε δυνατά =Do not speak aloud.
3. Μη φεύγεις τώρα = Do not leave now.
4. Δεν πρέπει να καπνίζετε = You should not smoke.

B. Simple Imperative (Negative)

Μην πας	- μην πάτε	= Do not go.
Μη γράψεις	- μη γράψετε	= Do not write.
Μη διαβάσεις	- μη διαβάσετε	= Do not read.
Μη ρωτήσεις	- μη ρωτήσετε	= Do not ask.
Μη φύγεις	- μη φύγετε	= Do not leave.
Μη δουλέψεις	- μη δουλέψετε	= Do not work.
Μη μιλήσεις	- μη μιλήσετε	= Do not speak.
Μη μαγειρέψεις	- μη μαγειρέψετε	= Do not cook.

Examples:

1. Μη γράψεις στο Χρίστο = Do not write to Christos.
2. Μη μαγειρέψεις απόψε θα φάμε έξω = Do not cook tonight we shall go out to eat.
3. Μην καπνίσετε αυτά τα τσιγάρα = Do not smoke these cigarettes.
4. Δεν πρέπει να φορέσεις αυτό το φόρεμα. = You should not wear this dress.
5. Μην πάτε στη θάλασσα σήμερα = Do not go to the sea today.

Emphatic Imperative

This is formed by using the particle **Να** in front of the second person of the subjunctive, continuous or Simple Imperative, or **πρέπει να** = you should / must.

e.g. Να γράφεις   - να γράφετε
     Να διαβάζεις   - να διαβάζετε

     Να αγοράζεις   - να αγοράζετε
     Να δουλεύεις   - να δουλεύετε

     Να μιλάς   - να μιλάτε
     Να αγαπάς   - να αγαπάτε
     Να ρωτάς   - να ρωτάτε
     Να πηγαίνεις   - να πηγαίνετε

Examples:

Πρέπει να διαβάζεις προσεκτικά = You must read carefully.
Να αγοράζετε ελληνικά προϊόντα = Buy Greek products.

Να αγαπάτε τους γονείς σας = You must love your parents.
Να πηγαίνετε τακτικά στην Κύπρο = You must go regularly to Cyprus.

Simple Emphatic Imperative

Να γράψεις	- να γράψετε
Να διαβάσεις	- να διαβάσετε
Να αγοράσεις	- να αγοράσετε
Να δουλέψεις	- να δουλέψετε
Να μιλήσεις	- να μιλήσετε
Να αγαπήσεις	- να αγαπήσετε
Να ρωτήσεις	- να ρωτήσετε
Να πας	- να πάτε

Examples:

Να γράψετε μια έκθεση τώρα = You must write an essay now.
Πρέπει να αγοράσεις αυτό το αυτοκίνητο σήμερα =You must buy this car today.
Να πάτε στις οκτώ απόψε = You must go at eight o' clock tonight.

The Emphatic Negative is **Να μη(ν)** or **Δεν πρέπει να** *plus* the subjunctive, as above.

Να μην πας	- πάτε	= You must not go.
Να μην δουλέψεις	- δουλέψετε	= You must not work.

Δεν πρέπει να λέτε ψέματα = You must not tell lies.

NOTE: Imperative forms exist only in the second person, singular and plural. Requests, commands, demands and exhorta-

tions in the first and third persons are expressed by using the
particle **ας** followed by the subjunctive.

Ας πάει σήμερα = Let him go today.

Ας γράψω στη μητέρα = I'll (let me) write to mother.

Ας πιω ένα ούζο = I'll drink an ouzo.

Ας πάω στο χωριό = I'll go to the village.

VOCABULARY

το πιοτό, ποτό = a drink
φέρνω = I bring
πρέπει = should / must
απόψε = tonight
τρεχω = I run
κερνώ = I treat
το χωριό = village
το πακέτο = parcel
παλιός, α, ο = old
πληρώνω = I pay
δίνω = I give

προτιμώ = I prefer
κονιάκ = brandy
γρήγορα = quickly
αμέσως = immediately
καπνίζω = I smoke
δυνατά = loudly
προσεκτικά = carefully
γιατί = because
το ψέμα = the lie
η αλήθεια = truth

EXERCISE 45

Complete the sentences: (Continuous Imperative)

1. Γράφ............ προσεχτικά. (write)

2. Φιλ........... τα παιδιά. (kiss)

3. Ρώτ........... το Γιάννη τι θέλει. (ask)

4. Ρώτ........... τους δασκάλους. (ask)

5. Μαρία φόρ........... το κόκκινο φόρεμα. (wear)

6. Μη μιλ........... δυνατά στο τηλέφωνο. (speak, talk)

7. Τρώγ............. προσεκτικά. (eat)

8. Φεύγ............. από δω. (leave)

9. Μη φεύγ............. ακόμη. (leave)

168

10. Μίλ............ στην Μαρία. (speak, talk)
11. Πήγαιν............ στην τράπεζα. (go)
12. Πηγαίν............ στο ταχυδρομείο. (go)
13. Μην αγοράζ............ αχλάδια. (buy)
14. Μη μιλ............ εδώ. (speak, talk)
15. Μην τρέχ............ στο δρόμο. (run)
16. Μη λ............ ψέματα. (say, tell)

EXERCISE 46

Complete the sentences: (Simple Imperative)

1. Γρά............ ένα γράμμα. (write)
2. Στείλ............ το πακέτο. (send)
3. Να πά............ στο σχολείο. (go)
4. Να μη φέρ............ κονιάκ. (bring)
5. Να στείλ............ το δώρο. (send)
6. Νά π............ νωρίς. (go)
7. Να φιλήσ............ τα παιδιά. (kiss)
8. Φύγ............ γρήγορα. (leave)
9. Μίλη............ στο Νίκο για το αυτοκίνητο. (speak)
10. Γράψ............ στη μητέρα σου. (write)
11. Μην ρωτ............ τους φίλους σας. (ask)
12. Δουλέψ............ για τη λευτεριά της Κύπρου. (work)
13. Γράψ............ στους φίλους σας. (write)
14. Μου δίνε............ πέντε λίρες; (give)
15. Να λε............ την αλήθεια. (tell)
16. Μου φέρν............ ένα μπουκάλι ρετσίνα; (bring)
17. Αγόρασ............ μου ένα παγωτό. (buy)
18. Αγοράσ............ μου μια κόκκινη γραβάτα. (buy)
19. Φίλησ............ τον Αντρέα. (kiss)
20. Φίλησ............ τη Γιαννούλα. (kiss)
21. Διάβασ............ το μάθημα αμέσως . (read)
22. Να πά............ όλοι στην Ακρόπολη. (go)

169

LESSON 27

PASSIVE VERBS: THE INDICATIVE

Passive Verbs end in - α ι as against the Active Verbs which end in - ω. The Passive Verbs mostly denote an action suffered by the subject.

Passive Verbs can be divided into three groups:

(1) Active Verbs which do not take an accent on the final - ω change that - ω into - ομαι to form the Passive.

Active Verb	**Passive Verb**
διδάσκω = I teach	διδάσκομαι = I am taught
	= I am learning
ντύνω = I dress (others)	ντύνομαι = I get dressed
ετοιμάζω = I prepare	ετοιμάζομαι = I get ready
χάνω = I lose	χάνομαι= I am lost, I get lost
βρίσκω = I find	βρίσκομαι = I find myself
δροσίζω = I cool, refresh	δροσίζομαι = I refresh myself
εξετάζω = I examine	εξετάζομαι = I am examined
κουράζω = I tire	κουράζομαι = I get tired

Examples of first conjugation: Active - διδάσκω = I teach, βρίσκω = I find.

(1)	διδάσκ- ομαι	= I am taught,	I am learning
	διδάσκ- εσαι	= You are taught	"
	διδάσκ- εται	= He, She, It is taught	"
	διδασκ- όμαστε	= We are taught	"
	διδάσκ- εστε	= You are taught	"
	διδάσκ - ονται	= They are taught	"

170

βρίσκομαι = I am found
βρίσκεσαι = You are found
βρίσκεται = He, She, It is found

βρισκόμαστε = We are found
βρίσκεστε = You are found
βρίσκονται = They are found

(2) Most Active Verbs which take an accent on the final - ω change that - ω into - ιέμαι.

Active Verb	Passive Verb
φιλώ = I kiss	φιλιέμαι = I am kissed
αγαπώ = I love	αγαπιέμαι = I am loved
κρατώ = I hold	κρατιέμαι = I am held
πουλώ = I sell	πουλιέμαι = I am sold
ξεχνώ = I forget	ξεχνιέμαι = I am forgotten

Examples of Second conjugation: Active - φιλώ = I kiss, αγαπώ = I love.

(2) φιλιέμαι = I am kissed
φιλιέσαι = You are kissed
φιλιέται = He, She, It is kissed

φιλιόμαστε = We are kissed
φιλιέστε = You are kissed
φιλιούνται = They are kissed

αγαπιέμαι = I am loved
αγαπιέσαι = You are loved
αγαπιέται = He, She, It is loved

αγαπιόμαστε = We are loved
αγαπιέστε = You are loved
αγαπιούνται = They are loved

171

(3) Some Verbs although accented on the last letter, change the final **- ω** into **- ούμαι.**

Active Verb	Passive Verb
στερώ = I deprive	στερούμαι = I am deprived
αφαιρώ = I deduct, subtract	αφαιρούμαι = I am deducted, taken away
αποτελώ = I constitute	αποτελούμαι = I consist of

These verbs follow the ancient pattern of conjugation. The following Deponent Verbs conjugate in the same way.

εισηγούμαι = I suggest

μιμούμαι = I imitate

προηγούμαι = I lead

εισηγούμαι = I suggest	στερούμαι = I am deprived
εισηγείσαι = You suggest	στερείσαι = You are deprived
εισηγείται = He, She, It suggests	στερείται = He, She, It is deprived
εισηγούμαστε = We suggest	στερούμαστε = We are deprived
εισηγείστε = You suggest	στερείστε = You are deprived
εισηγούνται = They suggest	στερούνται = They are deprived

Some other verbs ending in **- ούμαι, - άμαι, - ομαι** or **- ιέμαι** although they have a Passive ending they belong to the Active Voice.

Examples

λυπούμαι (λυπάμαι) = I am sorry

θυμούμαι (θυμάμαι) = I remember

φοβούμαι (φοβάμαι) = I fear (am afraid)

κοιμούμαι = I sleep, I am asleep

έρχομαι = I come

σκέφτομαι = I think about, reflect

βαριέμαι= I am bored, I get bored

These verbs conjugate according to their ending as those listed above.

Examples

1. Κάθομαι στο καφενείο = I sit at the cafe.
2. Ο Γιάννης κάθεται στο σπίτι = John sits at home.
3. Δεν κοιμάμαι τη μέρα = I do not sleep during the day.
4. Καθόμαστε να φάμε = We sit to eat.
5. Λυπούμαι τη Μαρία = I am (feel) sorry for Maria.
6. Λυπάται τη γιαγιά του = He is sorry for his grandmother.
7. Διδάσκομαι Ελληνικά = I am taught (learning) Greek.
8. Δεν διδάσκεσαι Ιταλικά = You are not taught (learning)
   | Italian.

θυμούμαι = I remember
θυμάσαι= You remember
θυμάται = He, She,
          It remembers
θυμούμαστε = we remember
θυμάστε = You remember
θυμούνται = they remember

λυπούμαι = I am sorry
λυπάσαι = You are sorry
λυπάται = He, She, It is sorry

λυπούμαστε = We are sorry
λυπάστε =You are sorry
λυπούνται = they are sorry

φοβούμαι   = I am afraid
φοβάσαι   = You are afraid
φοβάται   = He, She, It is afraid

φοβούμαστε   = We. are afraid
φοβάστε   = You are afraid
φοβούνται   = They are afraid

παραπονιέμαι   = I complain
παραπονιέσαι   = You complain
παραπονιέται   = He, She, It complains

παραπονιόμαστε   = We complain
παραπονιέστε   = You complain
παραπονιούνται   = They complain

PASSIVE VERBS

σκέφτομαι = I think about
γοητεύομαι = I am enchanted
λυπούμαι = I am sorry
παντρεύομαι = I get married
διδάσκομαι = I am taught
αρραβωνιάζομαι = I get engaged.

ονειρεύομαι = I dream
στέκομαι = I stand
χαίρομαι = I am pleased
είμαι = I am (to be)
κουράζομαι = I get tired

NOTE: The verb σκέφτομαι like συλλογίζομαι means I think about, I reflect; the verb νομίζω means, I think, I consider.

QUESTIONS AND ANSWERS

Τι διδάσκεσαι / διδάσκεστε;   Διδάσκομαι Ελληνικά.
What are you taught? (learning) I am taught (learning) Greek.
Τι σκέφτεσαι / σκέφτεστε;   Σκέφτομαι την Ελλάδα.
What are you thinking about?   I think about Greece.

THE SUBJUNCTIVE CONJUGATION

The Subjunctive is formed with **να, ας, αν, όταν, για να** followed by the Passive indicative. The Subjunctive is used in the Present Tense, Past (Aorist) Tense and the Perfect Tense only.
    The verb is conjugated in the same way as in the Indicative.

Present Subjunctive

να σκέφτομαι
να σκέφτεσαι
να σκέφτεται

να σκεφτόμαστε
να σκέφτεστε
να σκέφτονται

Aorist Subjunctive

να σκεφτώ
να σκεφτείς
να σκεφτεί

να σκεφτούμε
να σκεφτείτε
να σκεφτούν

174

Examples with Present Subjunctive

Προτιμώ να διδάσκομαι Ελληνικά.
I prefer to be taught (learn) Greek.
Θέλω να είμαι στο αεροδρόμιο στις οκτώ.
I want to be at the airport at eight.
Πρέπει να είμαστε στο ξενοδοχείο στις δώδεκα.
We must be at the hotel at twelve.
Πρέπει να είσαι στο γραφείο στις εννέα.
You must be at the office at nine.
Θέλω να είσαστε στο σταθμό.
I want you to be at the station.

Present Perfect Subjunctive		Past Perfect Subjunctive	
έχω σκεφτεί	I have thought	είχα σκεφτεί	I had thought
έχεις σκεφτεί		είχες σκεφτεί	
έχει σκεφτεί		είχε σκεφτεί	
έχουμε σκεφτεί		είχαμε σκεφτεί	
έχετε σκεφτεί		είχατε σκεφτεί	
έχουν σκεφτεί		είχαν σκεφτεί	

Examples

1. Πάντα θέλω **να σκέφτομαι** την Ελλάδα.
   I always want to think of Greece.
2. Θέλω **να σκεφτώ** πριν αποφασίσω.
   I want to think (first) before I decide.
3. Έχω **σκεφτεί** για το πρόβλημα.
   I have thought of a solution to the problem.
4. **Είχα σκεφτεί** τα παιδικά μου χρόνια.
   I had thought (reflected) about my childhood (years).

175

EXERCISE 47

Conjugate the following verbs and make sentences:

(1) παντρεύομαι	= I get married
(2) σκέφτομαι	= I think about
(3) δροσίζομαι	= I refresh myself
(4) χάνομαι	= I am lost, I get lost
(5) κρύβομαι	= I hide myself
(6) κοιμούμαι	= I sleep, I am asleep

EXERCISE 48

Complete the sentences:

1. Ο Γιάννης παντρεύε..... την Κυριακή.
2. Η Ελένη θυμά..... τους φίλους της.
3. Εμείς δεν κουραζ........ στη δουλειά.
4. Εσείς διδάσκ........ Ελληνικά και Ιταλικά.
5. Ο Νίκος λυπ......... τη μητέρα του Κώστα.
6. Η Μαρία αρραβωνιάζ........ αύριο.
7. Αυτοί στέκ........ στην Ακρόπολη.
8. Εμείς χαιρ........... που είμ........ στην Ελλάδα.
9. Εμείς δεν είμ....... Γερμανοί, είμ............. Βρετανοί τουρίστες.
10. Αυτοί κουράζ......... να περπατούν.
11. Η Μαρία διδάσ......... Ρωσσικά.
12. Ο Γιάννης ετοιμάζ....... για τη δουλειά.
13. Εσύ κοιμά..... δέκα ώρες.
14. Εσείς κοιμά........ στις έντεκα.
15. Αυτή σκέφτ...... το φίλο της.
16. Εμείς σκεφτ.......... την οικογένεια.
17. Εγώ ετοιμάζ...... για το σχολείο.
18. Εσείς ετοιμάζ.......... για την ταβέρνα.
19. Εσύ λυπ.......... τη γιαγιά σου.
20. Αυτή διδάσκ......... Ελληνικά.

176

LESSON 28

PAST CONTINUOUS OF PASSIVE VERBS

The Past Continuous (or Imperfect) of Passive verbs is formed by changing the Present indicative ending - **ομαι, ουμαι, - ιεμαι, - άμαι** into - **ομουν** or - **όμουνα,** e.g.

έρχομαι	- ερχόμουν	= I was coming
ντύνομαι	- ντυνόμουν	= I was getting dressed
ξυρίζομαι	- ξυριζόμουν	= I was shaving myself
πλένομαι	- πλενόμουν	= I was washing myself
χαίρομαι	- χαιρόμουν	= I was pleased
λυπούμαι	- λυπόμουν	= I was sorry
αγαπιέμαι	- αγαπιόμουν	= I was loved
σκέφτομαι	- σκεφτόμουν	= I was thinking

NOTE: Sometimes a final - **α** is added in the Past Continuous, e.g.

ντυνόμουνα	= I was dressing (myself)
αισθανόμουνα	= I was feeling

διδασκόμουν = I was taught	καθόμουν = I was sitting
διδασκόσουν I was learning	καθόσουν
διδασκόταν	καθόταν

διδασκόμαστε (αν)	καθόμαστε (αν)
διδασκόσαστε (αν)	καθόσαστε (αν)
διδάσκονταν	κάθονταν

Examples:

Βρισκόμουν στην Κρήτη το καλοκαίρι.
I was in Crete in the summer.

Καθόμαστε στο καφενείο το απόγευμα.
We were sitting in the cafe in the afternoon.

177

Επισκέφτονταν το Αρχαιολογικό Μουσείο.
They were visiting the Archaeological Museum.

Στεκόμαστε στην Πλατεία της Ομόνοιας.
We were standing in Omonia Square.

Αισθανόμουν άρρωστος την Κυριακή.
I was feeling ill on Sunday.

CONJUGATION OF THE PAST TENSE OF THE VERB
είμαι = to be (I am)

ήμουν	= I was	ήμαστε (αν)	= We were
ήσουν	= You were	ήσαστε (αν)	= You were
ήταν	= He, She, It was	ήταν	= They were

VOCABULARY

επισκέπτομαι = I visit   η Επίδαυρος = Epidaurus
ξυρίζομαι = I shave   ντύνομαι = I get dressed
ορφανός, η, ο = orphan   φτωχός, η, ο = poor
το Σαββατοκύριακο = weekend

QUESTIONS AND ANSWERS
ΕΡΩΤΗΣΕΙΣ ΚΑΙ ΑΠΑΝΤΗΣΕΙΣ

1. Πού ήσουν την Κυριακή;   Ήμουν στο σπίτι.
   Where were you on Sunday?   I was at home.

2. Πού ήταν ο Γιάννης;   Ήταν στο θέατρο.
   Where was John?   He was at the theatre.

3. Πού ήσαστε τον Ιούλιο;   Ήμαστε στην Ελλάδα
   Where were you in July?   We were in Greece.

4. Πού καθόσουν;   Καθόμουν στην ταβέρνα.
   Where were you sitting?   I was sitting in the tavern.

5. Πού στεκόσουν;   Στεκόμουν στο μπαλκόνι.
   Where were you standing?   I was standing at the balcony.

EXERCISE 49

Answer the following questions:

1. Πού ήσουν το Σαββατοκύριακο;
2. Πού ήταν ο πατέρας σου χτες;
3. Πού ήσαστε την Τρίτη;
4. Τι διδασκόσαστε στο σχολείο;
5. Πού ήταν οι φίλοι σας τον Ιούλιο;
6. Πού ήσουν χτες;
7. Πού βρισκόσουν τον Αύγουστο;
8. Ποιον επισκεφτόσουν στο χωριό;
9. Πού ήσαστε το πρωί;
10. Τι ώρα ντυνόσουν;

EXERCISE 50

Complete the sentences using the verb in the Imperfect.

1. Η Ελένη επισκεφτ........ την Ελλάδα το καλοκαίρι.
2. Ο Κώστας δεν ξυριζ........ στις έξι, ξυριζ...... στις εφτά.
3. Εγώ σκεφτ...... τη φτωχή οικογένεια.
4. Αυτοί λυπ..... τα ορφανά παιδιά.
5. Αυτή χαιρ...... που έβλεπε τους φίλους της.
6. Εσύ δεν εξεταζ........ στα Γαλλικά, εξεταζ...... στα Ελληνικά.
7. Αυτοί ντύν........ για να βγουν έξω.
8. Αυτοί έρχ........ στο σπίτι μας.

179

9. Εσείς σκεφτ........ να πάτε στο πάρκο.

10. Αυτοί χαίρ...... που μάθαιναν Ελληνικά.

11. Η Ελένη διδασκ..... Αγγλικά.

12. Εσείς ήσ...... στην εκκλησία την Κυριακή.

13. Ο Νίκος επισκεφτ....... το θέατρο της Επιδαύρου.

14. Εμείς δεν στεχ......... στο τρένο, καθ........... .

15. Αυτοί δεν στέκ............ στο λεωφορείο, κάθ........ .

The Island of Poros

LESSON 29

PASSIVE VERBS IN THE PAST TENSE

The Past Tense (Aorist) of Passive verbs is generally formed by changing the ending of the Active Aorist as follows.

Active Aorist ending in - **σα** changes into - **θηκα** or - **στηκα**
Active Aorist ending in - **ψα** changes into - **φτηκα** or - **εύτηκα**
Active Aorist ending in - **ξα** changes into - **θηκα** or - **χτηκα**
Active Aorist ending in - **α** changes into - **θηκα**

Examples:

Active Aorist	**Passive Aorist**
πάντρεψα = I married	παντρεύτηκα = I was married
κυνήγησα = I chased	κυνηγήθηκα = I was chased
άλλαξα = I changed	αλλάχτηκα = I was changed
έγραψα = I wrote	γράφτηκα = I was written
κούρασα = I tired	κουράστηκα = I was tired, I got tired
ξεκούρασα = I rested	ξεκουράστηκα = I rested, relaxed
κοίμησα = I put to sleep	κοιμήθηκα = I slept, I fell asleep, I was asleep
φίλησα = I kissed	φιλήθηκα = I was kissed

1. Παντρεύτηκα το Μάιο = I married in May.
2. Κοιμήθηκα στο ξενοδοχείο = I slept at the hotel.
3. Κουράστηκα στη δουλειά = I was tired at work.
4. Διδάχτηκα για δυο ώρες = I was taught for two hours.
5. Φιλήθηκα από την Άννα = I was kissed by Anna.
6. Εξετάστηκα από το γιατρό = I was examined by the doctor.

Those verbs without Active roots usually change their ending
- ο υ μ α ι into **- η θ η χ α** .

e.g λυπούμαι - λυπήθηκα   =   I was sorry
   φοβούμαι - φοβήθηκα   =   I was afraid.

CONJUGATION OF THE PAST PASSIVE VERBS

You will note that the conjugation of the Past Passive Verbs
is exactly the same as the Past of Active Verbs.

Examples:

κοιμήθηκα   = I slept, I was asleep
κοιμήθηκες   = You slept, You were asleep
κοιμήθηκε   = He, She, It slept, was asleep

κοιμηθήκαμε   = We slept, We were asleep
κοιμηθήκατε   = You slept,   »
κοιμήθηκαν   = They slept,   »

φιλήθηκα   =   I was kissed
φιλήθηκες   = You were kissed
φιλήθηκε   = He, She, It was kissed

φιληθήκαμε   = We were kissed
φιληθήκατε   = You were kissed
φιλήθηκαν   = They were kissed

χάρηκα   = I was pleased
χάρηκες   = You were pleased
χάρηκε   = He, She, It was pleased

χαρήκαμε   = We were pleased
χαρήκατε   = You were pleased
χάρηκαν   = They were pleased

VOCABULARY

χάνω = I miss, lose
αρέσω = I like
αρραβωνιάζομαι = I get
                engaged
έρχομαι = I come
ξεκουράζομαι = I rest

γεύομαι = I taste
Χρόνια Πολλά = Many Happy
                Returns
κουράζομαι = I get tired
εύχομαι = I wish

The Negative is **δεν** e.g. δεν κοιμήθηκα = I did not sleep; δεν κουράστηκα = I was not tired.

Examples:

- Χτες το βράδυ κοιμηθήκαμε αργά.
   Last night we went to bed late.

- Χαρήκαμε τη θάλασσα.
   We enjoyed the sea.

- Το παιδί γεύτηκε το παγωτό.
   The child tasted the ice- cream.

- Η Μαρία ευχήθηκε Χρόνια Πολλά.
   Maria wished Many Happy Returns.

- Ο Γιάννης δεν ήρθε με αεροπλάνο.
   John did not come by aeroplane.

- Οι ξένοι επισκέφτηκαν την Επίδαυρο και τους Δελφούς.
   The tourists (foreigners) visited Epidaurus and Delphi.

The Past of the Verb " to be".

ήμουν	= I was
ήσουν	= You were
ήταν	= He, She, It was
ήμαστε (αν)	= We were
ήσαστε (αν)	= You were
ήταν	= They were

Examples:

- Ήμουν στη Ρόδο το καλοκαίρι.
  I was in Rhodes in the summer.

- Ήσουν στην Κρήτη την άνοιξη.
  You were in Crete in the spring.

- Ήταν στην Κύπρο το χειμώνα.
  He was in Cyprus in the winter.

- Ήμαστε στην Αθήνα το φθινόπωρο.
  We were in Athens in the autumn.

- Ήσαστε στην ταβέρνα.
  You were at the tavern.

- Ήταν στη Μύκονο την Κυριακή.
  They were in Mykonos on Sunday.

THE AORIST SUBJUNCTIVE IN PASSIVE VERBS

The Simple Subjunctive is formed with ν α, ό τ α ν, α ς, α ν, γ ι α ν α, followed by the Indefinite.

- Θέλω να παντρευτώ.   Δεν θέλω να εξεταστώ.
  I want to get married.   I do not want to be examined.

- Θέλω να διδαχτώ Ελληνικούς χορούς.
  I want to be taught Greek dances.

The Indefinite of passive verbs is formed by changing the ending **- η κ α** of the Aorist into **- ω.**

Examples:

ονειρεύτηκα	- να ονειρευτώ	=	to dream
αγαπήθηκα	- να αγαπηθώ	=	to be loved
σηκώθηκα	- να σηκωθώ	=	to get up
εξετάστηκα	- να εξεταστώ	=	to be examined
φιλήθηκα	- να φιληθώ	=	to be kissed
θυμήθηκα	- να θυμηθώ	=	to remember

NOTE: When the **να, όταν, ας, αν, για να** is added it indicates the Subjunctive. Without these words it is the Indefinite.

The Indefinite does not specify a particular action, and cannot be translated on its own, and is hardly ever used on its own. The Indefinite endings are the same as those of the Future Simple. The Indefinite is exactly the same as the Future Simple without the particle **θα.**

EXERCISE 51

Conjugate the following and make sentences:

1. ήρθα = I came
2. γεύτηκα = I tasted
3. επισκέφτηκα = I visited
4. ονειρεύτηκα = I dreamed
5. διδάχτηκα = I was taught
6. κουράστηκα = I was tired
7. αγαπήθηκα = I was loved
8. στενοχωρήθηκα = I was upset

EXERCISE 52

Complete the sentences using the Past Tense.

1. Ο Κώστας και η Ελένη επισκέφτ...... τη γιαγιά τους.
2. Τα παιδιά γεύτ..... το παγωτό.
3. Ο ξένος χάθ.... στη Θεσσαλονίκη.
4. Ο μικρός φοβήθ........ το αεροπλάνο.
5. Η Μαρία παντρεύτ...... το Γιάννη.
6. Η Χρύσω δεν αρραβωνιάστ..... τον Ανδρέα.
7. Λυπήθ..... πολύ που έχασαν το τρένο.
8. Οι ξένοι δεν κοιμήθ........ στο ξενοδοχείο.
9. Ο αδελφός μου ήρθ... στην Αγγλία.
10. Σήμερα επισκεφτ....... το μουσείο.
11. Εσύ γεύτ........ το παγωτό.
12. Ο παππούς στενοχωρ....... σήμερα.
13. Εμείς κουραστ.... στη δουλειά.
14. Αυτοί παντρεύτ.... τον Ιούλιο.
15. Εσύ εξετάστ.... στα Ελληνικά.
16. Εγώ χάρηκ... πολύ που σε είδα.
17. Εμείς διδαχτ....... ελληνική ιστορία.
18. Εσείς διδαχτ....... γεωγραφία.
19. Οι τουρίστες κουράστ...... σήμερα.
20. Εμείς ξεκουραστ........ στη θάλασσα.

LESSON 30

PASSIVE VERBS IN THE FUTURE TENSE

1. The Future Continuous of verbs ending in - ο μ α ι,
- ο ύ μ α ι, - ι έ μ αι, - ά μ α ι is formed with **θ α** followed by
the present indicative.

θα κάθομαι = I shall be	θα κοιμούμαι = I shall be	
θα κάθεσαι sitting	θα κοιμάσαι sleeping	
θα κάθεται	θα κοιμάται	
θα καθόμαστε	θα κοιμούμαστε	
θα κάθεστε	θα κοιμάστε	
θα κάθονται	θα κοιμούνται	

1. The Future Continuous is used when the future action is incomplete or repetitive, e.g.

Θα κάθομαι στην ταβέρνα τα βράδυα.
I shall be sitting at the tavern in the evenings.

Θα κοιμούμαι αργά.
I shall be sleeping late.

2. The Future Simple is used when the future action is complete.

Θα κοιμηθώ στις έντεκα απόψε.
I shall sleep at eleven o'clock tonight.

Θα παντρευτώ την Κυριακή.
I shall get married on Sunday.

Θα εξεταστώ τον Ιούνιο.
I shall be examined in June.

The Future Simple like the Indefinite is formed from the Past (Aorist) Stem by changing the ending - **η κ α** into - **ω** e.g.

παντρεύτηκα - θα παντρευτώ = I shall marry
ονειρεύτηκα - θα ονειρευτώ = I shall dream
εξετάστηκα - θα εξεταστώ = I shall be examined
κοιμήθηκα - θα κοιμηθώ = I shall sleep
θυμήθηκα - θα θυμηθώ = I shall remember
σηκώθηκα - θα σηκωθώ = I shall get up

This rule also applies to Verbs with no Active origin.

NOTE: All Future Passive Verbs are accented on the last syllable and follow the same conjugation pattern: e.g.

θα παντρευτώ = I shall   θα σηκωθώ = I shall get up
θα παντρευτείς   marry   θα σηκωθείς
θα παντρευτεί   θα σηκωθεί

θα παντρευτούμε   θα σηκωθούμε
θα παντρευτείτε   θα σηκωθείτε
θα παντρευτούν   θα σηκωθούν

The negative is **δ ε ν** e.g. **δεν θα παντρευτώ** = I shall not marry, **δεν θα εξεταστώ**= I shall not be examined.

VOCABULARY

το λιμάνι = the harbour / port   η στάση = bus stop
ο σταθμός = the station   χαίρομαι = I am pleased
σηκώνομαι = I get up   κουράζομαι = I am tired
ονειρεύομαι = I dream   θυμούμαι = I remember

188

χάνομαι = I am lost
βρέχομαι = I get wet
φοβούμαι = I am afraid
το διαμέρισμα = flat, apart-
ment

ξεχουράζομαι = I rest
ο δρόμος = road, street
η οδός = street (used to name
a particular street)

Examples:

Θα σηκωθώ στις οκτώ.
I shall get up at eight.

Δεν θα χαθούμε στην Αθήνα.
We shall not be lost in Athens.

Θα ξεκουραστείτε στο ξενοδοχείο.
You will rest at the hotel.

Ο Κώστας θα σηκωθεί στις δέκα.
Costas will get up at ten.

Τα παιδιά δεν θα σηκωθούν στις εφτά.
The children will not get up at seven.

Θα είμαστε στο σταθμό.
We shall be at the station.

Θα είναι στο λιμάνι του Πειραιά.
They will be at the port of Pireas.

Θα είστε στην ταβέρνα απόψε.
You will be at the tavern tonight.

EXERCISE 53

Conjugate the following verbs and make sentences:

1. Θα λυπηθώ = I shall be sorry
2. Θα χαρώ = I shall be pleased
3. Θα ονειρευτώ = I shall dream.
4. Θα εξεταστώ = I shall be examined
5. Θα διδαχτώ = I shall be taught.

EXERCISE 54

Complete the sentences

1. Ο Γιώργος και η Μαρία θα σηκωθ..... το πρωί.
2. Η γιαγιά θα χαρ.... να δει τα παιδιά.
3. Η μητέρα και ο πατέρας δεν θα κοιμηθ.... αργά.
4. Η Ελένη θα ονειρευτ..... την Ελλάδα.
5. Εγώ δεν θα είμ..... στη θάλασσα σήμερα.
6. Εσύ θα είσ... στο καφενείο το μεσημέρι.

Corinth - St. Paul's Church

7. Ο παππούς θα θυμηθ.... την ιστορία.
8. Οι ξένοι δεν θα επισκεφτ...... το Μουσείο.
9. Οι τουρίστες θα ξεκουραστ..... στο ξενοδοχείο.
10. Αυτός θα εί.... στο σταθμό στις δέκα το πρωί.
11. Ο Γιώργος θα εξεταστ...... αύριο.
12. Εσείς θα παντρευτ..... τον Οκτώβριο.
13. Αύριο θα ξεκουραστ..... η μητέρα.
14. Σήμερα εμείς θα επισκεφτ..... την Ακρόπολη.
15. Εγώ θα λυπηθ..... όταν θα φύγω από την Ελλάδα.
16. Εσύ θα κοιμηθ.... στο ξενοδοχείο.
17. Εμείς θα κοιμηθ..... στο διαμέρισμα.
18. Αύριο, εσείς θα σηκωθ...... στις έξι.
19. Το Σάββατο όλοι μας θα ξεκουραστ........ στη θάλασσα.
20. Τη Δευτέρα όλοι οι μαθητές θα εξεταστ........ στα Ελληνικά.

Peloponnese - Methoni Castle

LESSON 31

THE IMPERATIVE IN PASSIVE VERBS

The Imperative in Passive verbs, as in Active verbs, has only the 2nd person singular and plural, expressing **Commands, requests, demands** and **exhortations**.

The Imperative mood is formed as follows:

1. Continuous Imperative - We change the final - **ο μ α ι** of the present and replace it with an - **ο υ** for the singular. We use the 2nd person plural to indicate plural imperative.

Examples:

δροσίζομαι	- δροσίζου	- δροσίζεστε	= refresh (yourself)
αγωνίζομαι	- αγωνίζου	- αγωνίζεστε	= you struggle
εξετάζομαι	- εξετάζου	- εξετάζεστε	= examine yourself, be examined
δανείζομαι	- δανείζου	- δανείζεστε	= borrow (for yourself)
κρύβομαι	- κρύβου	- κρύβεστε	= hide yourself

2. Simple Imperative - We change the final - **ω** of the Aorist subjunctive into - **ου** and move the accent to the 2nd syllable from the end. We also use the 2nd person plural of the Aorist subjunctive.

Active Aorist   Subjunctive

(A) δέσω	- δέσου	- δεθείτε	= tie yourself
πληρώσω	- πληρώσου	- πληρωθείτε	= pay yourself

(B) κρύψω	-	κρύψου	- κρυφτείτε	= hide your self
γράψω	-	γράψου	- γραφτείτε	= write, enrol yourself

(C) ανοίξω	-	ανοίξου	- ανοιχτείτε	= open
αλλάξω	-	αλλάξου	- αλλαχτείτε	= change

(D) δροσίσω	-	δροσίσου	- δροσιστείτε	= refresh yourself
πιάσω	-	πιάσου	- πιαστείτε	= hold, grab yourself

(E) αγαπήσω	-	αγαπήσου	- αγαπηθείτε	= love (Be loved)
φιλήσω	-	φιλήσου	- φιληθείτε	= kiss (Be kissed)

(F) θυμήσω	-	θυμήσου	- θυμηθείτε	= remember
κοιμήσω	-	κοιμήσου	- κοιμηθείτε	= sleep

The Verb " to be " είμαι - **να είσαι** - **να είστε** = Be (there)

The Negative Imperative is **μη (ν)** with the 2nd person singular or plural of the present to indicate the Continuous Imperative.

Examples:

μη φοβάσαι	- φοβάστε	= do not be afraid
μην αγωνίζεσαι	- αγωνίζεστε	= do not struggle
μην κρύβεσαι	- κρύβεστε	= do not hide yourself
μη δανείζεσαι	- δανείζεστε	= do not borrow

193

For the **Simple Imperative** the negative is **μη(ν)** with the 2nd person singular or plural of the Aorist subjunctive.

Examples:

Μην εξεταστείς - εξεταστείτε = Do not examine yourself.
(Do not be examined)

Μην κρυφτείς - κρυφτείτε = Do not hide yourself.

Μην παντρευτείς - παντρευτείτε = Do not marry.

Μην αρραβωνιαστείς - αρραβωνιαστείτε = Do not get
engaged.

Μη δανειστείς - δανειστείτε = Do not borrow.

For **emphatic positive** statements, we use the particle **να** or **πρέπει να** = i.e. you must / should

Πρέπει να αγωνίζεσαι για την πατρίδα σου.
You must fight for your country.

Πρέπει να παντρευτείτε φέτος.
You should get married this year.

For **emphatic negative** statements, we use **Να** + **μη (ν)** or **Δε(ν) πρέπει να**.

Δεν πρέπει να δανείζεσαι λεφτά = You should not borrow
money.

Να μη δανειστείς τίποτε = You should not borrow anything.

NOTE: Commands, requests, demands and exhortations in the first and third persons are expressed by using the particle **ας** followed by the subjunctive.

Examples:

Ας διδαχτώ από το βιβλίο = Let me be taught from the book.

Ας εξεταστεί τον Ιούνιο = Let him/her be examined in June.

Ας κοιμηθώ τώρα. = Let me sleep now.

194

VOCABULARY

δίσεχτος, η, ο = leap year
δροσίζομαι = I refresh
      myself
δανείζω = I lend
ούτε = neither, nor
κάποιος, α, ο = someone
το μανταρίνι = tangerine
βέβαιος, η, ο = sure, certain
κουτός, η, ο = silly
το ουίσκι = whisky
αγωνίζομαι = I fight, struggle

δανείζομαι = I borrow
η πατρίδα = homeland
ντύνομαι = I get dressed
το ποδήλατο = bicycle
ο χυμός = juice
συλλογίζομαι = I think,
      contemplate
το γούρι (η τύχη) = luck
λευτερώνω = I free

EXERCISE 55

Complete the sentences:

1. Να εξεταστ...... στα Ελληνικά.
2. Κρυφ...... γρήγορα, έρχεται κάποιος.
3. Δανείσ....... αυτό το βιβλίο.
4. Μη δανειστ..... εκείνο το ποδήλατο.
5. Μην κρύβ...... Γιάννη, δεν είσαι μικρό παιδί.
6. Δροσίζ...... όταν πίνετε χυμό μανταρίνι.
7. Μην εξεταστ..... τώρα, είναι πολύ νωρίς.
8. Να εξεταστ... τον Ιούνιο ή το Δεκέμβριο.
9. Κοιμήσ.... παιδί μου είναι αργά.
10. Να κοιμηθ....... νωρίς απόψε.
11. Μην παντρεύ...... όταν είναι δίσεχτος!
12. Να συλλογίζ..... πάντα την οικογένεια και την πατρίδα σου.
13. Μην αρραβωνια........ στις 13- δεν έχει καλό γούρι.
14. Σκεφτ...... τα έξοδα πριν αρχίσετε.
15. Άδικα αγωνίζ........ παιδί μου!
16. Ούτε να δανείζ....... ούτε να δανείζ........... .

195

17. Να είσ.... στο αεροδρόμιο στις οκτώ.
18. Να είσ.... στο ξενοδοχείο στις εφτά.
19. Μην είσ... κουτός!
20. Να είσ... βέβαιος, η Κύπρος θα λευτερωθεί μια μέρα.

The Island of Syros

LESSON 32

PERSONAL PRONOUNS

Pronouns are divided into: 1. Personal 2. Possessive 3.Demonstrative 4. Relative 5. Reflexive 6. Interrogative 7. Definite and 8. Indefinite.

1. PERSONAL PRONOUNS: (A) Nominative Case

The Personal Pronoun in the Nominative Case normally precedes the Verb but it may also come elsewhere in the clause.

1st Person		εγώ	= I	εμείς	= We
2nd »		εσύ	= You	εσείς	= You
3rd »	(M)	αυτός	= He	αυτοί	= They
	(F)	αυτή	= She	αυτές	= They
	(N)	αυτό	= It	αυτά	= They

Examples

Εγώ μιλώ Ελληνικά = I speak Greek.

Εσύ γράφεις = You are writing.

Εμείς διαβάζουμε = We are reading.

Μπορώ να χορέψω **εγώ**, μα δεν μπορείς **εσύ** = I can dance, but you can't.

(B) Genitive Case - Indirect Object

The Personal Pronouns in the Genitive Case are used for expressing the indirect object.

Emphatic *myself*			Unemphatic	
	Singular	**Plural**	**Singular**	**Plural**
1st	εμένα	εμάς	μου	μας
2nd	εσένα	εσάς	σου	σας

197

3rd	(M)	αυτού	αυτών	του	τους
	(F)	αυτής	αυτών	της	τους
	(N)	αυτού	αυτών	του	τους

Unemphatic Examples (Indirect Object)

1. **Μου** έστειλε ένα γράμμα = He / She sent **me** a letter
2. **Σου** έστειλε »   »   He / She sent **you**   »
3. **Του** έστειλε »   »   He / She sent **him**   »
4. **Της** έστειλε »   »   He / She sent **her**   »

5. **Μας** έστειλε ένα γράμμα = He / She sent **us** a letter
6. **Σας** έστειλε   »   »   He / She sent **you**   »
7. **Τους** έστειλε »   »   He / She sent **them** »

Unemphatic examples (Direct Object)

Με έστειλε στο γραφείο = He / she sent **me** to the office.
Σε έστειλε στο διευθυντή = He / She sent **you** to the manager.
Την έστειλε στην τράπεζα = He/ She sent **her** to the bank.
Τον έδιωξε από το πάρκο = He threw **him** out of the park.
Μας έστειλαν στην αγορά = They sent **us** to the market.
Σας έστειλαν στο νοσοκομείο = They sent **you** to the hospital.
Τους έδωσα τη διεύθυνση = I gave **them** the address.

Emphatic Examples (Indirect Object)

1. **Έμενα μου** έδωσε τα λεφτά - He / she gave the money to
                                          me .
2. **Εσένα σου** έδωσε το δώρο - He / She gave **you** the
                                          present.
3. **Αυτού του** έδωσε το ποδήλατο - He/ She gave **him** the
                                          bicycle.
4. **Αυτής της** έδωσε το φόρεμα - He / She gave **her** the dress
5. **Εμάς** δεν **μας** έδωσε τίποτε - He / She did not give **us**
                                          anything.

198

6. **Εσάς σας** έδωσε το αυτοκίνητο - He/ She gave **you** the car.
7. **Αυτούς τους** έδωσε ένα δώρο - He / She gave **them** a present.

Emphatic Examples (Direct Object)

1. **Εμένα με** λένε Κώστα = They call **me** Costas (I am called)
2. **Εσένα σε** λένε Μαρία = They call **you** Maria (You are called).
3. **Αυτόν τον** λένε Αντρέα = They call **him** Andreas (He is called).
4. **Αυτή την** λένε Άννα = They call **her** Anna (she is called)
5. Μας έστειλε **εμάς** στην τράπεζα = He / She sent **us** to the bank.
6. Σας έστειλε **εσάς** στην ταβέρνα = He sent **you** to the tavern.
7. Τους έστειλε **αυτούς** στο ξενοδοχείο = He sent **them** to the hotel.

Accusative Case - Direct Object

These pronouns are used for expressing the direct object. Usually the unemphatic form is used and it must be connected with a verb.

	Emphatic		**Unemphatic**	
	Singular	**Plural**	**Singular**	**Plural**
1st	εμένα	εμάς	με	μας
2nd	εσένα	εσάς	σε	σας
3rd				
(M)	αυτόν	αυτούς	τον	τους
(F)	αυτη(ν)	αυτές	την	τις
(N)	αυτό	αυτά	το	τα

VOCABULARY

τηλεφωνώ = I phone
εξηγώ = I explain
η κούκλα = the doll
ξοδεύω = I spend
κερνώ = I treat
συναντώ = I meet
η επίσκεψη = the visit
τα Χριστούγεννα = Xmas
η αγορά = market

το ζαχαροπλαστείο =
    Confectioner's
το χωριό = village
το νησί = Island
το δώρο = present, gift
χαίρομαι = I am pleased
η ακτή = beach, coast
το κολύμπι = swimming
η κάρτα = card
το κολέγιο = college

EXERCISE 56
Answer the following questions:

Example: Τηλεφώνησες στον Γιώργο; Του τηλεφώνησα.

1. Τηλεφώνησες στον Παύλο;
2. Τηλεφώνησες στη Μαρία;
3. Έγραψες στον Πέτρο;
4. Έγραψες στη Χριστίνα;
5. Σου έστειλε το γράμμα;
6. Σου εξήγησε το μάθημα;
7. Σου αγόρασε παγωτό;
8. Σας αγόρασε φρούτα;
9. Της διάβασες την εφημερίδα;
10. Του διάβασες το περιοδικό;
11 Τους κέρασες στο καφενείο;
12. Την συνάντησες την Κυριακή;
13. Τον είδες το Σάββατο;
14. Την είδες στο ζαχαροπλαστείο;
15. Σας επισκέφτηκαν το Σάββατο;

16. Τους επισκεφτήκατε την Τρίτη;
17. Σου έστειλε ένα δώρο;
18. Τον εξέτασε ο γιατρός;
19. Σε βοήθησε χθές;
20. Σε έστειλε στην τράπεζα;
21. Τον έδιωξε από τη δουλειά;
22 Την συνάντησες στην Κρήτη;
23. Σου έγραψε από την Αθήνα;
24. Σου τηλεφώνησε το Σάββατο;

Kastoria - The Lake

201

LESSON 33

PRONOUNS

1. DEMONSTRATIVE PRONOUNS - These are used to point out a person or thing. These are:

αυτός	εκείνος	(ε) τούτος	τόσος
αυτή	εκείνη	τούτη	τόση
αυτό	εκείνο	τούτο	τόσο
αυτοί	εκείνοι	τούτοι	τόσοι
αυτές	εκείνες	τούτες	τόσες
αυτά	εκείνα	τούτα	τόσα
This/ These	That /Those	That /Those	of such size / quantity.

Also τέτοιος, τέτοια, τέτοιο etc.

Examples:

Αυτός φώναξε = He (this man) called.
Εκείνος έφυγε = That man left.
Τούτος ήρθε = He (this man) came.
Θέλω τόσο χαρτί = I want so much paper
Αγόρασα τέτοιο ύφασμα = I bought such material.

(See earlier chapter on Demonstrative Pronouns).

2. RELATIVE PRONOUNS.

These are:
(a) Ο οποίος, η οποία, το οποίο (who, which)
    always used with the article.

(b) όποιος, όποια, όποιο (whoever, whichever).

Όποιος διαβάζει μαθαίνει = Whoever reads, learns.

(c) ό,τι = whatever.

Κάνε ό,τι θέλεις = Do whatever you like.

(d) όσος, όση, όσο/ όσοι, όσες, όσα (As much, as many as)
Γέλα όσο θέλεις = Laugh as much as you like.

Φάτε όσα κεράσια θέλετε = Eat as many cherries as you like.

(e) που = who, whom, which, that.

Η γυναίκα **που** χόρεψε ήταν Αγγλίδα.
The woman that danced was English.

Το αυτοκίνητο **που** είναι έξω είναι δικό μου.
The car which is outside is mine.

3. REFLEXIVE PRONOUNS: These exist in the Genitive and Accusative only. They are used when the subject and the object of an action are identical.

Genitive		Accusative
του εαυτού μου	του εαυτού μας	τον εαυτό μου / μας
του εαυτού σου	του εαυτού σας	τον εαυτό σου / σας
του εαυτού του	του εαυτού τους	τον εαυτό του / τους
του εαυτού της	του εαυτού τους	τον εαυτό της / τους
του εαυτού του	του εαυτού τους	τον εαυτό του / τους

Examples:

Μιλάει στον εαυτό του = He talks to himself.
Βλέπει τον εαυτό της στον καθρέφτη = She sees herself in the mirror.

203

Έχει μεγάλη ιδέα του εαυτού του = He has a big idea of himself i.e. He thinks he is something special.

Θεωρώ τον εαυτό μου ευτυχισμένο = I consider myself happy.

4. INTERROGATIVE PRONOUNS:

These introduce questions:

Ποιος, ποια, ποιο, ποιοι, ποιες, ποια = Who? Which? This declines like an adjective in - ος, - α, - ο.

There are some alternate forms in the genitive and accusative.

(Gen. Masc. & Neut)	ποιου or ποιανού	= Whose?
(Gen. Fem. Sing)	ποιας or ποιανής	= Whose?
(Gen. Plural)	ποιων or ποιανών	= Whose?
(Accus. Plural)	ποιους or ποιανούς	= Whom? (Which ones?)

Examples:

Ποιος είναι αυτός = Who is he?

Ποιους θέλεις = Whom (which ones) do you want?

Ποιο παγωτό θα πάρεις; = Which ice cream will you take?

The word τίνος is also used in all genders of the genitive singular, to mean " whose", e.g.

Τίνος είναι ο καφές; Whose coffee is this?

Other Interrogative Pronouns are: πόσος, πόση, πόσο, πόσοι, πόσες, πόσα = How much? How many? This declines like an adjective in - ος, -η, - ο .

The word τι = What, does not decline.

Τι θέλεις να σου φέρω; What do you want me to bring you?

Με τι θα γράψεις; = With what will you write?

CONJUGATION OF INTERROGATIVE PRONOUNS

Singular	Masculine	Feminine	Neuter
Nomin.	ποιος	ποια	ποιο
Genitive	ποιου	ποιας	ποιου
Accus.	ποιον	ποιαν	ποιο

Plural			
Nomin.	ποιοι	ποιες	ποια
Genitive	ποιων	ποιων	ποιων
Accus.	ποιους	ποιες	ποια

Examples:

Ποιος είναι;	= Who is he? (it)
Ποιου είναι;	= Whose is it?
Ποιον θέλετε;	= Whom do you want?
Ποιοι είναι;	= Who are they?
Ποιων είναι;	= Whose are they?
Ποιους θέλετε;	= Whom do you want?

More examples:

Ποια είναι η κυρία;	= Who is this lady?
Ποιας είναι το παλτό;	= Whose is the raincoat?
Ποιαν είδατε;	= Whom did you see?
Ποιες είναι αυτές;	= Who are these (ladies)?
Ποιων είναι τα καπέλα;	= Whose are the hats?
Ποιες έφυγαν;	= Who left? (ladies)

5. DEFINITE PRONOUNS These are:

(a) the Adjective **ο ίδιος** = himself, **η ίδια** = herself, **το ίδιο** = itself, is always used with the article.

e.g. 'Ηρθε **ο ίδιος** ο Πρόεδρος = The President himself came.

205

(b) The Adjective **μόνος, μόνη, μόνο** = alone.

e.g. Μένει στο σπίτι μόνη της = She lives in the house alone (on her own).

Μένω μόνος/ η	μου	= I live on my own.
Μένεις »	σου	= You live on your own.
Μένει »	του, της	= He / She lives on his / her own.
Μένουμε μόνοι	μας	= We live on our own.
Μένετε »	σας	= You live on your own.
Μένουν »	τους	= They live on their own.

6. INDEFINITE PRONOUNS: These are

(a) ένας, μια, ένα = a, an, one (someone). The same as the Indefinite article.

e.g Ένας έλεγε ότι γύρισε όλη την Ελλάδα = Someone said that he toured all over Greece.

(b) Κανένας (κανείς). Καμιά, κανένα = One/ no one.

e.g. Έλα καμιά μέρα να πιούμε καφέ = Come one day, to have coffee.

(c) Κάθε, καθενός, καθεμιά, καθένα = each.

e.g. Κάθε χωριό έχει το σχολείο του = Each village has its school.

(d) κάποιος, κάποια, κάποιο = Someone.

e.g. Μου είπε κάποιος = Someone told me.

(e) Κάμποσος, κάμποση, κάμποσο = a lot, a fair number (of).

e.g. Είχε μαζί του κάμποσα λεφτά. = He had with him a lot of money.

(f) μερικά, μερικές, μερικά = some.

e.g. Πήρε μερικά πράγματα κι έφυγε = He took some things and left.

(g) άλλος, άλλη, άλλο = one, other

e.g. Πήγαν άλλος εδώ και άλλος εκεί. = One went here, the other went there.

(h) Κάτι, κατιτί = Some, something

e.g. Κάτι είπε = He said something.

e.g. Άκουσες τίποτε; = Did you hear anything?

EXERCISE 57

Write 15 sentences using 15 different Pronouns.

Το Ερέχθειο - The Erectheum

LESSON 34

PARTICIPLES OF ACTIVE VERBS

The Participles indicate a continuous action.
To construct the Participle in Greek we change the final - **ω** of the Present into - **ο ν τ α ς**.

Examples:

κλαίω - κλαίοντας   = crying
γράφω - γράφοντας   = writing
παίζω - παίζοντας   = playing
πίνω   - πίνοντας   = drinking
τρώγω - τρώγοντας   = eating

If the verb is accented on the last syllable as in the examples below, then the ending is - **ω ν τ α ς**, i.e. with - **ω.**

Examples:

μιλώ   - μιλώντας   = talking
φιλώ   - φιλώντας   = kissing
αγαπώ - αγαπώντας   = loving
γελώ   - γελώντας   = laughing
ρωτώ   - ρωτώντας   = asking

Examples:

Έφυγε κλαίοντας.
He left crying.
Ήρθε τραγουδώντας.
He came singing.
Έτρεχε στο πάρκο γελώντας.

208

She ran in the park laughing.

Φάγαμε τα σουβλάκια μας μιλώντας.

We ate our kebab (while) talking.

Διάβαζε πίνοντας τον καφέ του.

He was reading (while) drinking his coffee.

VOCABULARY

παρακολουθώ = I watch	ευτυχισμένος = happy
ο αστυφύλακας = policeman	ο τόπος = place
κλαίω = I cry	γίνομαι = I become
ταξιδεύω = I travel	επιστρέφω = I return
το ποδήλατο = bicycle	σταματώ = I stop
αστειεύω = I joke	μουρμουρώ = I murmur
διαλέγω = I choose	ξυρίζομαι = I shave myself
όλα τα είδη = all kinds	το μνημείο = monument
πουλώ = I sell	λαχταρώ = I long (for)
το πράγμα = thing, object	κοιτάζω = I look at
φορτώνω = I load	τελειώνω = I finish

ACTIVE PARTICIPLES

Verb	Participle	English
ανοίγω	ανοίγοντας	opening
αγοράζω	αγοράζοντας	buying
απαντώ	απαντώντας	answering
βγαίνω	βγαίνοντας	going out
βλέπω	βλέποντας	seeing
ευχαριστώ	ευχαριστώντας	thanking
ζητώ	ζητώντας	asking
θέλω	θέλοντας	wanting
κερδίζω	κερδίζοντας	winning
λαχταρώ	λαχταρώντας	longing
μένω	μένοντας	staying
εσωκλείω	εσωκλείοντας	enclosing

209

EXERCISE 58

Complete the sentences using participles:

1. Πήγε στην Αθήνα λαχταρ....... να δει την Ακρόπολη.
2. Γύρισε στο σπίτι αγοράζ....... φρούτα.
3. Πήγαν στην Κρήτη θέλ....... να δουν την Κνωσό.
4. Συγκινήθηκαν βλέπ........ τα φτωχά παιδιά.
5. Περπατούσαν ψάχν......... να βρουν το ταχυδρομείο.
6. Ξόδεψαν τα λεφτά τους θέλ........ να δουν όλη την Ελλάδα.
7. Έφυγαν ευχαριστ....... τους φίλους τους.
8. Μέν........ στην Κύπρο για δυο βδομάδες είδαν πολλά αξιοθέατα.
9. Βλέπ...... την γιαγιά του τη φίλησε.
10. Ρωτ....... τον αστυφύλακα βρήκε το Μουσείο.
11. Αυτοί χορεύουν τραγουδ......
12. Περπατ........ όλο το απόγευμα έφτασαν στο χωριό.

EXERCISE 59

Write the right participle

1. Έγραφε .... (κλαίω)
2. Έφυγε από το σπίτι .... (γελώ)
3. Ήρθε στο γραφείο .... (μουρμουρώ)
4. .... το σπίτι του έφυγε για την Αγγλία (πουλώ).
5. .... το χωριό επέστρεψε πίσω (βλέπω)
6. .... ένα αυτοκίνητο ήρθε στην Αθήνα (αγοράζω).
7. Έβγαλε φωτογραφίες .... την Ακρόπολη (βλέπω)
8. Μπήκε στην ταβέρνα .... τη μουσική (ακούω)

9. Κουράστηκε .... στην ταβέρνα (χορεύω)
10. Το βράδυ .... στο σπίτι του κοιμήθηκε (επιστρέφω).
11. Το πρωί .... ξυρίστηκε και πλύθηκε (ξυπνώ).
12. .... από την Ελλάδα πήγε στην Κύπρο (φεύγω).

A few verbs ending in **- ο μ α ι** (**- ο ύ μ α ι**) have active participles:

κάθομαι = I sit   κάθοντας = sitting
έρχομαι = I come   έρχοντας = coming
διηγούμαι = I narrate   διηγώντας = narrating

The Zappeion.

LESSON 35

PARTICIPLES OF PASSIVE VERBS

These are generally formed from the Past (Aorist) of the verbs ending in **- ομαι , - ιέμαι, - άμαι,** as follows:

Change the ending   **- θηκα**   into - **μένος, η, ο**
change the ending   **- φτηκα**   into - **μμένος, η, ο**
change the ending   **- χτηκα**   into - **γμένος, η, ο**
change the ending   **- στηκα**   into - **σμένος, η, ο**
change the ending   **- εύτηκα**   into - **μένος, η, ο**

Examples:

Passive Aorist	Passive Particle	
κουράστηκα	κουρασμένος, η, ο	to become tired
αγαπήθηκα	αγαπημένος, η, ο	loved
κλείστηκα	κλεισμένος, η, ο	shut
παντρεύτηκα	παντρεμένος, η, ο	married
λυπήθηκα	λυπημένος,η, ο	sad
βρέχτηκα	βρεγμένος ,η, ο	wet
γράφτηκα	γραμμένος, η, ο	written
στενοχωρήθηκα	στενοχωρημένος, η, ο	upset

Past participles function like adjectives.

Ο Γιάννης είναι λυπημένος = John is sad.

Η Μαρία είναι κουρασμένη = Maria is tired.

Ο Φοίβος είναι στενοχωρημένος = Phivos is upset.

Ήταν ντυμένη όταν ήρθε ο Κώστας =
She was dressed when Costas came.

Ο Αλέκος ήταν παντρεμένος = Alecos was married.

Ήταν κλεισμένη στο δωμάτιο της =
She was closed in her room.

(lit. she shut herself in her room).

212

1. NOTE: Active Participles end in **- ο ν τ α ς (- ω ν τ α ς)** and do not decline.

2. Passive Participles end in **- μένος** and have 3 genders and decline like an adjective e.g. **- μένος, - μένη, - μένο.**

VOCABULARY

απαγοητευμένος, η, ο= disappointed.
άρρωστος , η, ο = ill, sick
αγαπημένος , η, ο = loved, favourite.
το καρπούζι = watermelon
η εξέταση = examination.

ενθουσιασμένος,η, ο = enthusiastic
το αποτέλεσμα = result
φορτωμένος, η, ο = loaded.
πετυχαίνω = I succeed

EXERCISE 60

Complete the sentences:

1. Δεν πήγα στο Μουσείο γιατί ήμουν κουρασμ........ .
2. Ο Γιώργος είναι το αγαπημ.......... παιδί της οικογένειας.
3. Η Ελένη ήταν κλεισμ........ στο δωμάτιο της.
4. Το αυτοκίνητο ήταν φορτωμ........ με καρπούζια.
5. Ο κύριος Θανάσης ήταν παντρεμ..... για είκοσι χρόνια.
6. Η γιαγιά ήταν λυπημ......, γιατί ο παππούς ήταν άρρωστος.
7. Κουρασμ........ απ΄ το ταξίδι πήγαμε να κοιμηθούμε.
8. Ο Αντρέας ήταν στενοχωρημ...... .
9. Ν' αφήσεις την πόρτα κλεισμ........ (κλειστή).
10. Ήταν χαρούμ......... σήμερα το πρωί.
11. Ήταν απαγοητευμ........ γιατί δεν πέτυχε στις εξετάσεις.
12. Ήταν ενθουσιασμ........ από το αποτέλεσμα.

LESSON 36

THE PERFECT TENSE

THE PRESENT PERFECT - This tense is not very common as it is in English. It is used to indicate an action that has taken place in the past and has already been completed but which has a bearing on the present. e.g. Δεν θέλω να πάω στο Μουσείο γιατί **έχω πάει** εκεί. (I do not want to go to the Museum becoause I have (already) been there).

To construct the Present Perfect we add the auxiliary verb **έχω** (I have) in front of the 3rd person singular, of the Aorist Subjunctive.

Examples:

έχω γράψει	=	I have written
έχεις γράψει	=	You have written
έχει γράψει	=	He, She, It has written
έχουμε γράψει	=	We have written
έχετε γράψει	=	You have written
έχουν γράψει	=	They have written

έχω μιλήσει	=	I have spoken
έχεις μιλήσει	=	You have spoken
έχει μιλήσει	=	He, She, It has spoken
έχουμε μιλήσει	=	We have spoken
έχετε μιλήσει	=	You have spoken
έχουν μιλήσει	=	They have spoken

Examples:

1. Έχω φύγει απ' την Ελλάδα = I have left Greece.
2. Έχω τραγουδήσει ένα Ελληνικό τραγούδι = I have sung a Greek song.

3. Έχω διαβάσει την εφημερίδα. = I have read the newspaper.
4. Έχω πιει ρετσίνα. = I have drunk retsina.
5. Έχω πάει στον Πειραιά. = I have gone (been) to Pireas.

THE FUTURE PERFECT - This is used to indicate an action completed in the future before another action, or point of time, in the future e.g. Πριν φύγουν οι τουρίστες ο ξενοδόχος **θα έχει ετοιμάσει** το λογαριασμό. The hotelier will have the bill ready before the tourists leave.

The Future Perfect is conjugated as follows:

θα έχω γράψει   θα έχουμε γράψει
θα έχεις γράψει   θα έχετε γράψει
θα έχει γράψει   θα έχουν γράψει

VOCABULARY

κόβω = I cut
τα μαλλιά = hair
ο θείος = uncle
ο ξένος = guest, tourist
ο ντολμάς = stuffed vine-leaves
χωριάτικος, η, ο = village (adj)
ταξιδεύω = I travel
το δώρο = present
το φιλμ = film
το θέατρο = theatre
το μουσείο = museum
το πλοίο = ship, boat
το ποδόσφαιρο = football
ποδοσφαιρικός, η, ο (adj) = football

μαζί = together
συναντώ = I meet
το καφενείο = coffee-bar
νωρίς = early
η φωτιά = fire
ο τουρίστας = tourist
ο γάμος = wedding
ο χορός = dance
το ενθύμιο = souvenir
ο εύζωνας = evzone
κολυμπώ = I swim
ο κεφτές = meat ball
το γραμματόσημο = stamp
ο αγώνας = match, contest
ακόμα, ακόμη = yet

215

THE PERFECT TENSE IN THE PASSIVE VOICE

To form the Perfect Tense in the Passive we add the auxiliary verb **έχω** in front of the 3rd person Singular of the Aorist Subjunctive.

Examples: έχω διδαχτεί   = I have been taught
         έχω εξεταστεί   = I have been examined
         έχω παντρευτεί   = I have (been) married
         έχω επισκεφτεί   = I have visited
         έχω καθίσει   = I have sat

They conjugate in the same way as the Present Perfect of Active verbs, e.g.

έχω διδαχτεί	= έχουμε διδαχτεί
έχεις »	= έχετε »
έχει »	= έχουν »

EXERCISE 61
Complete the following sentences using the Auxiliary verb έχω

1. Εγώ .... στείλει ένα γράμμα.
2. Εγώ .... δει το φιλμ «Ο Ζορμπάς».
3. Η Μαρία .... κόψει τα μαλλιά της.
4. Ο Νίκος δεν .... γράψει στο θείο του.
5. Οι ξένοι .... πάει στη θάλασσα.
6. Η γιαγιά .... καθίσει κοντά στη φωτιά.
7. Ο παππούς .... πει μια ιστορία στα παιδιά.
8. Οι τουρίστες .... ταξιδέψει με το αεροπλάνο.
9. Εμείς .... πάει στους Δελφούς και την Ολυμπία.
10. Εσείς .... φάει στην ταβέρνα ντολμάδες και κεφτέδες.

11. Σήμερα αυτοί .... πάει στο Σούνιο με λεωφορείο.
12. Εμείς .... δει την αρχαία Ολυμπία.
13. Αυτοί δεν .... δει το Λευκό Πύργο στη Θεσσαλονίκη.
14. Ο κ. Σμιθ .... γράψει δέκα κάρτες.
15. Η κυρία Ελένη δεν .... στείλει τα γράμματα.
16. Εσείς δεν .... πάει στον ποδοσφαιρικό αγώνα.
17. Αυτοί .... δει τους εύζωνες στην Αθήνα.
18. Εμείς δεν .... αγοράσει ενθύμια ακόμα.

LESSON 37

THE PAST PERFECT

The Past Perfect expresses an action in the past which is completed before another action in the past.

e.g. Η Ελένη είχε φύγει όταν ο Πέτρος τηλεφώνησε =
Helen had (already) left when Peter phoned.

To construct the Past Perfect we use the verb **είχα** (I had) before the 3rd person singular of the Aorist subjunctive, of Active or Passive Verbs.

ACTIVE EXAMPLES

είχα φύγει	I had left	είχα πάει = I had gone	
είχες φύγει	You had left	είχες πάει	
είχε φύγει	He, She, It had left	είχε πάει	
είχαμε φύγει	We had left	είχαμε πάει	
είχατε φύγει	You had left	είχατε πάει	
είχαν φύγει	They had left	είχαν πάει	

NOTE: It is the auxiliary (helping) verb that is conjugated.

Examples:
1. Είχα φύγει στις δέκα = I had left at ten o' clock.
2. Είχες αγοράσει το αυτοκίνητο = You had bought the car.
3. Είχες πουλήσει το κρασί = You had sold the wine.
4. Είχες φιλήσει την κοπέλα = You had kissed the girl.
5 Είχε φύγει απ' την Ελλάδα = He had left Greece.
6. Είχαμε χορέψει στην ταβέρνα = We had danced at the tavern.
7. Είχαν πιει ρετσίνα = They had drunk retsina.

8. Είχε χορέψει το χορό του "Ζορμπά" = She had danced Zorba's dance.

9. Είχαμε δει την Ακρόπολη = We had seen the Acropolis.

10. Είχε φύγει απ' το σινεμά = He had left the cinema.

11. Είχατε δει το γιατρό = You had seen the doctor.

12. Είχα βοηθήσει το παιδί = I had helped the child.

VOCABULARY

το αλφάβητο = alphabet	μαθαίνω = I learn
το μπαρμπούνι = red mullet	σκληρός , η, ο = hard
ο ξένος = the guest, visitor	η βουλή = parliament
ο κεφτές = meat- ball	το μπουκάλι = bottle
ποτέ = never	η αγορά = market
δουλεύω = I work	φεύγω = I leave

THE PAST PERFECT IN PASSIVE VERBS

We use the verb **είχα** (I had) and the third person singular of the Aorist Subjunctive.

Examples:

είχα διδαχτεί	= I had been taught
είχα εξεταστεί	= I had been examined
είχα παντρευτεί	= I had married
είχα κοιμηθεί	= I had slept

They conjugate in the same way as the Active Past Perfect examples, e.g.

είχα διδαχτεί	είχαμε διδαχτεί
είχες »	είχατε »
είχε »	είχαν »

219

EXERCISE 62

Change the following sentences into the Past Perfect.

Example: Έφαγα μουσακά. Answer: **Είχα φάει** μουσακά

1. Πήγα στην αγορά με τη γυναίκα μου.
2. Πήγαμε στο καφενείο με το Γιάννη.
3. Έστειλε ένα γράμμα στη φίλη του.
4. Αγόρασε ένα ωραίο αυτοκίνητο.
5. Είδαν το λιμάνι του Πειραιά.
6. Χόρεψες όλο το βράδυ στην ταβέρνα.
7. Ταξίδεψαν με λεωφορείο.
8. Έφαγαν μπαρμπούνι και πατάτες.
9. Ο Θανάσης έστειλε ένα ταξί για μας.
10. Η Κατίνα ετοίμασε το τραπέζι.
11. Οι ξένοι έφτασαν στις οκτώ.
12. Φάγαμε μουσακά, κεφτέδες και χωριάτικη σαλάτα.
13. Μετά ήπιαμε ένα ελληνικό καφέ.
14. Οι ξένοι έφυγαν στις δώδεκα.

Η Κνωσός

LESSON 38

ADVERBS

The words which describe verbs are called adverbs. These fall into groups and each group responds to a question.

1. Adverbs of place: Πού; = Where?

εδώ = here
εκεί = there
κάπου = somewhere
πουθενά = nowhere
πάνω = up
κάτω = down, below
έξω = out
μέσα = inside
δεξιά = right
αριστερά = left
μεταξύ = between
μαζί = together, with
γύρω = round

αλλού = elsewhere
παντού = everywhere
δυτικά = west
νότια = south
πίσω = behind
μπροστά = in front of
κοντά = near, next to
μακριά = far
βόρεια = north
νότια = south
ανατολικά = east
ψηλά = high
απέναντι = opposite

Examples:

1. Πού είναι η εφημερίδα; Είναι εδώ.
   Where is the newspaper? It is here.

2. Πού είναι η τράπεζα; Είναι εκεί.
   Where is the bank? It is there.

3. Πού είναι το μουσείο; Είναι στα δεξιά.
   Where is the museum? It is on the right (side).

4. Πού είναι η Πάτρα; Είναι στα δυτικά.
   Where is Patra ? It is on the west.

221

2. Adverbs of time: Πότε; = When?

πάντα = always
αμέσως = immediately
πάλι = again
ξανά = again
σήμερα = today
απόψε = tonight
φέτος = this year
επιτέλους = at last
νωρίς = early
όποτε = whenever
πότε, πότε = every now
and then

τώρα = now
σε λίγο = in a while
αύριο = tomorrow
μεθαύριο = the day after
tomorrow
χτες = yesterday
πέρυσι = last year
του χρόνου = next year
γρήγορα = quickly
ποτέ = never
κάποτε = sometimes
κάπου, κάπου = now and then,
sometimes

Examples:

1. Πότε φεύγεις; Αύριο.
   When are you leaving? Tomorrow.

2. Πότε θα γυρίσεις; Του χρόνου.
   When will you return? Next year.

3. Adverbs of manner: π ώ ς; = h o w?

καλά = well
ωραία = fine
επίσης = also
έτσι και έτσι = so, so
όπως = as, like
μαζί = together
αλλιώς = otherwise

συχνά = frequently
ξαφνικά = suddenly
ευτυχώς = fortunately
άριστα = excellently
έτσι = like, so
κάπως = somehow

222

Example:

Πώς είσαι; Πολύ καλά.
How are you? Very well.

4. Adverbs of quantity: π ό σ o; = how much?

πολύ = a lot   τουλάχιστο = at least
λίγο = a little   περισσότερο = more
τίποτε = nothing   λιγότερο = less
περίπου = approximately   αρκετά = enough
τόσο = so much   όσο = as much
πιο = more, most

Example:

Πόσο γάλα θέλεις στον καφέ σου; Πολύ.
How much milk do you want in your coffee? A lot.

5. Adverbs of degree: πολύ = a lot, λίγο= less, μόλις = just, σιγά = slow.

6. Adverbs of frequency: συχνά = frequently, πάντα = always, κάπου, κάπου = every now and then.

7. Adverbs of affirmation: ναι = yes, μάλιστα = certainly, βέβαια = surely αλήθεια = truly, (indeed).

8. Adverbs of denial: όχι= no, δε(ν), μη(ν) = not.

9. Adverb of hesitation: ίσως = perhaps.

10. Adverb of cause: γιατί = why?

1. Those adjectives which end in **- o ς** can be converted into adverbs by changing their final ending into **- α.**

223

Examples:

Adjective	Adverb	
ήσυχος	ήσυχα	quietly
καλός	καλά	well
εύκολος	εύκολα	easily
αριστερός	αριστερά	to the left
χαρούμενος	χαρούμενα	happily
δεξιός	δεξιά	to the right
δύσκολος	δύσκολα	difficult
λυπημένος	λυπημένα	sadly
ευχάριστος	ευχάριστα	pleasantly
υπέροχος	υπέροχα	wonderfully

2. Those adjectives which end in - **η ς** can be converted into adverbs by changing their ending into - **ω ς** .

Examples:

Adjective - η ς	Adverb - ω ς	
ευτυχής	ευτυχώς	= happily, fortunately
ακριβής	ακριβώς	= exactly
δυστυχής	δυστυχώς	= unfortunately

Some adverbs retain the puristic ending - **ω ς**

αμέσως = immediately
αεροπορικώς = by air (mail)
ίσως = perhaps
τελείως = completely

3. Those adjectives which end in - **υ ς** (there are very few) become adverbs by changing their ending into - **ι ά.**

Adjectives ending in	Adverb ending in

- υ ς **- ιά**

βαθύς βαθιά = deeply
μακρύς μακριά = far
πλατύς πλατιά = widely.

Examples with adverbs:

1. Ο Νίκος πηγαίνει εκεί = Nikos goes there.
2. Περπατά γρήγορα = He walks quickly
3. Ήρθε αργά = He came late.
4. Δεν πήγε ποτέ = She never went.
5. Πήγα αλλού = I went elsewhere.
6. Ήρθε ακριβώς στις έξι = She came exactly at six.
7. Βρήκε το δρόμο εύκολα. = He found the way easily.
8. Χορέψαμε αργά = We danced quietly / slowly.
9. Έφυγαν στις 12 ακριβώς = They left at 12 exactly.
10. Η μουσική ακουόταν μακριά = The music could be heard
        far away.
11. Έστριψε δεξιά = He / She turned to the right.
12. Πήγε αριστερά = He / She went to the left.

VOCABULARY

το γραφείο = office
νωρίς = early
φέρνω =I bring
αφήνω =I leave (behind)
αλλού = elsewhere
η είδηση = the news
βρίσκω = I find
αφηρημένα = absent-mindedly
δύσκολα = in difficulty

πίσω = back, behind
μετά =   after, later
ποτέ = never
πάντα = always
κάτω = below
καπνίζω = I smoke
η τηλεόραση = T.V.
εύκολα = easily
η κωμωδία = comedy

στρίβω = I turn
γρήγορα = quickly
μαγειρεύω = I cook
ετοιμάζω = I prepare
η επίσκεψη =visit
ικανοποιημένος, η, ο = satisfied

προσεκτικά = carefully
πλένω = I wash
αργά = late, slowly
μένω =I remain, stay
παρακολουθώ = I watch
ο πρόεδρος = president

EXERCISE 63

Complete the sentences by using the right adverb:

1. Ο Νίκος χόρεψε .... στην ταβέρνα (nicely)
2. Η Δάφνη μαγείρεψε .... το μουσακά (wonderfully)
3. Η γιαγιά ετοίμασε .... το πρόγευμα (quickly)
4. Ο παππούς διάβαζε .... (absent-mindedly).

5. Ο πατέρας έφυγε .... σήμερα. (early).
6. Η μητέρα καθάρισε τα πιάτα .... (carefully)
7. Τα παιδιά έπλυναν .... τα χέρια. (immediately).
8. Ο θείος και η θεία ήρθαν .... (late).
9. Οι τουρίστες θα επιστρέψουν .... (next year).
10. Ο Πρόεδρος θα πάει στο Λονδίνο .... (this year).
11. Δεν καπνίζω .... (never).
12. .... παρακολουθώ τις κωμωδίες στην τηλεόραση. (always).

LESSON 39

INTERROGATIVE ADVERBS

These are words which are used at the beginning of the sentence and they introduce questions. They are words of their own and they have to be remembered.

Πότε; = When? (time)   Πού; = Where? (place)
Πώς; = Where? (manner)   Πόσο = How much?
Γιατί; = How? (cause)   (quantity)

Examples:

1. Πότε φεύγεις; Αύριο.
   When are you leaving? Tomorrow.

2. Πότε επιστρέφεις; Μεθαύριο.
   When are you coming back? The day after tomorrow.

3. Πού είναι το μουσείο; Είναι κοντά.
   Where is the museum? It's near.

4. Πού είναι το θέατρο; Είναι μακριά.
   Where is the theatre? It's far away.

5. Πώς είσαι Ελένη; Καλά.
   How are you Helen? Fine.

6. Πώς είναι ο Νίκος; Έτσι κι έτσι.
   How is Nicos? So, so.

7. Πόσο θέλεις; Μισό κιλό.
   How much do you want? Half a kilo.

8. Πόσο κάνει; Πεντακόσιες δραχμές.

How much does it cost? Five hundred drachmas.

VOCABULARY

αριστερά = left
δεξιά = right
μακριά = far away
κοντά = near
αύριο = tomorrow
απόψε = tonight
σε λίγο = in a while
σιδηροδρομικώς
με το τρένο } = by train
αεροπορικώς = by air

η επιταγή
το τσεκ } = cheque
περπατώ = I walk
με τα πόδια = on foot
γυρίζω = I return
πληρώνω = I pay
η τράπεζα = bank

EXERCISE 64
Answer the following questions using the adverbs.

1. Πού είναι η τράπεζα; (On the right)
2. Πού είναι το ταχυδρομείο; (On the left)
3. Πού είναι το ξενοδοχείο; (Far away)
4. Πού είναι το περίπτερο; (It's near)
5. Πότε θα έρθεις; (Tomorrow)
6. Πότε θα χορέψεις; (Tonight)
7. Πότε θα ταξιδέψεις; (In July)
8. Πότε θα φάμε; (In a while)
9. Πώς θα πας εκεί; (By train)
10. Πώς θα ταξιδέψεις; (By air)
11. Πώς θα πληρώσετε; (By cheque)
12. Πώς θα γυρίσουμε; (On foot, walking)
13. Πόσο κάνει το δωμάτιο; (5,000 Drachmas)
14. Πόσο μακριά είναι; (Very far)
15. Πόσο έχει το εισιτήριο; (10,000 Drachmas)
16. Πόσο καιρό θα μείνετε; (Two weeks)

228

LESSON 40

CONJUNCTIONS

The Conjunctions connect the words. For example: Ο Πέτρος **και** η Ελένη (Peter and Helen). They may be divided into two groups: (1) Co-ordinating and (2) Subordinating. Co-ordinating Conjunctions join words, phrases or clauses of the same syntax. Subordinating Conjunctions join clauses only which are not of the same syntax, since one (the subordinate clause) cannot exist as a sentence without the other (the main clause).

Co- ordinating Conjunctions: Examples

και = and

> Η Ελένη **και** η Μαρία
> Helen and Mary

και ... και = both ... and

> **Και** η Ελένη **και** η Μαρία
> Both Helen and Mary

ή = or

> Ο Νίκος **ή** ο Παύλος
> Nikos or Paul

ή .... ή = either or

> **Ή** ο Νίκος **ή** ο Παύλος =
> Either Nicos or Paul.

είτε ... είτε = either ... or

> **Είτε** εσύ **είτε** εγώ =
> Either you or I

μήτε... μήτε = neither .... nor

> **Μήτε** ο Γιώργος θα πάει **μήτε** ο Κώστας. = Neither George will go nor Costas.

ούτε ... ούτε = neither .... nor

> **Ούτε** ο Γιώργος θα πάει **ούτε** ο Κώστας. = Neither George will go nor Costas.

αλλά = but	Μου τηλεφώνησε **αλλά** δεν πήγα.
μα = but	Μου τηλεφώνησε **μα** δεν πήγα He / She phoned me but I did not go.
Όμως = however	Ήρθε ο Κώστας, η Δέσποινα **όμως** έμεινε σπίτι. Costas came, Despina howe stayed at home.
Όμως = but	Τρέξαμε **όμως** δεν προλάβαμε το λεωφορείο = We ran but we missed the bus.
Ωστόσο = nevertheless.	Η γιαγιά είναι ογδόντα χρονών, **ωστόσο** θυμάται πολύ καλά = Grandmother is eighty years old; nevertheless she has a very good memory.
Παρά = than (in comparisons)	Κάλλιο αργά **παρά** ποτέ = Better late than never.
Παρά = but	Δεν λέει τίποτα **παρά** σαχλαμάρες = He does not say anything but nonsense.
Επομένως = consequently.	Δεν το ήπιε, **επομένως** δεν θα το πληρώσει = He did not drink it; consequently he is not going to pay for it.

λοιπόν = so, thus

Ήπιαμε τον καφέ μας· **λοιπόν** ας πάμε.

We've drunk our coffee, so let's go.

δηλαδή (δηλ.) = that is to say, namely in other words

Θέλει να πάει στην μακρινή Αυστραλία **δηλαδή** να μας ξεχάσει όλους = He wants to go to far away Australia, that is to forget about all of us

σαν = like, as

Τραγουδά **σαν** αηδόνι = He/ she sings like a nightingale.

Subordinating Conjunctions

These must introduce a clause, i.e. a subject and a verb. The introduced clause cannot stand alone as a sentence; it must be linked to another clause which can stand alone.

1. Time

όταν = when

Χάρηκε **όταν** τον είδε = She was pleased when she saw him

σαν = when

Σαν τον είδε τα έχασε. = When she saw him she was at a loss.

άμα = when, as soon as

Θα φάμε **άμα** έρθετε = We'll eat when (as soon as) you come.

ενώ = while, as
καθώς = while as

Ενώ διάβαζε, σκεπτόταν την οικογένειά του = While he was reading he thought about his family.

όσο = as long as

Μείνε **όσο** θέλεις = Stay as long as you like.

αφού = after   προτού = before
αφότου = ever since   ώσπου να = until
μόλις = as soon as   ωσότου να = until
πριν (να) = before   οπότε = whenever

2. Place:

όπου = where, wherever   Πήγαινε **όπου** θέλεις = Go
wherever you like.

3. Manner

όπως = however, as   Κάνε **όπως** νομίζεις = Do what
you think is right.

4. Cause or reason

γιατί = because   Ο Γιάννης δεν πήγε **γιατί** έβρεχε =
John did not go because it was raining.

επειδή = because   ' Εμεινε στο σπίτι **επειδή** έβρεχε =
He stayed at home because it was rain-
ing.

αφού = since   **Αφού** ήρθες κάτσε να πιούμε καφέ =
Since you've come, sit down for a coffee.

εφόσον = since
μια και } since   **Μια και** ήρθες να πιούμε ένα καφέ =
μια που }   Since you've come, we'll have a coffee.

5. Purpose

για να = so that, in order that, in order to, to.

6. Result

ώστε = so
τόσο .... ώστε = so ...... that

7. Comparison

παρά να = rather than

8. Contrast, Opposition

παρά να	=	instead of, rather than. Προτιμά να δουλεύει **παρά να** κάθεται. He prefers to work rather than sit at home.
ενώ	=	though, although, while
αν και	=	although
μολονότι	=	although
και ..... και	=	whether .... or not
είτε .... είτε	=	whether ..... or not

9. Condition

αν (εάν)	= if. Αν έρθεις την Κυριακή θα δεις τον Μάρκο= If you come on Sunday you'll see Mark.
άμα	= if. Άμα θέλεις έλα = If you want (to), come.
σαν	= if. Σαν θέλεις έλα
εκτός αν	= unless, except if

NOTE: **που** and **ότι**. Both are Conjunctions meaning "that".

π ο υ comes after a noun or pronoun
ό τ ι comes after a verb

1. **που** is preceded by a Noun or Pronoun:

Το βιβλίο που κρατάς είναι ελληνικό = The book that you hold is Greek.

Αυτό που βλέπεις είναι καρπούζι = The (thing) that you see is a watermelon.

233

2. **ότι** is preceded by a Verb.

Είπε ότι είδε την Μαρία.

He said that he saw Maria.

Είπα ότι οι ' Ελληνες είναι φιλόξενοι.

I said that the Greeks are hospitable.

VOCABULARY

ο συγγενής = relative

κερδίζω = I win

ξεκινώ = I start; set off

αργώ = I am late

το κολέγιο = College

κρατώ = I hold

το μυθιστόρημα = novel

βγαίνω = I come out
(step out)

φεύγω = I leave

στην ώρα = in time

κτυπώ, χτυπώ = I ring, knock

περιγράφω = I describe

ξεχνώ = I forget

επισκέπτομαι = I visit

συμφωνώ = I agree

συναντώ = I meet

οδηγώ = I drive

παίζω = I play

το χαρτί = playing card,
paper

περιμένω = I wait

έρχομαι = I come

πληρώνω = I pay

το ταξί = the taxi

φτάνω = I arrive

η χώρα = country

σπάζω, χαλώ = I break
down

EXERCISE 65

Complete the sentences by adding the appropriate conjunction

1. Έφαγαν .... ήρθαν όλοι οι συγγενείς.
2. Μας είπαν .... θα πάνε στο θέατρο.
3. Αγόρασε νέο αυτοκίνητο .... κέρδισε λεφτά.
4. Η γιαγιά .... ο παππούς βλέπουν τηλεόραση.

5. Ξεκίνησαν στις δέκα το πρωί .... άργησαν να έρθουν.

6. Η Μαρία πήγε στο κολέγιο .... ξέχασε τα βιβλία της.

7. Το βιβλίο .... κρατάς είναι μυθιστόρημα.

8. Έφυγε .... δεν ήρθε στην ώρα.

9. Έτρωγαν .... χτύπησε το τηλέφωνο.

10. Ο Γιάννης μας περίγραψε .... είδε στην Ελλάδα.

11. Θέλει να στείλει ένα πακέτο .... πήγε στο ταχυδρομείο.

12. Πήγε στην Αθήνα .... δεν επισκέφτηκε το Μουσείο.

13. Το βιβλίο το έχει .... ο Πέτρος .... ή ο Γιώργος.

14. Δεν πήγε .... η Ελένη .... η Δάφνη.

15. Μου έγραψε .... δεν του απάντησα.

16. Διάβαζε .... δεν πέρασε τις εξετάσεις.

17. Δεν πήγαμε .... δεν τους ξέραμε.

18. Έφυγε .... τον είδε.

19. Μπορείτε να περιμένετε .... θέλετε.

20. .... την είδε έκλαψε.

CONDITIONAL SENTENCES

1. The modal particle **θα** combines with the Imperfect Tense to produce statements of condition or potentiality pertaining to present time.

Examples:

> Θα ήθελα να πάω σήμερα μα δεν μπορώ
> I would like to go today but I can't.

> Θα πήγαινα σήμερα αν είχα καιρό.
> I would go today if I found time.

(Note that the "if clause" also takes the Imperfect).

2. The modal particle **θα** combines with the Past Perfect tense to produce statements of condition or unfulfilled potentiality pertaining to past time.

Examples:

Θα είχα χαθεί χωρίς εσένα.
I would have been lost without you.

Θα είχα πάει αν είχα βρει καιρό may also be rendered by **Θα πήγαινα αν έβρισκα καιρό.**

The above conditions are unreal, i.e. impossible or unlikely to be fulfilled.

In Real conditions i.e. those likely to be fulfilled the particle **θα** combines with the Simple Subjunctive to form the Simple Future. Here, the "If clause" also takes the Simple Subjunctive.

Θα πας αν βρεις καιρό = You will go if you find time.

SUMMARY OF CONDITIONALS

1. Real Conditionals take the Present, Future or Imperative in the Main Clause and the Subjunctive in the "if clause".

A. REAL CONDITIONAL

	IF Clause	MAIN Clause
Future	Αν βρεις κρασί If you find wine	θα πιεις you will drink
Imperat.	Αν βρεις κρασί If you find wine	πιες drink
Present	Αν βρίσκεις κρασί If you find wine	πίνεις you drink
	(i.e. if a person finds wine he drinks)	

236

2. Unreal Conditionals take the Imperfect and the Past Perfect
   in both clauses.

B. UNREAL CONDITIONAL

	IF Clause	MAIN Clause
Present	Αν έβρισκες κρασί if you found wine	θα έπινες you would drink
Past	Αν είχες βρει κρασί If you had found wine	θα είχες πιει you would have drunk

Η Ακρόπολη - **Acropolis**

LESSON 41
COMPARISON OF ADJECTIVES

There are three types (degrees) of Adjectives: 1. Positive, 2. Comparative, 3. Superlative.

1. Masculine adjectives end in **-ος.** The Comparative is formed by replacing the **-ος** with **-ότερος** . The Superlative is formed by replacing the **- ος** of the Positive with **- ότατος** or adding the word **πιο** in front of the Positive.

Examples:

Positive	Comparative	Superlative
ψηλός	ψηλότερος	ψηλότατος
tall	taller	or πιο ψηλός
		tallest
χοντρός	χοντρότερος	χοντρότατος
fat	fatter	or πιο χοντρός
		fattest
μικρός	μικρότερος	μικρότατος
small	smaller	or πιο μικρός
		smallest

Plural ending: Change the final **-ος** into **-οι.**

2. Feminine adjectives follow the same rules as above except that the endings are **-ότερη** and **-ότατη.**

Examples

Positive	Comparative	Superlative
έξυπνη	εξυπνότερη	εξυπνότατη
clever	more clever	or πιο έξυπνη
		cleverest
ωραία	ωραιότερη	ωραιότατη
pretty	prettier	or πιο ωραία
		prettiest
κοντή	κοντότερη	κοντότατη
short	shorter	or πιο κοντή
		shortest

Plural ending: Change the final **-η or -α into -ες**

3. Neuter adjectives follow the same rules except that the endings are - **ότερο** and - **ότατο.**

Examples:

Positive	Comparative	Superlative
ωραίο nice	ωραιότερο nicer	ωραιότατο or πιο ωραίο nicest
ψηλό tall	ψηλότερο taller	ψηλότατο or πιο ψηλό tallest
ηλίθιο stupid	ηλιθιότερο more stupid	ηλιθιότατο or πιο ηλίθιο most stupid

Plural ending: Change the final - **o** into - **α.**

NOTE: Adjectives ending in - **υς,** the Comparative and Superlative endings are - **ύτερος** and - **ύτατος.**

βαθύς deep	βαθύτερος	βαθύτατος or πιο βαθύς
πλατύς wide	πλατύτερος	πλατύτατος or πιο πλατύς
μακρύς long	μακρύτερος	μακρύτατος or πιο μακρύς

Some adjectives such as καλός = good and μεγάλος = old, big, have an - **ύτερος** ending in the Comparative. Their Superlative is either **πιο καλός** or **κάλλιστος** and **πιο μεγάλος** or **μέγιστος.**

NOTE: The plural endings are the same as Nouns.

VOCABULARY

έξυπνος, η, ο = clever
το νησί = island
ο Τάμεσης = Thames

κοντός, η, ο = short
ο Δούναβης = Danube
ο βαθμός = mark, grade

239

το Έβερεστ = Everest
το πεύκο = pine tree
το έλατο = fir tree
η μηλιά = apple tree
η αχλαδιά = pear tree
η γαριφαλιά = carnation plant
το γαρίφαλο = carnation
η βερικοκιά = apricot tree

ηλίθιος, α, ο = stupid
η ροδακινιά = peach tree
η ελιά = olive tree
η τριανταφυλλιά = rose tree
η συκιά = fig tree
το τριαντάφυλλο = rose
το κρίνο = lily
μυρίζω = smell, scent

Examples:

Το πεύκο είναι πιο ψηλό από τη μηλιά.
The pine tree is taller than the apple tree.

Η αχλαδιά είναι πιο πράσινη από την ελιά.
The pear tree is greener than the olive tree.

Τα γαρίφαλα μυρίζουν ωραία αλλά τα τριαντάφυλλα
μυρίζουν πιο ωραία.
The canrations smell nice but roses smell nicer.

ΔΙΑΛΟΓΟΣ - Στο δρόμο = In the Street

Μάρκος: Καλημέρα Γιάννη.
Γιάννης: Καλημέρα Μάρκο.
Μ :   Τι κάνεις;
Γ :   Πολύ καλά ευχαριστώ.
Μ :   Τι κάνει ο φίλος σου ο Κώστας;
Γ :   Πολύ καλά.
Μ :   Πού είναι τώρα;
Γ :   Είναι στη Θεσσαλονίκη.
Μ :   Εσύ πού πας;
Γ :   Πάω στο Κολέγιο.
Μ :   Μαθαίνεις γλώσσες;
Γ :   Ναι, μαθαίνω Αγγλικά και Γαλλικά.

EXERCISE 66
Complete the sentences by using the right adjective.
1. Ο Νίκος είναι .... από το Γιάννη. (ψηλός)

2. Η Μαρία είναι .... από την Ελένη. (έξυπνη)

3. Το βουνό Έβερεστ είναι .... από τον Όλυμπο.(ψηλό)

4. Ο Πέτρος είναι κοντός αλλά ο Σωτήρης είναι ....
   (κοντός)

5. Η Κρήτη είναι μικρό νησί αλλά η Ρόδος είναι ....
   νησί. (μικρό)

6. Η Κύπρος είναι ....από την Κρήτη. (μεγάλη)

7. Ο Δούναβης είναι .... από τον Τάμεση. (μακρύς)

8. Το ούζο δεν είναι .... από το κρασί. (ωραίο)

9. Η ταβέρνα του Κώστα είναι .... από την
   ταβέρνα του Σάββα. (ακριβή)

10. Αυτό το εστιατόριο είναι .... από εκείνο.
    (φτηνό)

11. Αυτή η τηλεόραση είναι η .... στην αγορά .
    (ακριβή)

12. Ο καιρός στην Ελλάδα είναι ζεστός, στην Αίγυπτο είναι
    .... και στην Νιγηρία είναι ....
    (ζεστός)

13. Το ξενοδοχείο Γ' κατηγορίας είναι ακριβό, της Β' κατη-
    γορίας είναι .... και της Α' κατηγορίας
    είναι .... (ακριβό)

14. Τα Γερμανικά αυτοκίνητα είναι .... από τα
    Ιαπωνικά.   (ακριβό)

15. Αυτό το εστιατόριο είναι το .... στην
    πόλη.   (καθαρό)

16. Η Λίζα κολυμπά .... από την Μαίρη. (καλά)

17. Οι δρόμοι στην Αγγλία είναι .... από αυ-
    τούς στην Ελλάδα.   (καλό)

18. Η Ελληνική μουσική είναι .... (ωραία)

19. Αυτό το χωριό είναι .... από το άλλο. (μεγάλο)

20. Η Μύκονος είναι .... από την Κρήτη. (μικρή)

LESSON 42

IDIOMATIC EXPRESSIONS

As in all languages, so in Greek there are many idioms.The idioms cannot be rendered exactly into another language and there are no grammatical rules to follow. They simply have to be remembered. As this happens to be a " test of memory" more than anything else, the most important idioms are given here with the hope that they will be remembered.

Εντάξει = All right; O.K.

Για παράδειγμα = For example.

Κατά τα άλλα = In other respects.

Εξ άλλου = Besides.

Προ παντός = Above all. (strong)

Τα κατάφερε = He managed it.

Τα έχασε = He got confused; embarassed, at a loss.

Τα έκανε θάλασσα = He made a mess of it. (davio, sea).

Μου αρέσει = I like; I love.

Τι έχεις; = What is the matter with you?

Εδώ που τα λέμε = Now that we talk about it.

Κόψε το = Stop it; Cut it out.

'Αστα αυτά = Don't give me that.

Και βέβαια = And of course.

'Ετσι και έτσι = So - so.

Οπωσδήποτε = In any case.

Πρώτα - πρώτα = First of all.

Κάθε άλλο = On the contrary.

Δεν πειράζει = It does not matter, never mind.

Σαχλαμάρες = Rubbish, nonsense.

Δε βαριέσαι = Who cares?

Χωρίς άλλο = Without fail. (all things being equal).

Έχεις δίκαιο = You are right.
Στην υγειά σου = To your health.
Όσο να πεις κρεμμύδι = In a jiffy; in a moment.

Examples:

1. Τι έχεις Γιάννη;
   What is the matter John?

2. Τι έχει το παιδί;
   What is the matter with the child?

3. Μου αρέσει η Ελλάδα!
   I love Greece!

4. Μου αρέσει ο καφές.
   I like coffee.

5. Όταν είδε την θεία της τα έχασε.
   When she saw her aunt she was at a loss.

6. Μου αρέσουν τα νησιά, προπαντός η Κρήτη.
   I like the islands and Crete in particular (above all).

7. Η Αθήνα, για παράδειγμα, έχει πολλές ταβέρνες.
   Athens, for example, has many taverns.

8. Και βέβαια θα είμαστε στο γάμο.
   And of course we shall be at the wedding.

9. Δεν πειράζει που δεν ήρθαν.
   It does not matter that they did not come.

10. Πρώτα, πρώτα μου αρέσει η Κύπρος.
   First of all (islands) I love Cyprus.

VOCABULARY

το αστείο = joke

τεμπέλης, α, ικο = lazy

ο φοιτητής = student (m)

η φοιτήτρια =student (f)

εργάζομαι = I work

οπωσδήποτε =definitely

το νοσοκομείο = hospital

δυστυχώς = unfortunately

ο νοσοκόμος = nurse (m)

η νοσοκόμα = nurse (f)

η κατάσταση = situation

δίκαιος, η, ο (δίκιο) = right,
                        just

ΔΙΑΛΟΓΟΣ

- Πώς σε λένε;
- Με λένε Τζάνετ / Μαρκ, εσένα;
- Εμένα με λένε Θεοδώρα/ Θεόδωρο. Είσαι Άγγλος / ίδα;
- Ναι, είμαι Αγγλίδα/ ος. Βρίσκομαι εδώ για διακοπές.
  Τι δουλειά κάνεις;
- Είμαι φοιτήτρια / φοιτητής στο Κολέγιο. Εσύ τι κάνεις ;
- Εγώ εργάζομαι σε ένα νοσοκομείο στο Λονδίνο.
  Είμαι νοσοκόμα / ος. Έχεις πάει καμιά φορά στην Αγγλία;
- Όχι, δυστυχώς, αλλά θέλω πολύ να δω το Λονδίνο.

EXERCISE 67

Complete the sentences:

1. Τι .... η Μαρία απόψε; (What's the matter)
2. Όλο .... μας λέει ο Νίκος. (nonsense)
3. Δεν .... που δεν τηλεφώνησες. (never mind)

244

4. Η υγεία της γιαγιάς είναι .... (so - so)

5. .... ο κόσμος θέλει να ακούει την μουσική του Θεοδωράκη. (Now that we talk about it).

6. .... τα νησιά του Αιγαίου. (I love)

7. Τα παιδιά είναι έξυπνα .... η Γιαννούλα. (especially)

8. .... πατέρα θα σε περιμένουμε. (Very well, O.K.)

9. Ο Μιχάλης .... στις εξετάσεις. (made a mess)

10. ...., όλο την ίδια ιστορία μας λες. (Cut it out, stop it)

11. Πρέπει να έρθετε .... (Without fail)

12. .... για το σπίτι, είναι ακριβό. (You are right)

13. .... όταν είδε τον πατέρα του ύστερα από είκοσι χρόνια. (He was at a loss)

14. Η θάλασσα της Ελλάδας, ... είναι η ωραιότερη στη Μεσόγειο. (for example)

15. .... θα είμαστε στο σπίτι απόψε. (Definitely)

16. .... , ο μικρός Μάριος είναι τεμπέλης. (You are right)

17. .... των ξένων μας. (To the health)

18. .... τα πολιτικά, ας πούμε λίγα αστεία. (stop)

19. .... , ήξερα πολύ καλά την κατάσταση. (Don´t give me that)

20. ...., θα περάσουμε . (Never mind)

LESSON 43

PREPOSITIONS

There are two types of Prepositions: 1. **Simple** consisting of one word. 2. **Compound** - consisting of more than one word. They can be divided according to the case of the noun. Prepositions tend to govern the Accusative.

1A. Simple Prepositions governing the Accusative - the most common are the following:

σε = to, at, in, on (σε combines with the Accusative article to make στον, στην, στο, στους, στις, στα)

από = from, of, by, than.

για = for, about

με = with, by, on

προς = towards

χωρίς = without

δίχως = without

μέχρι = until, till, to

ως = until, till, to.

ίσαμε = until, till.

σαν = like

κατά = according to.

παρά = of, before, to

1B. Simple Prepostions governing the Genitive

μαζί = with

μεταξύ = between, among

246

δια = through
επί = under (a particular ruler or regime)
(σε combines with the Genitive article to make **στου, στης, στων**)

2. Compound Prepositions - They consist of an adverb linked to a Simple Preposition.

μπροστά σε = in front of
μπροστά από = before (time), in front of (place)
πίσω από = behind, from behind
πίσω σε = back in, at, to, behind in, at.
μέσα σε = in, inside
μέσα από = out of, from inside, from within.
έξω από = outside
πάνω σε = on, upon
πάνω από = above, over
κάτω από = beneath
κάτω σε = down at, to, in, by
κοντά σε = near
μακριά από = far from, far away from
μακριά σε = far away at
ανάμεσα σε = between, among
ανάμεσα από = between, among
γύρω σε = around
γύρω από = around, surrounding
αντίκρυ σε = across from
απέναντι σε
απέναντι από   } opposite, across from
δίπλα από
δίπλα σε   } beside, next to, by
πλάι από
πλάι σε   } beside, next to, by
μαζί με = together with

Examples with Simple Prepositions

1. Πηγαίνει **στο** σχολείο = He goes to school.
2. Είμαι **από** την Κύπρο = I am from Cyprus.
3. Θα πάει **με** τον Άριστο = He will go with Aristos.
4. Της μίλησα **για** σένα = I spoke to her about you.
5. Θα περιμένω **μέχρι** τις έξι = I'll wait until six.

Examples with Compound Prepositions

1. **Πίσω από** το ξενοδοχείο είναι το σχολείο = The school is behind the hotel.
2. **Κάτω από** την Ακρόπολη = Below the Acropolis.
3. **Πίσω από** το βουνό = Behind the mountain.
4. Πήγε **μαζί με** τον Άρη = She went together with Ares.
5. Η Πάτρα είναι **μακριά από** την Αθήνα = Patra is far away from Athens.
6. **Ύστερα από** το φαγητό χορέψαμε = After the meal we danced.

VOCABULARY

φεύγω = I leave
ο πρόσφυγας = refugee
αναχωρώ = I depart
ο Βενετός = Venetian
ο συγγενής = relative, kinsman
η εισβολή = invasion
τα αδέλφια = brothers and sisters

παλιός, α, ο = old
ο Τούρκος = Turk
ο κόσμος = people
φέτος = this year
η Καθαρή Δευτέρα = Green Monday / Clean Monday (the first Monday of Lent)

ΔΙΑΛΟΓΟΣ

- Πότε φεύγεις για την Ελλάδα;

- Φεύγω τον Ιούλιο. Εσύ πού θα πας;

- Εγώ θα πάω στην Κύπρο τον Αύγουστο.

- Έχεις συγγενείς εκεί;

- Ναι είναι τα αδέλφια μου.

- Πού μένουν;

- Μένανε στην Αμμόχωστο, αλλά τώρα είναι πρόσφυγες ύστερα από την εισβολή των Τούρκων. Μένουνε στην Λάρνακα τώρα. Εσύ πού θα μένεις στην Ελλάδα;

- Θα μένω με φίλους για λίγες μέρες στα νησιά.

EXERCISE 68
Complete the sentences using Prepositions

1. Μένει .... την γιαγιά της (with).

2. Η Ελένη πάει .... θέατρο (to).

3. Ο κ. Σμιθ είναι .... την Αγγλία (from).

4. Έφυγε .... τα λεφτά του (without).

5. Θα είναι στην Ελλάδα .... τον Ιούλιο .... τον Αύγουστο (from, until).

6. .... τον μανάβη τα φρούτα θα είναι πιο ακριβά (according to).

7. Είναι οκτώ .... δέκα (to).

8. Δεν υπάρχουν αθλητές .... κι αυτόν (like).

9. Θα σας περιμένουμε .... τις δέκα (until).

10. Προχωρείτε .... την τράπεζα και στρίψτε αριστερά (towards).

11. Θα πάω .... το θείο μου (with).

12. Δεν ξέρω τίποτα .... τον Γιάννη (about).

13. .... το βουνό βρίσκεται το χωριό (below).

14. .... το σπίτι είναι ο κήπος (behind).

15. Η Δάφνη .... τον Αντρέα πήγαν στην θάλασσα (together with).

16. .... σε μια ώρα ήταν στην Κόρινθο (within)

17. .... ένα ξενοδοχείο είναι το σπίτι τους (near)

18. .... τρεις ώρες ταξίδι έφτασαν στην Ελλάδα (After)

19. Όλοι κάθονταν .... κάτι παλιές καρέκλες (around)

20. .... το χωριό είναι μια μικρή εκκλησία (outside)

21. .... πολλά χρόνια η Αθήνα ήταν μια μικρή πόλη (before)

22. Την Καθαρή Δευτέρα* ο κόσμος βγαίνει .... τις πόλεις (outside)

23. Πρέπει να υπάρχει αγάπη .... αδέλφια (among)

24. Μένουμε .... την πόλη (far away)

25. .... ένα τραπέζι ήταν ένα βάζο με λουλούδια (on)

* This is similar to Shrove Tuesday but Greeks celebrate on the Monday. They usually eat vegetables only on this day.

ABBREVIATIONS

π.χ.	παραδείγματος χάρη	= for example
λ. χ.	λόγου χάρη	= for instance
κ.τ.λ.	και τα λοιπά	= etcetera
π.μ.	πριν το μεσημέρι	= a.m.
μ.μ.	μετά το μεσημέρι	= p.m.
δρ.	δραχμές	= drachmas
κ.α.	και άλλα (άλλους)	= and others
Κος	Κύριος	= Mr.
Κα	Κυρία	= Mrs.
Δίδα	Δεσποινίδα	= Miss
Κ. Κ.	Κυρίες και Κύριοι	= Ladies and Gentlemen

π.Χ. πριν το Χριστό   = Before Christ
μ. Χ. μετά το Χριστό   = Anno Domini A.D.
δηλ. δηλαδή   = that is to say

EXERCISE 69

Change the abbreviations into words

1. Κάθε μέρα τρώγω μήλα, αχλάδια, μπανάνες κτλ.

2. Οι Ρωμαίοι πήραν την Ελλάδα το 146 π. Χ.

3. Οι Τούρκοι πήραν την Κύπρο από τους Ενετούς το 1571 μ. Χ.

4. Οι Άγγλοι πήραν την Κύπρο το 1878 μ. Χ.

5. Ο Κος Ανδρέας, η Κα Ζαχαρούλα και η δίδα Αντιγόνη είναι Έλληνες.

6. Το χοιρινό κρέας κοστίζει 900 δρ. το κιλό.

7. Το βοδινό κρέας κοστίζει 1000 δρ. το κιλό.

8. Σήμερα είχαμε το πρόγευμα μας στις 7.00 π.μ.

9. Οι ξένοι θα έρθουν στις 8.00 μ.μ.

10. Το αεροπλάνο αναχωρεί στις 5. 00 μ.μ.

11. Σήμερα θα δούμε το Γιάννη, τη Μαρία, την Ελένη κ.α.

12. Η δίδα Νικολάου διδάσκει μουσική.

13. Μου αρέσουν τα φρούτα, π.χ. τα μήλα, τα ροδάκινα κ.τ.λ.

14. Θέλω να δω τους αρχαίους τόπους, δηλ. την Ολυμπία τους Δελφούς κ.τ.λ.

LESSON 44

WRITING LETTERS

1. Writing to a male person

If you are writing a letter to a male person you start by addressing him **Αγαπητέ...** (Dear). If you are writing a formal letter we add the word **Κύριε** (Sir). If you know his name e.g. Socrates you write: **Αγαπητέ Κύριε Σωκράτη.** (Dear Mr. Socrates). If you know the person, e.g. his name is Andreas you write: **Αγαπητέ Αντρέα.** If he is a very close friend you may write: **Αγαπητέ μου Αντρέα** (My dear Andreas) If you love this person you may write **Αγαπημένε μου Αντρέα** (My dearest Andreas).

2. Writing to a female person

You start by addressing her **Αγαπητή ....** (Dear). If it's a formal letter you add the word **Κυρία** (Madam) or **Δεσποινίδα** (Miss). There is no Greek expression for Ms. - as yet! If you know her name e.g. Socrates, you write: **Αγαπητή Κυρία / Δεσποινίδα Σωκράτη** (Dear Mrs. / Miss Socrates). If you know her name is Athena you write **Αγαπητή Αθηνά** (Dear Athena); **Αγαπητή μου Αθηνά** (My dear Athena); If you love this person you may write **Αγαπημένη μου Αθηνά** (My dearest Athena).

VOCABULARY

σπουδάζω = I study
η δεσποινίδα = Miss
ο κύριος = Mr., Sir
η κυρία = Mrs., Madam
αγαπητός, η, ο = dear

φέτος = this year
η πόλη = city, town
το χωριό = village
λαβαίνω }
παίρνω } I receive

252

αγαπημένος , η, ο= dearest

το γράμμα
η επιστολή } letter

το γραμματόσημο = stamp

η τάξη = class

το Γυμνάσιο = Secondary School (lower)

το Λύκειο = Secondary school (upper)

τα αρχαία ελληνικά = ancient Greek

η γεωγραφία = geography

τα μαθηματικά = mathematics

η φυσική = physics

η μουσική = music

η γυμναστική = physical education

ο χαιρετισμός = greeting, regards

με τιμή = yours faithfully

ο πύργος = tower

η βουλή = parliament

ο Τάμεσης = Thames

η πλατεία = square

το μουσείο = museum

με αγάπη = with love

σε φιλώ = I kiss you

τηλεφωνώ = I telephone

το θέμα = subject, matter

τα αγγλικά = English language

τα Νέα Ελληνικά =Modern Greek

η ιστορία = history

τα γαλλικά =French language

η βιολογία = biology

η χημεία = chemistry

τα θρησκευτικά = religious education

το καλοκαίρι = summer

οι διακοπές = holidays

φιλικός, η, ο = friendly

ειλικρινά = sincerely

τα αξιοθέατα = sights

το παλάτι = palace

ο ποταμός = river

ο ζωολογικός κήπος = zoo

το κέρινο ομοίωμα = wax work

με πολλή αγάπη = with lots of love

με πολλά φιλιά = with lots of kisses

η υπογραφή = signature

πέρυσι = last year

του χρόνου = next year

το γραμματοκιβώτιο = letter box

Samples of friendly letters

15 Απριλίου 19.....

1. Αγαπητή μου Ελένη,

Φέτος είμαι στην τρίτη τάξη του Γυμνασίου. Κάνουμε δέκα μαθήματα. Μαθαίνω Αγγλικά και Γαλλικά.

Του χρόνου θα πάω στο Λύκειο . Θέλω να σπουδάσω γλώσσες. Εσύ τι κάνεις; Σε ποια τάξη είσαι; Πώς είναι ο αδελφός σου;

Οι γονείς και τα αδέλφια μου είναι καλά και σου στέλνουν πολλούς χαιρετισμούς.

Πότε θα έρθεις στην Ελλάδα / Κύπρο; Θα χαρώ πολύ να σε δω.

Περιμένω το γράμμα σου.

Με αγάπη
Κατερίνα

2 Μαίου 19......

2. Αγαπητή μου Κατερίνα,

Έλαβα το γράμμα σου με μεγάλη χαρά. Τώρα είμαι στην τετάρτη τάξη. Μαθαίνω και εγώ Γαλλικά αλλά μου αρέσει πολύ η Ιστορία. Νομίζω θα σπουδάσω Ιστορία.

Εδώ στην Αγγλία έχουμε τις εξετάσεις που λέγονται G.C.S.E. Αυτές τις εξετάσεις συνήθως τις δίνουμε στην πέμπτη τάξη. Μετά έχουμε τις εξετάσεις G.C.E. Advanced Level (σε προχωρημένο επίπεδο) σε τρία θέματα.

Ο αδελφός μου ο Νίκος είναι στην έκτη τάξη και προετοιμάζεται για τις εξετάσεις G.C.E. "Α".

Θα έρθουμε στην Κύπρο τον Αύγουστο για τρεις βδομάδες. Θα χαρώ πολύ και εγώ να σε δω.

Πολλούς χαιρετισμούς στην οικογένειά σου.

Με αγάπη
Ελένη

30 Ιουνίου 19.......

3. Αγαπητέ Νίκο

Τελείωσα το σχολείο μου φέτος. Ελπίζω να πάω στο Πανεπιστήμιο τον Οκτώβριο.

Πριν μερικές βδομάδες πήγα στο ποδόσφαιρο. Έπαιζε η Άρσεναλ με την Λίβερπουλ. Ήταν ωραίο παιχνίδι.

Δυστυχώς δεν θα μπορέσω να έρθω φέτος στην Ελλάδα. Αν έρθεις εσύ στο Λονδίνο θα χαρώ να σε φιλοξενήσω. Θα πάμε να δούμε όλα τα αξιοθέατα του Λονδίνου.

Αν έρθεις στο Λονδίνο, γράψε μου πότε φτάνεις ακριβώς για να έρθω στο αεροδρόμιο να σε πάρω.

Περιμένω τα νέα σου.

Με φιλικούς χαιρετισμούς
Πέτρος

15 Ιουλίου 19.....

4. Αγαπητέ Πέτρο,

Σ' ευχαριστώ για το γράμμα σου. Με χαρά σε πληροφορώ ότι φτάνω στο Λονδίνο στο αεροδρόμιο Heathrow στις 5 Αυγούστου στις 8.50 το βράδυ. Θα μείνω για τρεις βδομάδες. Θέλω να καλυτερέψω τα Αγγλικά μου.

Θα χαρώ να δω τον Πύργο του Λονδίνου, τη Βουλή, το Παλάτι του Μπάγκιχαμ, τα Μουσεία, τα κέρινα ομοιώματα στο Madame Tuessaud's και τον Ζωολογικό κήπο. Είναι η πρώτη φορά που έρχομαι στο Λονδίνο.

Σε παρακαλώ γράψε μου τι θέλεις να σου φέρω από την Ελλάδα.

Με πολλούς χαιρετισμούς

Νίκος

A FORMAL LETTER

Λονδίνο .... 19...........

Κύριο Α. Ιωαννίδη,
35 Οδός Πελοποννήσου
Αθήνα.

Αγαπητέ Κύριε,
Έλαβα το γράμμα σας με ημερομηνία 2 Μαρτίου 19........ και σας ευχαριστώ.

Σχετικά με την επίσκεψη του Κολεγίου σας στο Λονδίνο σας πληροφορώ τα ακόλουθα: Το ξενοδοχείο μας θα σας κάνει έκπτωση για τους 50 μαθητές σας αφού προκρατήσετε τα ανάλογα δωμάτια έγκαιρα. Θα σας κοστίσει £30 λίρες τη μέρα για το κάθε άτομο. Η τιμή συμπεριλαμβάνει το πρωϊνό και το δείπνο. Στο κάθε δωμάτιο υπάρχει τηλέφωνο, τηλεόραση και λουτρό. Η τιμή που σας προσφέρουμε είναι για δίκλινα δωμάτια. Θα σας κοστίσει δηλαδή, £420 λίρες για το κάθε άτομο, για τις δυο βδομάδες.

Το ξενοδοχείο μας βρίσκεται στο κέντρο του Λονδίνου, έτσι θα μπορείτε να επισκεφτείτε όλα τα αξιοθέατα.

Παρακαλώ να μας γράψετε το αργότερο μέχρι τις 25 Μαΐου αν θέλετε να σας κρατήσουμε τα δωμάτια για τις δυο τελευταίες βδομάδες του Αυγούστου.

Μετά τιμής
Χριστόφορος Νικολάου
(Διευθυντής Ξενοδοχείου)

EXERCISE 70

Write a letter to a friend introducing your family.

15 Οκτωβρίου 19....

Αγαπ......(1)...........

Σου γράφω λίγα λόγια για την οικογένεια μου. Τον .... (2)........ μου τον λένε Γιώργο. Αυτός είναι ......(3)........ . Τη ....(4)........ μου τη λένε Μαρία. Αυτή είναι ....(5)........ .

Έχω έναν .....(6)..... και μια ....(7)........ . Ο Παύλος είναι ....(8)........ χρονών και η Έλλη είναι ....(9) χρονών.

Εγώ όπως ξέρεις είμαι ....(10)......... χρόνων και θέλω να σπουδάσω ....(11)....... .

...........(12)...........

1. dear	5. doctor	9. fourteen
2. father	6. brother	10. eighteen
3. teacher	7. sister	11. languages
4. mother	8. sixteen	12. regards

257

EXERCISE 71

Write a letter to a friend describing your school, the subjects you study etc.

5 Νοεμβρίου 19.....

Αγαπητ .....(1).......

    Το ....(2)....... μου λέγεται Άγιος Παύλος. Τώρα είμαι στην ....(3).......... τάξη. Το σχολείο μου είναι ....(4).............. στο σπίτι μου . Έχει ......(5)....... μαθητές, και ....(6).......... δασκάλους.

    Τα .....(7)........ που μου αρέσουν είναι ....(8)......., ... (9)........ , ...(10)............ , ... (11).......... , και.......... (12).......... .

    Του χρόνου που θα είμαι στην .....(13)........ τάξη θα κάνω .... (14)............. μαθήματα.

..............(15)..............

1. dear	6. thirty	11. mathematics
2. School	7. lessons	12. music
3. third	8. English	13. fourth
4. near	9. history	14. fewer
5. five hundred	10. French	15. regards

EXERCISE 72

You write to the Manager of a hotel to reserve rooms:

20 Μαρτίου 19.....

Αγαπ .....1...... Κύρ ....2....

Θα ήθελα να περάσω ......3....... μαζί με την .....4..... μου στο ξενοδοχείο σας.

Μπορείτε σας παρακαλώ να μου προκρατήσετε ....5........ με ντους για τις νύχτες από .....6..... μέχρι ....7............ .

Προτιμούμε να είναι στον ....8......... θα ήθελα επίσης να ξέρω αν είναι δυνατό να έχουμε ....9........ στο ξενοδοχείο σας, και αν το ξενοδοχείο είναι ....10........ .

.............11.............

Ν. Αλεξάνδρου.

1. dear
2. Sir
3. three weeks
4. family
5. two rooms
6. 1st August
7. 20th August
8. second floor
9. supper
10. near the sea
11. yours faithfully

Ελληνικά γραμματόσημα

259

ΔΙΑΛΟΓΟΣ: Μια επίσκεψη = A visit

Δάφνη: Καλησπέρα Άννα

Άννα: Καλησπέρα Δάφνη.

Δ: Ωραίο το σπίτι σου Άννα.

Α: Έλα να σου συστήσω την οικογένειά μου.

Πατέρα, μητέρα, η φίλη μου η Δάφνη.

Κύριος Νικολάου: Καλωσόρισες Δάφνη.

Δ: Ευχαριστώ πολύ.

Α: Αυτό το μικρό αγόρι είναι ο μικρός μου αδελφός ο Κωστάκης.

Δ: Η αδελφή σου η Χριστίνα πού είναι;

Α: Είναι στον κήπο. Πάμε όλοι στον κήπο να πιούμε το καφεδάκι μας.

Κυπριακά γραμματόσημα

LESSON 45

SUMMARY OF THE TENSES

ACTIVE VOICE

(Group 1 - i.e. Verbs not accented on the last letter)

Present Indicative	Subjunctive	Imperative	Imperfect (Past Continuous)
γράφω	να γράφω		έγραφα
γράφεις	να γράφεις	γράφε	έγραφες
γράφει	να γράφει		έγραφε
γράφουμε	να γράφουμε		γράφαμε
γράφετε	να γράφετε	γράφετε	γράφατε
γράφουν	να γράφουν		έγραφαν

Past (Aorist)

Indicative	Subjunctive	
έγραψα	να γράψω	
έγραψες	να γράψεις	γράψε
έγραψε	να γράψει	
γράψαμε	να γράψουμε	
γράψατε	να γράψετε	γράψετε
έγραψαν	να γράψουν	

Participle	= γράφοντας
Conditional	= θα έγραφα
Future Continuous	= θα γράφω
Future Simple	= θα γράψω
Perfect	= έχω γράψει, έχω γραμμένο
Future Perfect	= θα έχω γράψει

| Past Perfect | = είχα γράψει |
| Perfect Subjunctive | = να έχω γράψει |

ACTIVE VOICE

(Group 2 - i.e. Verbs accented on the last letter)

Present Indicative	Subjunctive	Imperative	Imperfect (Past Continuous)
μιλώ	να μιλώ		μιλούσα
μιλάς	να μιλάς	μίλα	μιλούσες
μιλά	να μιλά		μιλούσε
μιλούμε	να μιλούμε		μιλούσαμε
μιλάτε	να μιλάτε	μιλάτε	μιλούσατε
μιλούν	να μιλούν		μιλούσαν

Past (Aorist)

μίλησα	να μιλήσω	
μίλησες	να μιλήσεις	μίλησε
μίλησε	να μιλήσει	
μιλήσαμε	να μιλήσουμε	
μιλήσατε	να μιλήσετε	μιλήστε
μίλησαν	να μιλήσουν	

Participle	= μιλώντας
Conditional	= θα μιλούσα
Future Continuous	= θα μιλώ
Future Simple	= θα μιλήσω
Perfect	= έχω μιλήσει
	(έχω μιλημένο)
Past Perfect	= είχα μιλήσει
Future Perfect	= θα έχω μιλήσει
Perfect Subjunctive	= να έχω μιλήσει

PASSIVE VOICE

Present Indicative	Subjunctive	Imperative	Imperfect (Past Continuous)
διδάσκομαι	να διδάσκομαι		διδασκόμουν
διδάσκεσαι	να διδάσκεσαι		διδασκόσουν
διδάσκεται	να διδάσκεται		διδασκόταν
διδασκόμαστε	να διδασκόμαστε		διδασκόμαστε
διδάσκεστε	να διδάσκεστε		διδασκόσαστε
διδάσκονται	να διδάσκονται		διδάσκονταν

Past (Aorist)

διδάχτηκα	να διδαχτώ		
διδάχτηκες	να διδαχτείς	διδάχτου	
διδάχτηκε	να διδαχτεί		
διδαχτήκαμε	να διδαχτούμε		
διδαχτήκατε	να διδαχτείτε	διδαχτείτε	
διδάχτηκαν	να διδαχτούν		

Participle	= διδαγμένος
Conditional	= θα διδασκόμουν
Future Continuous	= θα διδάσκομαι
Future Simple	= θα διδαχτώ
Perfect	= έχω διδαχτεί
Past Perfect	= είχα διδαχτεί
Future Perfect	= θα έχω διδαχτεί
Perfect Subjuctive	= να έχω διδαχτεί

EXERCISE 73

1. Conjugate the verb στέλνω in the Present, Future Simple and Past.

2. Conjugate the verb σκέφτομαι in the Present, Future Simple and Past.

ΕΠΑΓΓΕΛΜΑΤΑ = PROFESSIONS
ΔΟΥΛΕΙΕΣ = OCCUPATIONS

ο αεροσυνοδός = air-host
ο ανθρακωρύχος = coalminer
ο ανταποκριτής = reporter
ο αρχιτέκτονας = architect
ο αρχαιολόγος = archeologist
ο αστυφύλακας = policeman
ο αχθοφόρος = porter
ο βιβλιοθήκαριος = librarian
ο βιβλιοπώλης = bookseller
ο βιβλιοδέτης = bookbinder
ο γαλατάς = milkman
ο γεωπόνος = agriculturist
ο γιατρός = doctor
ο γλύπτης = sculptor
η γραμματέας = secretary
η δακτυλογράφος = typist
ο δάσκαλος = teacher
ο δημοσιογράφος = journalist
ο δικαστής = judge
ο δικηγόρος = solicitor, lawyer
ο διερμηνέας= interpreter
ο εκδότης = publisher
ο έμπορος = merchant
ο εργάτης = worker, labourer
ο ζωγράφος = artist, painter
ο ζωολόγος = zoologist

ο ηθοποιός = actor, film-star
ο ηλεκτρολόγος = electrician
ο καθηγητής = professor,
             lecturer
ο καλλιτέχνης = artist, entertainer
ο κηπουρός = gardener
ο κρεοπώλης = butcher
ο κουρέας = barber
ο λογιστής = accountant
ο λούστρος = shoe-shiner
ο μάγειρας = cook, chef
η μαμμή = midwife
ο μανάβης = greengrocer
ο μηχανικός = mechanic
ο μπακάλης = grocer
ο μεταφραστής = translator
ο ναύτης = sailor
η νοικοκυρά = housewife
ο νοσοκόμος, η νοσοκόμα= nurse
ο ξενοδόχος = hotelier
ο οδοντογιατρός = dentist
ο οπτικός = optician
ο οφθαλμολόγος = ophtalmologist,
                eye specialist
ο παπουτσής = shoe maker
ο πράκτορας = tourist agent

ο πιλότος = pilot
ο ποδοσφαιριστής = footballer
ο ράφτης =tailor
ο ρολογάς = watch/ clock maker
ο σερβιτόρος, η σερβιτόρα =
waiter / waitress
ο σιδηρουργός = blacksmith
ο στενοδακτυλογράφος =
shorthand typist
ο συγγραφέας = author
ο σχεδιαστής = designer
ο σχολιαστής = commentator
ο ταχυδρόμος = postman
ο τηλεφωνητής, η τηλεφωνήτρια
= telephonist

ο τραγουδιστής, η τραγουδίστρια
= singer
ο τραπεζίτης = banker
ο τυπογράφος = printer
ο υπάλληλος = clerk
ο φωτογράφος = photographer
ο φαρμακοποιός = chemist,
pharmacist
ο χημικός = chemist
ο χτίστης = builder
ο χειρουργός = surgeon
ο ψαράς = fisherman,
fishmonger
ο ψωμάς = baker
ο ωτορινολαρυγγολόγος =
ear, nose and throat specialist

Note: The masculine form has been given. For the feminine
form we use the article **η** with some occupations.

LIST OF IRREGULAR VERBS

Present	Future	Past	English
αγαναχτώ	θα αγαναχτήσω	αγανάχτησα	to be exasperated
αγγέλλω	θα αγγείλω	άγγειλα	to announce
αγρυπνώ	θα αγρυπνήσω	αγρύπνησα	to stay awake
ανεβαίνω	θα ανεβώ	ανέβηκα	to go up
απονέμω	θα απονείμω	απόνειμα	to award
αρέσω	θα αρέσω	άρεσα	to like, to pleas

265

αυξάνω	θα αυξήσω	αύξησα	to increase
αφαιρώ	θα αφαιρέσω	αφαίρεσα	to subtract
αφήνω	θα αφήσω	άφησα	to leave, let go
βάζω	θα βάλω	έβαλα	to put on
βαστώ	θα βαστάξω	βάσταξα	to hold
βγάζω	θα βγάλω	έβγαλα	to take out
βγαίνω	θα βγω	βγήκα	to go out
βλέπω	θα δω	είδα	to see
βόσκω	θα βοσκήσω	βόσκησα	to graze
βρίσκω	θα βρω	βρήκα	to find
γέρνω	θα γείρω	έγειρα	to lean on
γερνώ	θα γεράσω	γέρασα	to be old
γίνομαι	θα γίνω	έγινα	to become
δέρνω	θα δείρω	έδειρα	to hit
διαμαρτύρομαι	θα διαμαρτυρηθώ	διαμαρτυρήθηκα	to protest
διδάσκω	θα διδάξω	δίδαξα	to teach
δίνω	θα δώσω	έδωσα	to give
διψώ	θα διψάσω	δίψασα	to be thirsty
εξαιρώ	θα εξαιρέσω	εξαίρεσα	to exempt
έρχομαι	θα έρθω	ήρθα	to come
εύχομαι	θα ευχηθώ	ευχήθηκα	to wish
θέλω	θα θελήσω	θέλησα	to want
κάθομαι	θα καθίσω	κάθισα	to sit
καίω	θα κάψω	έκαψα	to burn
κάνω	θα κάνω (κάμω)	έκανα (έκαμα)	to do, make
καταλαβαίνω	θα καταλάβω	κατάλαβα	to understand
κατεβαίνω	θα κατεβώ	κατέβηκα	to go down
κερνώ	θα κεράσω	κέρασα	to treat
κλαίω	θα κλάψω	έκλαψα	to cry
κοιμούμαι	θα κοιμηθώ	κοιμήθηκα	to sleep
λαβαίνω	θα λάβω	έλαβα	to receive
λέγω	θα πω	είπα	to say
μαθαίνω	θα μάθω	έμαθα	to learn
μένω	θα μείνω	έμεινα	to stay
μπαίνω	θα μπω	μπήκα	to enter

266

μπορώ	θα μπορέσω	μπόρεσα	to be able
ντρέπομαι	θα ντραπώ	ντράπηκα	to be shy
ξεχνώ	θα ξεχάσω	ξέχασα	to forget
παθαίνω	θα πάθω	έπαθα	to undergo, to suffer
παίρνω	θα πάρω	πήρα	to take
παραγγέλλω	θα παραγγείλω	παράγγειλα	to order
πεινώ	θα πεινάσω	πείνασα	to be hungry
πάω	θα πάω	πήγα	to go
περνώ	θα περάσω	πέρασα	to pass
πετυχαίνω	θα πετύχω	πέτυχα	to succeed
πετώ	θα πετάξω	πέταξα	to fly (off), to throw (away)
πέφτω	θα πέσω	έπεσα	to fall
πηγαίνω	θα πάω	πήγα	to go
πίνω	θα πιω	ήπια	to drink
πλένω	θα πλύνω	έπλυνα	to wash
πονώ	θα πονέσω	πόνεσα	to feel pain, suffer
ρουφώ	θα ρουφήξω	ρούφηξα	to sip
σέβομαι	θα σεβαστώ	σεβάστηκα	to respect
σιωπώ	θα σιωπήσω	σιώπησα	to be silent
σπάζω (σπάνω)	θα σπάσω	έσπασα	to break
στέκομαι	θα σταθώ	στάθηκα	to stand
στέλνω	θα στείλω	έστειλα	to send
στενοχωρώ	θα στενοχωρέσω	στενοχώρησα	to upset someone
συγχωρώ	θα συγχωρέσω	συγχώρεσα	to forgive
σωπαίνω	θα σωπάσω	σώπασα	to keep quiet
σφάλλω	θα σφάλω	έσφαλα	to err, do wrong
τραβώ	θα τραβήξω	τράβηξα	to pull, to head for
τρέχω	θα τρέξω	έτρεξα	to run
τρώγω	θα φάω	έφαγα	to eat
υπόσχομαι	θα υποσχεθώ	υποσχέθηκα	to promise
φαίνομαι	θα φανώ	φάνηκα	to seem, to appear
φεύγω	θα φύγω	έφυγα	to leave
φοβούμαι	θα φοβηθώ	φοβήθηκα	to be afraid of

φορώ	θα φορέσω	φόρεσα	to wear
φταίω	θα φταίξω	έφταιξα	to blame
χαίρομαι	θα χαρώ	χάρηκα	to be pleased
χορταίνω	θα χορτάσω	χόρτασα	to have enough, satisfy
ψάλλω	θα ψάλω	έψαλα	to chant

The Island of Hydra

COUNTRIES AND PEOPLE

Country	People	Adjective	Meaning
η Αγγλία	'Αγγλος, ίδα	αγγλικός, η, ο	English
η Αίγυπτος	Αιγύπτιος, ια	αιγυπτιακός, η, ο	Egyptian
η Αμερική	Αμερικανός, ίδα	αμερικάνικος, η, ο	American
η Αυστραλία	Αυστραλός, ίδα	αυστραλιανός, η, ο	Australian
η Αυστρία	Αυστριακός, ή	αυστριακός, η, ο	Austrian
το Βέλγιο	Βέλγος, ίδα	βελγικός, η, ο	Belgian
η Βουλγαρία	Βούλγαρος, άρα, ίδα	βουλγαρικός, η, ο	Bulgarian
η Γαλλία	Γάλλος, ίδα	γαλλικός, η, ο	French
η Γερμανία	Γερμανός, ίδα	γερμανικός, η, ο	German
η Γιουγκο - σλαβία	Γιουγκοσλάβος, α	γιουγκοσλαβικός, η, ο	Yugoslav
η Δανία	Δανός, έζα	δανέζικος, η, ο	Danish
η Ελλάδα	'Ελληνας, ίδα	ελληνικός, η, ο	Greek
η Ιαπωνία	Ιάπωνας, έζα	ιαπωνικός, η, ο	Japanese
η Ιρλανδία	Ιρλανδός, έζα	ιρλανδικός, η, ο	Irish
η Ινδία	Ινδός, ιάνα	ιδνικός, η, ο	Indian
η Ιταλία	Ιταλός, ίδα	ιταλικός, η, ο	Italian
η Ισπανία	Ισπανός, ίδα	ισπανικός, η, ο	Spanish
ο Καναδάς	Καναδός, έζα	καναδικός, η, ο	Canadian
η Κύπρος	Κύπριος, α	κυπριακός, η, ο	Cypriot
η Νορβηγία	Νορβηγός, ίδα	νορβηγικός, η, ο	Norwegian
η Ολλανδία	Ολλανδός, έζα	ολλανδέζικος, η, ο	Dutch
η Κίνα	Κινέζος, έζα	κινέζικος, η, ο	Chinese
η Πολωνία	Πολωνός, έζα	πολωνικός, η, ο	Polish
η Ρωσία	Ρώσος, ίδα	ρωσικός, η, ο	Russian
η Σουηδία	Σουηδός, έζα	σουηδικός,η ,ο	Swedish
η Τουρκία	Τούρκος, άλα	τούρκικος, η, ο	Turkish

Athens Academy

The National Library and Athens University

The National Museum

270

PART TWO

READING COMPREHENSION PASSAGES
(These passages may also be used for Listening Comprehension)
Note: In the GCSE and Greek Institute Reading and Listening Comprehension you may write your answers in English or in Greek

ΠΡΩΤΟ ΜΑΘΗΜΑ

ΤΑ ΡΟΥΧΑ = THE CLOTHES

ο κύριος = Mr.

το σακάκι = jacket

το πουκάμισο = shirt

το πανταλόνι = trousers

η κάλτσα = sock (stockings)

το παπούτσι = shoe

η γραβάτα = tie

η ομπρέλα = umbrella

το πουλόβερ = pullover

το μαντίλι = handkerchief

η ζώνη = belt

το χρώμα = colour

το κουμπί = button

το μαγιό = bathing costume

δερμάτινος, η, ο = leather made

το κολύμπι = swimming

πλένομαι = I wash (myself)

το κολέγιο = college

η τσέπη = pocket

φορώ = I wear

μακρύς, ια, υ = long

κοντός, η, ο = short

μάλλινος, η, ο = woollen

το γιλέκο = waistcoat

το παλτό = overcoat

η πετσέτα = towel

η άμμος = sand

ο χειμώνας = winter

ο καθηγητής = lecturer, professor

μάλιστα = certainly

σκοπεύω = I intend; plan

χορεύω = I dance

η λογοτεχνία = literature

μεταξωτός, η, ο = silk

ο πωλητής = sales assistant

σκουπίζομαι = I dry myself   ριγωτός, η, ο (ριγέ) = striped
ντύνομαι = I get dressed   η τραπεζαρία = dining room

ΤΑ ΡΟΥΧΑ

Ο κύριος Αλέκος Σωκράτης είναι ένας Έλληνας. Είναι ένας ψηλός άντρας. Έχει γαλανά μάτια και γκρίζα μαλλιά. Είναι ένας λεπτός άντρας. Κάθε μέρα ξυπνά στις εφτά. Πάει αμέσως στο μπάνιο / λουτρό. Εκεί ξυρίζεται, πλένεται και σκουπίζεται με την πετσέτα. Μετά ντύνεται. Φορεί ένα ασπρό πουκάμισο και ένα σακάκι. Το σακάκι έχει τέσσερις τσέπες. Δεν φορεί γιλέκο γιατί είναι ζέστη. Στην τσέπη του έχει ένα άσπρο μαντίλι.

Ο κύριος Σωκράτης επίσης φορεί ένα γκρίζο πανταλόνι. Στη μέση έχει μια δερμάτινη ζώνη για να κρατεί το πανταλόνι του. Το πανταλόνι του είναι μακρύ. Όταν ήταν μικρός φορούσε κοντό πανταλόνι.

Το πουκάμισο του κ. Σωκράτη έχει κουμπιά. Επίσης φορεί μια κόκκινη γραβάτα. Στα πόδια φορεί κάλτσες και τα παπούτσια του. Τα παπούτσια του είναι μαύρα. Οι κάλτσες του είναι μπλε. Όταν είναι έτοιμος πάει στην τραπεζαρία για το πρόγευμα. Πρώτα λέει " καλημέρα" στη γυναίκα του και στα παιδιά του.

Το καλοκαίρι όταν πηγαίνει στη θάλασσα βάζει το μαγιό του. Όταν τελειώσει το κολύμπι, σκουπίζεται με την πετσέτα και κάθεται στην άμμο. Το χειμώνα βάζει τα μάλλινα ρούχα, το πουλόβερ και το παλτό, και βγαίνει στους δρόμους της Αθήνας με την ομπρέλα. Ο κ. Σωκράτης είναι καθηγητής στο κολέγιο. Διδάσκει την ελληνική γλώσσα, ιστορία και λογοτεχνία.

EXERCISE 1

Answer in Greek:

1. Τι ώρα ξυπνά ο κ. Σωκράτης;
2. Τι χρώμα είναι τα μάτια του και τα μαλλιά του;
3. Τι κάνει στο λουτρό;
4. Τι χρώμα είναι το πανταλόνι του;
5. Πότε φορούσε κοντά πανταλόνια;
6. Τι χρώμα έχουν τα παπούτσια του;
7. Τι χρώμα έχει το πουκάμισό του
8. Τι κάνει όταν πάει στη θάλασσα;
9. Πότε βάζει τα μάλλινα ρούχα;
10. Γιατί πάει στην τραπεζαρία;
11. Τι δουλειά κάνει ο κ. Σωκράτης;
12. Τι μαθήματα διδάσκει.

EXERCISE 2

Write about 80 - 100 words about yourself.
Ο εαυτός μου = Myself
Mention your age, how tall you are, colour of eyes, hair, your work / school / where you live. etc.

ΔΙΑΛΟΓΟΣ: Στα καταστήματα - Στα μαγαζιά = At the shops.

Σωκράτης: Σας παρακαλώ κύριε, πόσο κάνει αυτό το πανταλόνι;

Πωλητής: Ποιο πανταλόνι; Αυτό εκεί το γκρίζο;

Σ: Όχι αυτό το μπλε παρακαλώ.

Π: Κοστίζει οκτώ χιλιάδες δραχμές

Σ: Θέλω και ένα άσπρο πουκάμισο.

273

Π: Θέλετε μεταξωτό ή συνθετικό;

Σ: Προτιμώ το συνθετικό, γιατί είναι πιο πρακτικό.

Π: Θέλετε τίποτα άλλο;

Σ: Α! Ναι, ξέχασα, μια κόκκινη γραβάτα ριγέ, παρακαλώ. Πόσο κάνουν όλα μαζί;

Π: 15,000 δραχμές, παρακαλώ.

The Island of Kea

274

ΔΕΥΤΕΡΟ ΜΑΘΗΜΑ
ΤΑ ΡΟΥΧΑ = THE CLOTHES

η κυρία = Mrs. (lady)
το φόρεμα = dress
καστανός, η, ο = chestnut (colour)
η φούστα = skirt
η μόδα = fashion
η μπλούζα = blouse
ο λαιμός = throat
το σκουλαρίκι = earring
το ρολόι = clock (watch)
σιδερώνω = iron (press)
το βραχιόλι = bracelet
η ποδιά = apron
η παντόφλα = slipper
δείχνω = I show
χαίρομαι = I am pleased
γύρω = round
περιμένω = I wait
ο σταυρός = cross; crucifix
ξεντύνομαι = I undress myself
νωρίς = early
η είδηση = news

το δάχτυλο = finger
το δαχτυλίδι =ring
ξυπνώ = I wake up
η δεσποινίδα = Miss
οι διακοπές = holidays
το ψάρεμα = fishing
διασκεδάζω = I enjoy
ο χορός = dance
παντρεμένος, η, ο = married
ο τόπος = the place
φιλόξενος, η, ο = hospitable
πουθενά = nowhere
η ευκαιρία = chance, opportunity
το νυχτικό = night-dress
η ρόμπα = dressing-gown
το πρωϊνό = breakfast
η δουλειά =work
το σπίτι = house
το τακούνι = heel
η πωλήτρια = sales assistant
βαμβακερός, η, ο = cotton

ΤΑ ΡΟΥΧΑ

Η κυρία Αθηνά Σωκράτη είναι μια Ελληνίδα. Είναι μια όμορφη γυναίκα. Έχει μακριά μαύρα μαλλιά και καστανά μάτια. Είναι παντρεμένη με τον Αλέκο Σωκράτη. Κάθε μέρα ξυπνά και αυτή στις εφτά μαζί με τον άντρα της. Φορεί σήμερα ένα ωραίο γαλάζιο φόρεμα. Το φόρεμα της κ. Αθηνάς είναι της μόδας. Κάποτε όταν πηγαίνει έξω με τις φίλες της, βάζει μία φούστα, και μια μπλούζα.

Οι κάλτσες της είναι νάυλον και τα παπούτσια της δεν έχουν ψηλό τακούνι. Στα αυτιά της έχει σκουλαρίκια και στα χέρια της έχει ένα ρολόι και βραχιόλια. Στα δάχτυλά της έχει δαχτυλίδια.

Στο λαιμό έχει ένα χρυσό σταυρό. Στο σπίτι, όταν κάνει τις δουλειές του σπιτιού, πάντα βάζει μία καθαρή ποδιά. Το πρωί ξυπνά πολύ νωρίς και ετοιμάζει το πρωινό της οικογένειας. Όταν είναι κουρασμένη, βγάζει τα παπούτσια και βάζει τις παντόφλες. Στις εννέα κάθε βράδυ παρακολουθεί τις ειδήσεις από την τηλεόραση.

Το βράδυ όταν πάει να κοιμηθεί, ξεντύνεται και βάζει το νυχτικό της. Όταν ξυπνήσει φορεί τη ρόμπα της και μετά το πρόγευμα ντύνεται. Ύστερα αρχίζει τις δουλειές του σπιτιού: πλένει, καθαρίζει, σιδερώνει, μαγειρεύει κ.λ.π. Η κ. Αθηνά είναι νοικοκυρά.

EXERCISE 3

Answer in Greek:

1. Τι χρώμα είναι τα μάτια και τα μαλλιά της κ. Αθηνάς;
2. Τι χρώμα είναι το φόρεμά της;
3. Με ποιον είναι παντρεμένη;
4. Τι βάζει όταν πηγαίνει έξω με τις φίλες της;

5. Τι φορεί στ'αυτιά της;
6. Τι έχει στα χέρια της;
7. Τι έχει στο λαιμό της;
8. Πότε βάζει μια ποδιά;
9. Πότε φοράει τις παντόφλες;
10. Τι κάνει στις εννέα το βράδυ;
11. Τι φορεί όταν πάει για ύπνο;
12. Τι φορεί όταν ξυπνήσει;

EXERCISE 4

Οι γονείς μου - My parents

Write about 80 - 100 words. Describe your father and mother, their names, age, colour of eyes, hair, where they live, the work they do etc.

ΔΙΑΛΟΓΟΣ = Στα καταστήματα = At the shops.

Αθηνά: Σας παρακαλώ δεσποινίδα, πόσο κάνει αυτό το φόρεμα:

Πωλήτρια : Ποιο φόρεμα; Αυτό εκεί το ριγέ;

     A: Όχι, αυτό το κόκκινο.

     Π: Κοστίζει είκοσι χιλιάδες δραχμές γιατί είναι μεταξωτό.

     A: Μήπως έχετε κανένα άλλο, μάλλινο ή βαμβακερό;

     Π: Ναι έχουμε και φορέματα από συνθετικό ύφασμα.

     A: Να το δοκιμάσω αυτό.

     Π: Σας πηγαίνει πολύ.

     A: Λέω να το πάρω. Πόσο έχει;

     Π: Αυτό είναι δέκα χιλιάδες δραχμές.

Α: Θέλω επίσης μια ροζ μπλούζα και μια άσπρη φούστα. Πόσο κάνουν όλα μαζί;

Π: 24,000 δραχμές παρακαλώ.

Α: Ορίστε 25,000 δραχμές.

Π: Ένα λεπτό να σας φέρω τα ρέστα σας. Ορίστε τα ρέστα σας.

Α: Σας ευχαριστώ, καλημέρα σας.

The Island of Patmos

Η ΟΙΚΟΓΕΝΕΙΑ = THE FAMILY

ο σύζυγος = husband
η σύζυγος = wife
γνωρίζω = I know
βοηθώ = I help
κλπ (και τα λοιπα) = etcetera
η πεθερά = mother - in - law
ο πεθερός = father-in -law
ο γιος = son
η κόρη = daughter
διαβάζω = I read
αρχαίος, α, ο = ancient
ετοιμάζω = I prepare
το δείπνο = supper
το γεύμα = lunch
καλωσορίσατε = welcome
επιτρέπω = I allow
επίσης= also
φτάνω = I arrive

επόμενος, η, ο
ερχόμενος, η, ο } = next, following
η σπουδή = study
προτιμώ = I prefer
το αναψυκτικό = soft drink
μάλλον = rather
ευχαρίστως = with pleasure
τελειώνω = I finish, I complete
δείχνω = I show
η φωτογραφία = photograph
υπόσχομαι = I promise
φαίνομαι = I seem, appear to be
το αριστούργημα = achieve-ment, superb
χαίρω πολύ = I am very pleased

Η ΟΙΚΟΓΕΝΕΙΑ

Ο κύριος Σωκράτης είναι παντρεμένος. Είναι παντρεμέ-νος με την Αθηνά και έχουν τρία παιδιά. Η Αθηνά είναι η σύζυγος του Σωκράτη. Όπως βλέπετε έχουν και οι δυο τους αρχαία ονόματα.

Τα παιδιά τους είναι όλα στο σχολείο. Τα δυο είναι αγόρια και το μικρότερο παιδί είναι κορίτσι. Ο Νίκος είναι ο πρώτος γιος τους και είναι δεκαπέντε χρονών. Ο Σοφοκλής είναι ο δεύτερος γιος και είναι δεκατριών χρονών. Η μικρή λέγεται Έλλη και είναι δέκα χρονών.

Η μητέρα των παιδιών, η κ. Αθηνά ετοιμάζει το πρωινό κάθε πρωί. Το μεσημέρι τρώνε το γεύμα τους και το βράδυ τρώνε το δείπνο. Ο πατέρας των παιδιών, και σύζυγος της κ. Αθηνάς είναι καθηγητής και έτσι είναι πάντα στο σχολείο.

Η μητέρα της κ. Αθηνάς είναι η γιαγιά των παιδιών, και η πεθερά του Σωκράτη. Τη γιαγιά τη λένε Κατερίνα. Ο πατέρας του κ. Σωκράτη είναι ο παππούς των παιδιών. Τον παππού τον λένε Δημήτρη. Το Σάββατο πηγαίνουν στην αγορά. Αγοράζουν κρέας, λαχανικά, φρούτα κλπ. Την Κυριακή όλοι πηγαίνουν επίσκεψη σε συγγενείς ή φίλους ή πάνε στη θάλασσα ή στο βουνό.

EXERCISE 5
Answer in Greek:

1. Με ποια είναι παντρεμένος ο κ. Σωκράτης;

2. Πόσα παιδιά έχουν;

3. Πόσων χρονών είναι ο Σοφοκλής;

4. Πόσων χρονών είναι η Έλλη;

5. Πού πηγαίνουν τα παιδιά τη μέρα;

6. Τι κάνει η κ. Αθηνά κάθε πρωί;

7. Τι είναι το δείπνο;

8. Ποιος είναι ο καθηγητής;

9. Ποια είναι η πεθερά του κ. Σωκράτη;

10. Ποιος είναι ο Δημήτρης;

11. Τι κάνουν το Σάββατο;

12. Πού πηγαίνουν την Κυριακή;

EXERCISE 6

Write about 80 - 100 words on the following topic:

Η οικογένεια μου = My family

SOME GREETINGS

ΚΑΛΑ ΧΡΙΣΤΟΥΓΕΝΝΑ
MERRY CHRISTMAS

*

ΕΥΤΥΧΙΣΜΕΝΟΣ
Ο ΝΕΟΣ ΧΡΟΝΟΣ
HAPPY NEW YEAR

*

ΧΡΟΝΙΑ ΠΟΛΛΑ
MANY HAPPY RETURNS

ΤΕΤΑΡΤΟ ΜΑΘΗΜΑ

ΤΟ ΣΠΙΤΙ = THE HOUSE

ο όροφος = floor, storey
διόροφος, η, ο = two storey
περιποιημένος,η, ο = well looked after, tidy, well kept
το σαλόνι = sitting room
η πολυθρόνα = armchair
ο καναπές = sofa
ο πίνακας = painting, blackboard
η τηλεόραση = television
το γραφείο = office, desk
το ράφι = shelf
ακατάστατος, η, ο = untidy
το χαλί = carpet
το βάζο = vase
το δωμάτιο = room
η τραπεζαρία = dining room
η κεντρική θέρμανση = central heating
ορεινός, η, ο = mountainous
το ισόγειο = ground floor
παριστάνω = I depict
έγχρωμος, η, ο =coloured

ροζ = pink
το ραδιόφωνο = radio
το πλυντήριο = washing machine
ο διάδρομος = passage, hall
η γωνιά = corner
η κουρτίνα - curtain
το βίντεο = video
η βιντεοκασέτα = video cassette
φωτεινός, η, ο = bright
επιστρέφω = I return
το πάτωμα = floor
η Βουλή = Parliament
το αξιοθέατο = sight
πρωτόγονος, η, ο = primitive
η ηλεκτρική κουζίνα = cooker
το ψυγείο = refrigerator
το κόμφορ = comfort, convenience
αναπαυτικός, η, ο ⎫
άνετος, η, ο ⎭ comfortable

ΤΟ ΣΠΙΤΙ

Το σπίτι του κ. Σωκράτη βρίσκεται στην οδό Κορίνθου. Είναι ένα ωραίο μικρό διόροφο σπίτι με περιποιημένο κήπο. Το ισόγειο έχει τα ακόλουθα δωμάτια. Ανοίγοντας την πόρτα βλέπουμε το διάδρομο. Στα δεξιά είναι το σαλόνι. Αυτό είναι το πρώτο δωμάτιο. Μπαίνουμε στο σαλόνι και βλέπουμε ένα ροζ καναπέ με δυο πολυθρόνες και ένα τραπέζι με καρέκλες. Το σπίτι έχει κεντρική θέρμανση.

Στον τοίχο υπάρχει ένας πίνακας που παριστάνει την Ακρόπολη με τον Παρθενώνα. Επίσης βλέπουμε πολλές φωτογραφίες. Στη γωνιά βρίσκεται το ραδιόφωνο, μια έγχρωμη τηλεόραση και ένα βίντεο και ελληνικές βιντεοκασέτες. Στο πάτωμα υπάρχει ένα υπέροχο χρωματιστό χαλί.

Το δεύτερο δωμάτιο είναι το γραφείο του κ. Σωκράτη. Στο γραφείο του βλέπουμε ένα μοντέρνο τηλέφωνο, πένες, μολύβια, χαρτιά και βιβλία. Τα ράφια στον τοίχο είναι γεμάτα από πολλά βιβλία, γιατί ο κ. Σωκράτης είναι καθηγητής.

Το τρίτο δωμάτιο είναι η τραπεζαρία και βρίσκεται δίπλα στην κουζίνα . Στην τραπεζαρία βλέπουμε δύο μεγάλα παράθυρα στολισμένα με φωτεινές κουρτίνες. Στη μέση του δωματίου υπάρχει ένα μεγάλο τραπέζι με έξι καρέκλες. Πάνω στο τραπέζι είναι ένα βάζο με λουλούδια. Το τέταρτο δωμάτιο είναι η κουζίνα . Η κουζίνα έχει ψυγείο, πλυντήριο, ηλεκτρική κουζίνα και γενικά όλα τα κομφόρ που επιθυμεί μια νοικοκυρά.

EXERCISE 7
Answer in Greek
1. Πού βρίσκεται το σπίτι του κ. Σωκράτη;
2. Ποιο είναι το πρώτο δωμάτιο;
3. Τι χρώμα έχει ο καναπές;
4. Τι παριστάνει ο πίνακας στο σαλόνι;

5. Τι έχει στο πάτωμα στο σαλόνι;

6. Ποιο είναι το δεύτερο δωμάτιο;

7. Γιατί ο κ. Σωκράτης έχει πολλά βιβλία;

8. Ποιο είναι το τρίτο δωμάτιο;

9. Πόσες καρέκλες είναι στην τραπεζαρία;

10. Τι έχει πάνω στο τραπέζι;

11. Ποιο είναι το τέταρτο δωμάτιο;

12. Ποια είναι τα κομφόρ που επιθυμεί η κάθε νοικοκυρά;

EXERCISE 8

Write about 80 - 100 words on the following topic:

Το σπίτι μου - My house
or: **Το διαμέρισμα μου = My apartment**

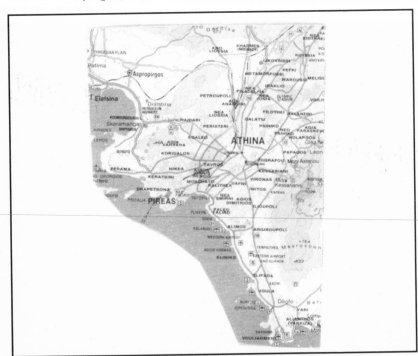

Athens and Pireas

ΠΕΜΠΤΟ ΜΑΘΗΜΑ

ΤΟ ΣΠΙΤΙ = THE HOUSE

το υπνοδωμάτιο = bedroom
η κρεβατοκάμαρα = bedroom
το βράδυ = evening
το ντουλάπι = cupboard
ο καθρέφτης = mirror
η κρεμάστρα = coat hanger
το μπάνιο/ λουτρό = bath, bathroom
κατεβαίνω = I descend
το τριαντάφυλλο = rose
το κρίνο = lily
το γαρίφαλο = carnation
το γιασεμί = jasmin
το ούζο = ouzo
το κρεβάτι = bed
δυστυχώς = unfortunately
το θέατρο = theatre
ελεύθερος, η, ο = free
η πρώτη βοήθεια = first aid

το ταβάνι = ceiling
η τουαλέτα = W.C. (or) dressing table
κρύος, α, ο = cold
το κέντρο = club (centre)
το Πανεπιστήμιο = University
η οδοντόκρεμα = toothpaste
το άρωμα = aroma
το γλυκό = sweet, cake
ελκυστικός, η, ο = appealing
διατάζω = I order
φέρνω = I bring
το πουλί = bird
επίσης = also
λογής - λογής = all sorts
κελαηδώ = sing (birds)

ΤΟ ΣΠΙΤΙ

Ανεβαίνουμε τώρα τη σκάλα για να δούμε τα άλλα δωμάτια. Το πρώτο δωμάτιο που βλέπουμε είναι το δωμάτιο της Έλλης. Στο δεύτερο δωμάτιο μένει ο Νίκος και στο τρίτο μένει ο Σοφοκλής. Πιο πέρα βρίσκεται το τέταρτο υπνοδωμάτιο (ή κρεβατοκάμαρα) του κ. και της κας Σωκράτη.

285

Υπάρχουν τέσσερα υπνοδωμάτια στο σπίτι. Στους τοίχους υπάρχουν ντουλάπια.

Στην κάθε κρεβατοκάμαρα βλέπουμε ένα κρεββάτι, δύο καρέκλες και μια τουαλέτα. Από το ταβάνι κρέμεται το ηλεκτρικό φως. Στο πάτωμα έχει χαλί.

Μετά την κρεβατοκάμαρα του Σοφοκλή βρίσκεται το μπάνιο (λουτρό) με ζεστό και κρύο νερό. Στον τοίχο βρίσκεται μια κρεμάστρα και εκεί βάζουν τις πετσέτες όταν κάνουν μπάνιο. Επίσης υπάρχει ένα μικρό ντουλάπι με καθρέφτη. Στο ντουλάπι αυτό υπάρχουν είδη πρώτης βοήθειας καθώς και η ονδοντόκρεμα, οι οδοντόβουρτσες, και τα ξυριστικά του κ. Σωκράτη.

Δίπλα στο μπάνιο (λουτρό) βρίσκεται το αποχωρητήριο (ή η τουαλέτα). Τελικά, κατεβαίνουμε τη σκάλα και πάμε να δούμε τον κήπο. Τι κήπος στ΄ αλήθεια! Είναι περίπου πενήντα μέτρα. Υπάρχουν λογής - λογής λουλούδια - τριαντάφυλλα , γαρίφαλα, κρίνα, γιασεμί, κ.α. Υπάρχουν επίσης μερικά δέντρα, μηλιές αχλαδιές και ροδακινιές. Στα δέντρα κάθονται πολλά όμορφα πουλιά που κελαηδούν.

EXERCISE 9
Answer in Greek:

1. Ποιος μένει στο πρώτο υπνοδωμάτιο;
2. Ποιος μένει στο τρίτο υπνοδωμάτιο;
3. Σε ποιο υπνοδωμάτιο μένει ο κ. και η κ. Σωκράτη;
4. Τι έχει η κάθε κρεβατοκάμαρα;
5. Πόσα υπνοδωμάτια υπάρχουν;
6. Πού βρίσκεται η κρεμάστρα;
7. Τι βάζουν στην κρεμάστρα;
8. Πού βρίσκονται τα είδη πρώτης βοήθειας.
9. Πού είναι το αποχωρητήριο;
10. Πόσο μεγάλος είναι ο κήπος;

11. Τι λουλούδια υπάρχουν;
12. Τι δέντρα υπάρχουν;

EXERCISE 10

Write about 80 - 100 words on the following topic:

Ένα φιλικό μου σπίτι. = A friend´s house

Proverb = Παροιμία

Ο φίλος στην ανάγκη φαίνεται
A friend in need is a friend indeed

Η Παναγία της Τήνου

ΤΟ ΠΡΟΓΕΥΜΑ = BREAKFAST

το πιάτο = plate
το πιατάκι = saucer
συγυρίζω = I tidy
η καφετιέρα = coffee - pot
η οδοντόπαστα/οδοντό-
κρεμα= toothpaste
η οδοντόβουρτσα =
toothbrush
πλένω = I wash
σκουπίζω = I wipe (brush)
το τραπεζομάντιλο =
tablecloth
το αυγό = egg
τηγανητός, η, ο = fried
το τυρί = cheese
τα πιατικά = crockery
βραστός, η, ο = boiled
ο μπαμπάς = dad
ενώ = while

η φρυγανιά =toast
η ζάχαρη = sugar
τα μαχαιροπίρουνα = cutlery
μαγειρεύω = I cook
καθαρίζω = I clean
το περίπτερο = kiosk
newsagent
η εφημερίδα = newspaper
το περιοδικό = magazine
το τσιγάρο = cigarette
το σπίρτο =match
τα ρέστα = the change,
                (money)
αλλάζω = I change
η πιτζάμα = pyjama
κάποτε = sometimes
η σχολική στολή = school
                uniform
το μεσημεριανό = lunch

ΤΟ ΠΡΟΓΕΥΜΑ

Κάθε πρωί η οικογένεια του κ. Σωκράτη ξυπνά στις 7 π.μ. Ενώ η κ. Αθηνά, ετοιμάζει το πρόγευμα, τα παιδιά πάνε στο μπάνιο (λουτρό) για να πλυθούν και να καθαριστούν. Πρώτος πηγαίνει ο Νίκος . Παίρνει την οδοντόβουρτσα και την οδοντόπαστα (οδοντόκρεμα) και πλένει τα δόντια του. Μετά πλένει το πρόσωπό του με ζεστό νερό και σαπούνι. Μετά σκουπίζεται με την πετσέτα. Τέλος, βγάζει τις πιτζάμες και φορεί τη σχολική του στολή. Είναι τώρα έτοιμος για το πρωινό και πηγαίνει αμέσως στην τραπεζαρία.

Τα παιδιά πρώτα λένε " καλημέρα" και φιλάνε τη μαμά και το μπαμπά. Το τραπέζι είναι τώρα έτοιμο. Έχει άσπρο, καθαρό τραπεζομάντιλο, ένα μαχαίρι και πιρούνι και φλιτζάνια για κάθε πρόσωπο. Επίσης υπάρχουν πιάτα και πιατάκια για τα φλιτζάνια. Έρχεται τώρα η κ. Αθηνά και φέρνει την καφετιέρα. Τα παιδιά πίνουν χυμό πορτοκάλι. Στη μέση του τραπεζιού είναι το γάλα, η ζάχαρη, το βούτυρο και η μαρμελάδα. Μετά φέρνει βραστά αυγά και φρυγανιές, και όλοι ρίχνονται στο φαγητό.

Ενώ τρώνε ακούνε μουσική και τις πρωινές ειδήσεις από το ραδιόφωνο. Όταν τελειώσουν, τα παιδιά φεύγουν για το σχολείο τους και ο κ. Σωκράτης πηγαίνει στην εργασία του. Μόλις βγει, πηγαίνει στο περίπτερο και παίρνει την εφημερίδα του. Η καημένη κυρά Αθηνά μένει στο σπίτι, για να καθαρίσει τα πιάτα, τα μαχαιροπίρουνα και να συγυρίσει το σπίτι. Τα παιδιά θα γυρίσουν από το σχολείο το μεσημέρι. Για τις δουλειές του σπιτιού τη βοηθάει η γιαγιά Κατερίνα.

EXERCISE 11
Answer in Greek:

1. Τι ώρα ξυπνά η οικογένεια Σωκράτη;

2. Πού πηγαίνουν τα παιδιά μόλις ξυπνήσουν;

3. Τι έκανε ο Νίκος όταν πήγε στο μπάνιο;

4. Τι φόρεσε ο Νίκος όταν έβγαλε τις πιτζάμες;

5. Τι βλέπουμε στο τραπέζι κάθε πρωί;

6. Τι ήπιαν τα παιδιά;

7. Τι έφαγε η οικογένεια για το πρωινό της;

8. Πού πήγαν τα παιδιά μετά το πρωϊνό;

289

9. Τι πήρε ο κ. Σωκράτης απ'το περίπτερο;
10. Γιατί μένει στο σπίτι η κ. Αθηνά;
11. Πότε θα γυρίσουν τα παιδιά;
12. Ποιος βοηθάει την κ. Αθηνά στο σπίτι;

Συνδιάλεξη σ' ένα καφενείο

Γκαρσόνι: Καλημέρα, κύριε
Πελάτης: Καλημέρα
    Γκ: Τι θέλετε (τι θα πάρετε) κύριε;
    Π: Ένα καφέ παρακαλώ.
    Γκ: Τι καφέ θέλετε;
    Π: Τι καφέ έχετε;
    Γκ: Έχουμε νέσκαφε και ελληνικό καφέ.
    Π: Δεν έχω δοκιμάσει τον ελληνικό καφέ.
    Γκ: Υπάρχουν τρία είδη: σκέτος - χωρίς ζάχαρη -
        γλυκός με ζάχαρη και μέτριος.
    Π: Λοιπόν θα δοκιμάσω ένα σκέτο.
    Γκ: Ορίστε Κύριε.
       (Λίγο μετά)
    Γκ: Σας άρεσε ο σκέτος καφές;
    Π: Δεν ξέρω είναι λίγο πικρός για μένα.
    Γκ: Στην Ελλάδα τον πίνουμε με νερό.
    Π: Δεν πειράζει - μου φέρνετε ένα νέσκαφε!

EXERCISE 12

Write about 80 - 100 words on the following topic:

    Το πρόγευμά μου = My breakfast.

Athens - Plaka

ΤΟ ΓΕΥΜΑ = LUNCH

το εστιατόριο = restaurant

το γκαρσόνι,
ο σερβιτόρος } waiter

εξυπηρετώ = I serve

η κανάτα = jug

το χοιρινό = pork

το βοδινό κρέας = beef

το μοσχάρι = veal

τηγανητές πατάτες = fried potatoes (chips)

ψητός, η, ο = roast

το μπιζέλι (αρακάς) = pea

το καρότο = carrot

το φασολάκι = green beans

ο λογαριασμός = bill

ικανοποιημένος, η, ο = satisfied

ο κατάλογος
το μενού } menu

διατάζω
παραγγέλλω } I order

πηγαινοέρχομαι = I come and go

η μερίδα = portion

το ξενοδοχείο = hotel

μόνος, η, ο = single, alone

μονός, η, ο = single, odd

διπλός, η, ο = double

προτιμώ = I prefer

το τσεκ, η επιταγή = cheque

υπογράφω = I sign

η διεύθυνση = address

το επάγγελμα = profession

το διαβατήριο = passport

πληρώνω = I pay

αλλού = elsewhere

ο μικρός = the young boy

η βαλίτσα = suitcase

η θέα = view

το παράθυρο = window

σήμερα = today

η μπριζόλα = chop, cutlet

προσθέτω = I add

ο μουσακάς = minced meat with vegetables

ΤΟ ΓΕΥΜΑ

Την Τρίτη το μεσημέρι, η οικογένεια του κ. Σωκράτη πήγε στο εστιατόριο για το γεύμα. Κοντά στην Πλατεία Συντάγματος, υπάρχει ένα πολύ καλό εστιατόριο. Λέγεται «Καλή Όρεξη» και έτσι λοιπόν ο κ. Σωκράτης πήρε την οικογένεια του εκεί.

Στο εστιατόριο υπάρχει πολύς κόσμος και επειδή είναι ζέστη, πολλοί κάθονται έξω. Το γκαρσόν πηγαινοέρχεται για να εξυπηρετήσει τους πελάτες.

- Καθίστε, παρακαλώ. Ορίστε τον κατάλογο, διατάξτε ό,τι προτιμάτε.

Κάθισαν όλοι στις καρέκλες γύρω στο τραπέζι που είναι καλυμμένο με ένα άσπρο τραπεζομάντιλο. Στη μέση υπάρχει μια κανάτα με νερό και ένα βαζάκι με λουλούδια. Αφού διάλεξαν όλοι τα φαγητά της αρεσκείας τους ο κ. Σωκράτης φωνάζει το γκαρσόνι. Η μικρή Έλλη λέει: «εγώ θέλω μπιφτέκια με τηγανητές πατάτες». «Εγώ προτιμώ μουσακά,» είπε ο Σοφοκλής. «Εγώ θα πάρω αρνίσιες μπριζόλες» είπε ο Νίκος. «Και εγώ θα πάρω αρνί ψητό, ψητές πατάτες και φρέσκο φασολάκι», είπε η κ. Αθηνά. «Εγώ θα πάρω ψητό μοσχάρι με τηγανητές πατάτες, μπιζέλια και καρότα» είπε ο κ. Σωκράτης. Να μας φέρετε και δύο παγωμένες μπίρες. Στο τέλος να μας φέρετε όλους από ένα κανταΐφι, δύο καφέδες και τρεις πορτοκαλάδες, πρόσθεσε ο κ. Σωκράτης.

Ο σερβιτόρος έφερε τα φαγητά και είπε: «Καλή όρεξη». Όταν τελείωσαν το μεσημεριανό τους, ο σερβιτόρος ρώτησε αν τους άρεσε το φαγητό. Όλοι είπαν ότι ήταν υπέροχα και ο κ. Σωκράτης πλήρωσε το λογαριασμό. Πλήρωσε πέντε χιλιάδες δραχμές. Μετά έφυγαν όλοι ικανοποιημένοι. Μετά περπάτησαν μέχρι την Ακρόπολη.

EXERCISE 13

Answer in Greek

1. Πού πήγε η οικογένεια του κ. Σωκράτη για το γεύμα;
2. Πού βρίσκεται το εστιατόριο;
3. Πώς λέγεται το εστιατόριο;
4. Τι είπε το γκαρσόν στην οικογένεια;
5. Τι υπάρχει στη μέση του τραπεζιού;
6. Τι έφαγε ο κ. Σωκράτης;
7. Ποιος έφαγε μπιφτέκια;
8. Τι ήπιαν τα παιδιά;
9. Τι έφαγε ο Νίκος;
10. Τι ήπιε ο κ. Σωκράτης και η γυναίκα του;
11. Τι πήρε η οικογένεια μετά το φαγητό;
12. Πού πήγε η οικογένεια μετά;
13. Πόσα πλήρωσε ο κ. Σωκράτης για το γεύμα;

Cheers - Στην υγειά σας

EXERCISE 14

Write about 80 - 100 words on the following topic:

Στο εστιατόριο - At the restaurant.

Order a meal for yourself and family / or friends.

ΚΑΤΑΛΟΓΟΣ - MENU			
OPEKTIKA	**APPETIZERS**	**ΕΝΤΡΑΔΕΣ**	**ENTREES**
Ντολμάδες	Stuffed Vine - leaves	Μοσχάρι:	Veal (with
Τζατζίκι	Garlic + Yoghurt	πατάτες	potatoes
Ταραμοσαλάτα	Eggfish salad	Στιφάδο	Onion stew
		Γιουβέτσι	Veal in clay bowl
ΨΑΡΙΑ	**FISH**		
Αστακός	Lobster	Αρνάκι:	Lamb (with)
Μπαρμπούνια	Red Mullet	πιλάφι	Rice
		φασολάκια	String Beans
ΛΑΔΕΡΑ	**COOKED IN OIL**	**ΤΗΣ ΩΡΑΣ**	**A LA MINUTE**
Μπάμιες	Okra	Σουβλάκι	Veal on Skewer
Γίγαντες	Beans	Μπριζόλες	Meat Cutlets
Φασολάκια φρέσκα	String beans	Μπιφτέκια	Mince Burgers
		Παϊδάκια	Lamb Chops

ΚΑΤΑΛΟΓΟΣ - MENU

ΚΙΜΑΔΕΣ	MINCE MEAT	ΣΑΛΑΤΕΣ	SALADS
Ντομάτες Γεμιστές	Stuffed tomatoes	Χωριάτικη	Greek Salad
Μακαρόνια με κιμά	Spaghetti and Mince	Ντομάτα	Tomato
Μουσακά	Mousaka	Αγγούρι	Cucumber
ΨΗΤΑ	GRILLED	ΓΛΥΚΑ	DESSERTS
Κοτόπουλο	Chicken	Κρέμ. Καραμελέ	Creme Caramel
Αρνί	Lamb	Μπακλαβάς	Baklava
Μοσχάρι	Veal	Παγωτό	Ice - cream

ΟΓΔΟΟ ΜΑΘΗΜΑ

ΜΙΑ ΕΠΙΣΚΕΨΗ = A VISIT

ο επιχειρηματίας = business man

πολυτάξιδος, η, ο = widely- travelled

το κλειδί = the key

φτάνω = I arrive

με συγχωρείτε = excuse me

προορίζω = I destine, intend

το ενδιαφέρον = interest

καλώ = I invite

δηλώνω = I declare

η φωτογραφική μηχανή = camera

η βαλίτσα = suitcase

ανοίγω = I open

η χειραψία = handshake

φεύγω = I leave

πληρώνω = I pay

το κασετόφωνο = cassette - player

το ουίσκι = whisky

ο φόρος = duty (customs)

το δώρο = present (gift)

το γεγονός = event

η δουλειά = work

το τελωνείο = Customs office

το γραφείο = office

το κουδούνι = bell

η σύσταση = introduction

προσκαλώ = I invite

προσκαλεσμένος, η, ο = guest

το παγάκι = ice - cube

η μόδα = fashion

ΜΙΑ ΕΠΙΣΚΕΨΗ

Σήμερα είναι Τρίτη 15 Δεκεμβρίου και η οικογένεια του κ. Σωκράτη θα επισκέφτεί το σπίτι του κ. Νικολάου. Μετά το βραδυνό φαγητό, όλοι είναι έτοιμοι και μπαίνουν στο αυτοκίνητο. Σε λίγη ώρα φτάνουν στο σπίτι του κ. Νικολάου, που είναι στο Χαλάνδρι, λίγο έξω από την Αθήνα.

Η Έλλη χτυπά το κουδούνι και την πόρτα ανοίγει η μικρή Ντίνα η οποία τους λέγει: Περάστε, παρακαλώ, ο

297

μπαμπάς και η μαμά σας περιμένουν.

Στο σαλόνι βρίσκεται η οικογένεια του κ. Φοίβου Νικολάου. Αμέσως αρχίζουν οι χειραψίες και τα καλωσορίσετε.

Βγάζουν τα παλτά τους και κάθονται στους αναπαυτικούς καναπέδες. Ο κ. Νικολάου είναι επιχειρηματίας. Είναι επίσης πολυτάξιδος. Έχει επισκεφτεί σχεδόν όλες τις χώρες της Ευρώπης.

Δεν περνά πολλή ώρα και η Λόλα, η γυναίκα του Φοίβου φέρνει τον καφέ και τα αναψυκτικά στους καλεσμένους της. Τα παιδιά μιλούν για το σχολείο τους για το ποδόσφαιρο και για την τηλεόραση. Οι γυναίκες και οι άντρες για τις δουλειές τους, για τη μόδα, για την πολιτική και τα γεγονότα της ημέρας.

Μετά από τον καφέ η Λόλα έφερε το ούζο, ποτήρια, παγάκια καθώς και μεζέδες για τους ξένους της. Η Ντίνα έφερε τη φωτογραφική μηχανή και έβγαλε μερικές φωτογραφίες.

Όταν πέρασε αρκετή ώρα, στις 11.30 μ.μ. η οικογένεια του κ. Σωκράτη ετοιμάστηκε για να γυρίσει στο σπίτι. Η Αθηνά κάλεσε τη Λόλα να επισκεφτεί το σπίτι της όποτε έχει καιρό.

EXERCISE 15

1. Ποιο σπίτι επισκέφτηκε η οικογένεια του Σωκράτη;
2. Πότε επισκέφτηκαν αυτό το σπίτι;
3. Πού βρίσκεται αυτό το σπίτι;
4. Ποιος χτύπησε το κουδούνι και ποιος άνοιξε την πόρτα;
5. Τι έκαναν στο σαλόνι;
6. Ποιος έφερε τον καφέ στο σαλόνι;
7. Τι μιλούσαν τα παιδιά;
8. Τι ενδιαφέρει πιο πολύ τους άντρες και τις γυναίκες;
9. Τι ήπιαν μετά τον καφέ;
10. Τι έκανε η Ντίνα;

11. Πότε έφυγε η οικογένεια του Σωκράτη;

12. Τι είπε η Αθηνά στη Λόλα;

EXERCISE 16

Write 80 - 100 words on the following topic:

Μια επίσκεψη = A visit.

Kolossi Castle in Cyprus

ΣΤΗΝ ΑΓΟΡΑ = AT THE MARKET

το πάρκιγκ = car park
το ψώνιο = shopping
η λαϊκή = local market
η φρουταγορά = fruit market
η ψαραγορά = fish market
το λαχανικό = vegetable
ο πωλητής = seller
ο πελάτης = customer
το συκώτι = liver
το κουνέλι = rabbit
το κοτόπουλο = chicken
ο κιμάς = mince
το σέλινο = celery
το κρεμμύδι = onion
το κολοκυθάκι = courgette
το κουνουπίδι = cauliflower
το βερίκοκο = apricot
το παντζάρι = beetroot
η μαρίδα = sprat

το μπούτι = leg (meat)
η κρεαταγορά = meat market
η λαχαναγορά = vegetable market
η σπάλα = shoulder meat
το αρνί(ακι) = lamb (meat)
το κατσίκι = goat
το μπαρμπούνι = red mullet
η γαρίδα = shrimp, prawn
το χταπόδι = octopus
το καβούρι = crab
ο μπακαλιάρος = cod
το λαχανάκι = sprout
το χοιρινό = pork
το μοσχαρίσιο = veal
το ροδάκινο = peach
το καλαμάρι = squid
πρωί, πρωί = early in the morning
ο ιχθυοπώλης = fishmonger

Σήμερα είναι Σάββατο και η οικογένεια του κ. Σωκράτη κάνει τα ψώνια. Ξεκίνησαν με το αυτοκίνητό τους, πρωί - πρωί γιατί θέλουν να αγοράσουν πολλά πράγματα. Σε λίγο φτάνουν στο κέντρο της Αθήνας. Αφήνουν το αυτοκίνητο τους στο πάρκινγκ και πάνε στην αγορά. Για να τελειώσουν γρήγορα τα ψώνια, ο κ. Σωκράτης πήγε να αγοράσει το κρέας και τα ψάρια, πήγε στην κρεαταγορά και στην ψαραγορά. Η κ. Αθηνά πήγε να πάρει τα λαχανικά και τα παιδιά πήγαν να πάρουν τα φρούτα.

Στην λαϊκή αγορά υπάρχει πολύς κόσμος. Οι πωλητές φωνάζουν δυνατά καλώντας τους πελάτες να πάρουν κάτι από κοντά τους. « Εδώ ψάρια, φρέσκα ψάρια, μπαρμπούνια, γαρίδες, χταπόδια, καβούρια, μπακαλιάροι, φιλέτα.... » διαλαλεί ένας ψαράς. Ο κ. Σωκράτης σταματά και κοιτάζει τις τιμές: Μπαρμπούνια (λεθρίνια) 2, 000 δρ., Μπακαλιάροι 1, 800 δρ., Μαρίδες 400 δρ., χταπόδια 700 δρ. Μετά λέει στον ιχθυοπώλη: « Μου δίνετε ένα κιλό γαρίδες και ένα κιλό μπαρμπούνια»; « Μάλιστα, κύριε, αμέσως».

Λίγο πιο πέρα πουλάνε όλα τα είδη κρέατα. Κοιτάζει τις τιμές: Αρνί 1, 250 δρ., κατσίκι 1,200 δρ., κοτόπουλα 400 δρ., μοσχάρι (μπριζόλες) 1, 100 δρ., μοσχάρι (φιλέτο) 1,500 δρ., Ο κ. Σωκράτης αγοράζει από εδώ δυο κοτόπουλα, τρία κιλά μοσχάρι φιλέτο, κιμά, ένα αρνίσιο μπούτι και μια σπάλα, και ένα αρνίσιο συκώτι.

Η κ. Αθηνά είχε πάει στη λαχαναγορά. Εδώ υπάρχουν όλα τα λαχανικά της εποχής. Κοιτάζει τις τιμές: Πατάτες 180 δρ., κρεμμύδια 160, καρότα 180, ντομάτες 200, αγγούρια 90 δρ. μελιτζάνες 250, μαρούλι 145, μπιζέλια, σέλινα κουνουπίδια, παντζάρια, σπανάκι, κολοκυθάκια, λαχανάκια ... Η κ. Αθηνά έβγαλε τη σημείωση που είχε μαζί της και αγόρασε ό, τι ήθελε.

Τέλος, τα παιδιά πήγαν στη φρούτο - αγορά. Εκεί είχε όλα τα φρούτα της εποχής: πορτοκάλια 150 δρ., μανταρίνια 350 δρ., ροδάκινα 250 δρ., βερίκοκα 250, καρπούζια 180, πεπόνια 190, μήλα 270, δαμάσκηνα, σύκα, σταφύλια, αχλάδια και κεράσια. Αγόρασαν λίγα απ' όλα τα φρούτα γιατί τα τρώνε πολύ. Όταν τελείωσαν, συναντήθηκαν και φορτωμένοι με τα ψώνια πήγαν να πάρουν το αυτοκίνητο για το γυρισμό στο σπίτι.

EXERCISE 17

Answer in Greek:

1. Τι κάνει η οικογένεια το Σάββατο;
2. Πού άφησαν το αυτοκίνητό τους;
3. Πού πήγε ο κ. Σωκράτης;
4. Πού πήγε η κ. Αθηνά;
5. Πού πήγαν τα παιδιά;
6. Τι ψάρια αγόρασε ο κ. Σωκράτης;
7. Πόσο κοστίζει το αρνί;
8. Ποιο από τα λαχανικά κοστίζει 160 δραχμές;
9. Ποιο φρούτο κοστίζει 270 δραχμές;
10. Ποιο είναι το πιο ακριβό κρέας;
11. Πόσο κάνουν οι πατάτες;
12. Πόσο κάνουν τα ροδάκινα;

EXERCISE 18

Write 80 - 100 words on the following topic:

Στην αγορά = At the market

ΣΤΗΝ ΑΓΟΡΑ

ΔΕΚΑΤΟ ΜΑΘΗΜΑ

ΣΤΟ ΠΑΝΤΟΠΩΛΕΙΟ = AT THE GROCER´S

ο ιδιοκτήτης = owner, proprietor

τακτοποιώ = I arrange, sort out

τα τρόφιμα = food

το ρεβίθι - chick - pea

η φακή = lentil

το κουκί = broad- bean

το ξύδι = vinegar

το ρύζι = rice

η κονσέρβα = tinned food

το σαπούνι = soap

η δωδεκάδα = dozen

ο κύρ(ιος) = Mr. (friendly way of saying Mr.)

πρόσχαρος , η, ο = cheerful

το λουκάνικο = sausage

το βάθος = depth (far end)

αναφέρω = I mention

το σαμπουάν = shampoo

το χαρτί υγείας = toilet paper

η τουαλέτα = toilet

βιαστικός , η, ο = in a hurry

η σκόνη πλυσίματος = washing powder

π.χ. (παραδείγματος χάρη) = for example

Μετά από την αγορά η κ. Αθηνά αφού τακτοποίησε όλα τα ψώνια βγήκε για να πάει στο γειτονικό παντοπωλείο του κυρ - Θανάση που είναι στην οδό Σαλαμίνας. Μόλις μπήκε στο παντοπωλείο ο κυρ- Θανάσης καλωσόρισε την κ. Αθηνά. Ο κυρ- Θανάσης είναι ένας πρόσχαρος άντρας περίπου 65 χρονών.

Το παντοπωλείο είναι ανοιχτό από τις εφτά το πρωί μέχρι τις οκτώ το βράδυ. Η γυναίκα και ο γιος του κυρ Θανάση τον βοηθάνε. Η κυρία Θανάση δουλεύει εκεί το πρωί . Ο γιος δουλεύει μέχρι τις τέσσερις και ο κ. Θανάσης δουλεύει τις υπόλοιπες ώρες.

Στο παντοπωλείο υπάρχει ό,τι χρειάζεται ένα σπίτι. Υπάρχουν τρόφιμα π.χ. ψωμιά, φασόλια, ρεβίθια, φακές, κουκιά, μακαρόνια. Υπάρχουν επίσης κονσέρβες όλων των ειδών, τυριά, βούτυρα, αυγά κ.λ.π.

Η κ. Αθηνά κοιτάζει τον κατάλογό της και λέει: Θέλω δύο πακέτα ελληνικό καφέ, δώδεκα αυγά, ένα μπουκάλι ελαιόλαδο, ένα μπουκάλι ξύδι, ένα κιλό ρύζι και τυρί. Μετά παίρνει δύο πακέτα μακαρόνια, λουκάνικα και μπισκότα. Επίσης παίρνει ένα πακέτο σκόνη πλυσίματος.

Στο βάθος του καταστήματος υπάρχουν όλα τα είδη που χρειάζονται για το μπάνιο και την τουαλέτα - σαπού-νια, σαμπουάν, χαρτί τουαλέτας. Παίρνει και από εκεί μερι-κά σαπούνια, μία οδοντόκρεμα, χαρτί τουαλέτας (υγείας) και ό, τι άλλο χρειάζεται. Μετά πληρώνει τον κυρ- Θανάση. Του έδωσε 10,000 δραχμές. Ο κυρ - Θανάσης ρωτάει τι κάνει ο κ. Σωκράτης και τα παιδιά. « Είναι όλοι μια χαρά » απαντά η κ. Αθηνά. Ο κυρ - Θανάσης έδωσε μια μεγάλη σο-κολάτα στην κ. Αθηνά για την κορούλα της την Έλλη. Μετά ρωτάει η κ. Αθηνά για την οικογένεια του κυρ - Θανάση και τέλος τον αποχαιρετά και φεύγει.

EXERCISE 19

Answer in Greek

1. Πού βρίσκεται το παντοπωλείο;

2. Σε ποιον ανήκει το παντοπωλείο;

3. Πόσων χρονών είναι ο ιδιοκτήτης;

4. Τι ώρες είναι ανοιχτό το κατάστημα;

5. Ποιος δουλεύει εκεί το πρωί;

6. Ποιος δουλεύει μέχρι τις τέσσερις;

7. Πότε δουλεύει ο κυρ. Θανάσης;

8. Αναφέρετε τρία πράγματα που αγόρασε η κ. Αθηνά.

9. Τι αγόρασε για το μπάνιο και την τουαλέτα;

10. Πόσα πλήρωσε για τα ψώνια;

11. Τι ρώτησε ο κυρ. Θανάσης;

12. Τι έδωσε ο κ. Θανάσης στην κ. Αθηνά;

EXERCISE 20

Write 80 - 100 words:

Σε ένα κατάστημα = At a shop

Παροιμία: Ό,τι έγινε, έγινε
It's no use crying over spilt milk

The Island of Kalymnos

305

ΣΤΑ ΚΑΤΑΣΤΗΜΑΤΑ = AT THE SHOPS

το αρτοπωλείο
(ο φούρνος) =bakery
το κρεοπωλείο =butcher's
το ψαλίδι = scissors
ο πεζός = pedestrian
η βιτρίνα = shopwindow
ρουχισμός = clothing
το εσώρουχο = underwear
το κομμωτήριο =
hairdresser's
το χτένισμα = hairstyle
ο καθρέφτης = mirror
ο στεγνωτήρας = drier
το φαρμακείο = chemist
το κασετόφωνο = cassette-
recorder
ο πυρετός = fever

η κομμώτρια = hairdresser
η κολόνια = eau de Cologne
το κουρείο = barber's
το ψιλικατζίδικο =
haberdashery
ο επίδεσμος = bandage
το ζαχαροπλαστείο =
confectioner's
το σωληνάριο = tube
το κρυολόγημα = cold
η γρίπη = flu
ο πονοκέφαλος =headache
η ζαλάδα = dizziness
το χάπι = tablet, pill
το πολύφωτο = chandelier
η μέλισσα = bee
χαζεύω = I gaze, idle about,

Είναι ένα ευχάριστο απόγευμα και η οικογένεια του κ. Σωκράτη πηγαίνει να δει τα καταστήματα. Σε λίγο φτάνουν στο κέντρο της Αθήνας, στην Πλατεία της Ομόνοιας. Από εκεί προχωρούν πεζοί προς την Πλατεία Συντάγματος. Σταματούν σε μια βιτρίνα που είναι γεμάτη από βιβλία. Είναι ένα βιβλιοπωλείο και εκεί υπάρχουν όλα τα είδη βιβλία: λογοτεχνικά, ιστορικά, πολιτικά.

Κοντά στο βιβλιοπωλείο υπάρχει ένα άλλο κατάστημα με είδη ρουχισμού. Εκεί μπαίνουν και βλέπουν κοστούμια, φο-

ρέματα, πουκάμισα, γραβάτες, κάλτσες, εσώρουχα, μπλού-
ζες. Εκεί αγοράζουν πανταλόνια και πουκάμισα για τα δυο
αγόρια και ένα φόρεμα για την Έλλη.

Λίγα βήματα πιο πέρα βρίσκεται ένα κομμωτήριο. Η κ.
Αθηνά είχε κλείσει ραντεβού για τις 4.00 μ.μ. γιατί θέλει να
κόψει λίγο τα μαλλιά της και να κάνει ένα χτένισμα. Μπαί-
νει μέσα και η Ρένα η κομμώτρια την καλωσορίζει. Της λέει
να καθίσει στην καρέκλα μπροστά στον καθρέφτη. Εκεί
υπάρχουν κολόνιες, σαμπουάν, χτένια, ρολά, στεγνωτήρες,
ψαλίδια κ.λ.π. Θα μείνει εκεί περίπου μια ώρα έτσι συμφώ-
νησαν να συναντηθούν στο Ζαχαροπλαστείο η « Μέλισσα»,
στις 5.30 μ.μ.

Ο κ. Σωκράτης και τα παιδιά προχωρούν. Σε λίγο βλέ-
πουν ένα μεγάλο κατάστημα - είναι φαρμακείο. Εκεί βλέ-
πουν στη βιτρίνα διάφορα φαρμακευτικά είδη - σωληνάρια
με κρέμες, χάπια, επιδέσμους, σιροπάκια για τη γρίπη ή το
κρυολόγημα κ.λ.π. Μπαίνουν μέσα και παίρνουν λίγα χάπια
γιατί ο παππούς υποφέρει από πονοκεφάλους και ζαλάδες.
Μετά στάθηκαν μπροστά από μια βιτρίνα με ηλεκτρικά είδη.
Εκεί είδαν τηλεοράσεις, ραδιόφωνα, κασετόφωνα, βίντεο
κ.λ.π. « Τα ηλεκτρικά είδη είναι ακριβά στην Ελλάδα», εξή-
γησε ο πατέρας στα παιδιά, «γιατί πρέπει να τα φέρουμε
από άλλες χώρες». Πιο πέρα είδαν ένα τουριστικό γραφείο
με πολύχρωμες εικόνες από διάφορα μέρη του κόσμου.
Είδαν επίσης ένα ψιλικατζίδικο, ένα ταχυδρομείο, ένα κου-
ρείο, ένα κρεοπωλείο, ένα φούρνο κ.α. Στο μεταξύ πέρασε η
ώρα χαζεύοντας στις βιτρίνες και πήγαν στο ζαχαροπλα-
στείο όπου σε λίγο έφτασε και η κυρία Αθηνά.

EXERCISE 21

1. Από πού ξεκίνησαν τον απογευματινό τους περίπατο;
2. Ποιο κατάστημα είδαν στην αρχή;
3. Πού πήγε η κ. Αθηνά;

4. Γιατί έπρεπε να μείνει μια ώρα εκεί;

5. Τι αγόρασαν στα παιδιά;

6. Τι είδαν στο φαρμακείο;

7. Πώς λένε την κομμώτρια;

8. Γιατί τα ηλεκτρικά είδη είναι ακριβά στην Ελλάδα;

9. Τι είδαν στο τουριστικό γραφείο;

10. Πού συναντήθηκαν στο τέλος;

EXERCISE 22

Write about 80 - 100 words:

Τι κάνω το Σαββατοκύριακο.

The Island of Karpathos

ΔΩΔΕΚΑΤΟ ΜΑΘΗΜΑ

ΜΙΑ ΚΥΡΙΑΚΑΤΙΚΗ ΕΠΙΣΚΕΨΗ

A SUNDAY VISIT

ο ηλεκτρονικός υπολογιστής = computer
το πανεπιστήμιο = University
το μεσημέρι =noon, lunch time
ο λογιστής = accountant
επικρατώ = prevail
φτιάχνω, κάνω, = I make
η συννυφάδα = sister-in-law (relationship between wives and brothers

η σούπα αυγολέμονο = egg and lemon soup
ο φοιτητής = student
ο φούρνος = oven, bakery
το γαλατομπούρεκο = milk - pie, custard cake
η νύφη = sister-in-law (bride)
ο ανεψιός = nephew
η ανεψιά - niece
ο μπακλαβάς = honey and nut cake

Ο Αλέκος Σωκράτης έχει ένα αδελφό τον Κρίτωνα. Ο Κρίτωνας μένει με την οικογένειά του στην Κηφησιά. Τη γυναίκα του τη λένε Θεοδώρα. Έχουν δυο παιδιά τον Άριστο και την Αγγελική. Ο Άριστος είναι είκοσι χρονών και είναι φοιτητής στο Πανεπιστήμιο. Η Αγγελική είναι δεκαοκτώ χρονών και είναι στην τρίτη τάξη του Λυκείου.

Είναι σχεδόν μεσημέρι και τους περιμένουνε για φαγητό. Είναι αγαπημένα αδέλφια και κάθε βδομάδα πρέπει να επισκεφτεί η μια οικογένεια την άλλη. Το ίδιο αγαπημένα είναι και τα ξαδέρφια που χαίρονται να βρίσκονται μαζί.

Το αυτοκίνητο φτάνει στην Κηφησιά και σταματάει έξω απ᾽ το σπίτι. Αμέσως όλοι βρίσκονται στην είσοδο και καλωσορίζουν την οικογένεια. Αμέσως η Αθηνά πηγαίνει στην κουζίνα για να βοηθήσει τη συννυφάδα της, τη Θεοδώρα να ετοιμάσουν το τραπέζι. Ο Κρίτωνας είναι λογιστής και λέει στον Αλέκο τον αδελφό του για τις δουλειές του. Μετά αρχίζουν να μιλάνε για την πολιτική κατάσταση που επικρατεί στην Ελλάδα, στην Κύπρο και αλλού. Τα ξαδέρφια μιλάνε για τα μαθήματά τους, για τις επισκέψεις που κάνανε τη βδομάδα που πέρασε και παίζουν διάφορα παιχνίδια στον ηλεκτρονικό υπολογιστή.

Το τραπέζι είναι έτοιμο. Αρχίζουν με σούπα αυγολέμονο. Μετά τρώνε αρνί ψητό με πατάτες του φούρνου και μπιζέλια. Στη μέση του τραπεζιού υπάρχει χωριάτικη σαλάτα. Όλοι τρώνε με μεγάλη όρεξη. Οι άντρες πίνουν ρετσίνα, οι γυναίκες πίνουν μπίρα και τα παιδιά αναψυκτικά. Στο τέλος τρώνε μπακλαβά και γαλατομπούρεκα που έφτιαξε η Θεοδώρα. Ύστερα βγαίνουν στον κήπο και εκεί παίρνουν το καφεδάκι τους.

EXERCISE 23

Answer in Greek

1. Πώς λέγεται ο αδελφός του Αλέκου;
2. Πώς λέγεται η συννυφάδα της Αθηνάς;
3. Πόσα ανεψάκια έχει ο κ. Σωκράτης;
4. Τι δουλειά κάνει ο Άριστος;
5. Πόσων χρονών είναι η Αγγελική;
6. Σε ποιο μέρος της Αθήνας πήγαν;
7. Τι έκανε η κ. Αθηνά μόλις έφτασαν;
8. Τι έφαγαν το μεσημέρι;
9. Τι ήπιαν τα παιδιά;
10. Τι ήπιαν οι άντρες;
11. Τι γλύκισμα φάγανε;
12. Πού ήπιαν τον καφέ τους;

EXERCISE 24

Write about 80 - 100 words:

Η πόλη που ζω.

ΔΙΑΛΟΓΟΣ = Στο αεροδρόμιο = At the Airport

Νίκος: Γιώργο, φεύγω τώρα για το Λονδίνο.
              Έρχεσαι μαζί μου στο αεροδρόμιο;

Γιώργος: Ναι, ας πάρουμε ένα ταξί.

Νίκος: Ταξί, ταξί. Στο αεροδρόμιο του Ελληνικού, στο
              Ανατολικό παρακαλώ.

Γιώργος: Τι ώρα φεύγει το αεροπλάνο;

Νίκος: Φεύγει στις 8 ακριβώς. Εγώ όμως πρέπει να είμαι
              εκεί μια ώρα πιο νωρίς.

Γιώργος: Έχεις δίκιο. Γίνεται ο έλεγχος των διαβατηρίων
              και του τελωνείου. Έχεις το εισιτήριό σου;

Νίκος: Ναι, το έχω μαζί μου με το διαβατήριό μου και
              το συνάλλαγμά μου.

Γιώργος: Τι ώρα φτάνεις στο Λονδίνο;

Νίκος: Φτάνω στις 10.30 ώρα Αγγλίας.

Γιώργος: Πότε θα γυρίσεις;

Νίκος :   Σε δύο βδομάδες.

Γιώργος: Λοιπόν, γεια σου Νίκο και καλό ταξίδι. Μην ξε-
              χάσεις να φέρεις και λιγο ουίσκι! Γεια σου.

Νίκος: Ευχαριστώ, γεια σου.

NOTE: **Το ανατολικό** - The East airport is used by all the foreign airlines.

Το δυτικό - The West airport is used for domestic and international flights by Olympic Airways only.

311

ΔΕΚΑΤΟ ΤΡΙΤΟ ΜΑΘΗΜΑ

ΣΤΟ ΑΕΡΟΔΡΟΜΙΟ =AT THE AIRPORT

το αεροδρόμιο /
ο αερολιμένας = airport
η άφιξη = arrival
η αίθουσα αναμονής=hall
lounge
αποτελώ = consist
σπουδάζω = I study
προσγειώνουμαι = I land
τελωνείο = customs office
ταμίας = cashier
η προσγείωση = landing
ο υπάλληλος = clerk, officer
πλησιάζω = I approach

ο έλεγχος διαβατηρίων=
passport control
η αναχώρηση = departure
το άρωμα = perfume
η βαλίτσα = suitcase
δηλώνω = I declare
η χειραψία = handshake
η πτήση = flight
επιβλητικός, η, ο = imposing
το φαγοπότι = eating and
drinking
το πούρο = cigar

Σήμερα φτάνει στην Αθήνα από το Λονδίνο η οικογένεια του κ. Γιάννη Ροβέρτου. Η οικογένεια αυτή αποτελείται από τέσσερα πρόσωπα: τον κ. Γιάννη Ροβέρτο, την κυρία Σούζαν και τα δύο παιδιά τους, τον Πέτρο και τη Σοφία. Στο αεροδρόμιο τους περιμένει η οικογένεια του κ. Σωκράτη γιατί είναι πολύ καλοί φίλοι. Περιμένουν στην αίθουσα αφίξεων. Ο κ. Σωκράτης γνώρισε την οικογένεια αυτή όταν σπούδαζε στο Λονδίνο.

Η αγγλική οικογένεια ταξιδεύει με αεροπλάνο της Ολυμπιακής. Θα φτάσουν στις έξι το απόγευμα. Επί τέλους φτάνουν. Κατεβαίνουν από το αεροπλάνο και περνάνε στον έλεγχο διαβατηρίων όπου δείχνουν τα διαβατήρια τους. Στο τελωνείο ο κ. Ροβέρτος λέγει ότι έχει μαζί του δυο μπουκάλια ουΐσκι, μερικά πούρα, διακόσια τσιγάρα και μερικές κολόνιες.

Βγαίνουν από το τελωνείο και αμέσως συναντούν τον κ. Σωκράτη. Αρχίζουν τα φιλιά, οι χειραψίες, τα «καλωσορίσατε». Βάζουν τις βαλίτσες στο αυτοκίνητο και φεύγουν από το αεροδρόμιο.

« Πώς περάσατε στο ταξίδι; Πόση ώρα σας πήρε να φτάσετε » ; ρωτάει ο Νίκος και η Έλλη τον Πέτρο και την Σοφία.

« Υπέροχα, ήταν μια θαυμάσια πτήση, μας πήρε τρεισήμισι ώρες», απαντούν οι νέοι φίλοι τους.

Σε λίγο πλησιάζουν στην Αθήνα. Να και η Ακρόπολη με τον επιβλητικό της Παρθενώνα. Τι πανόραμα, Θεέ μου, λένε τα παιδιά. Θα πάμε αύριο όλοι μαζί στην Ακρόπολη για να δούμε τον Παρθενώνα από κοντά.

Φτάνουν στο σπίτι. Το τραπέζι είναι έτοιμο και σε λίγο αρχίζει το φαγοπότι. Μιλούνε, προγραμματίζουν πού θα πάνε, τι θα δούνε, τι θα αγοράσουν.

EXERCISE 25
Answer in Greek

1. Πώς λένε τη γυναίκα του κ. Ροβέρτου;
2. Πώς λένε τα παιδιά του;
3. Πού περίμενε η οικογένεια Σωκράτη;
4. Πώς γνωρίστηκε ο κ. Σωκράτης με τον κ. Ροβέρτο;
5. Τι ώρα έφτασε το αεροπλάνο;
6. Με ποιο αεροπλάνο ταξίδεψαν;
7. Πού πήγε η οικογένεια αμέσως μετά την προσγείωση;
8. Τι δήλωσε ο κ. Ροβέρτος στον τελωνειακό υπάλληλο;
9. Τι ρώτησε ο Νίκος και η Έλλη;
10. Τι απάντησε ο Πέτρος και η Σοφία;
11. Τι εντύπωση έκανε στους Άγγλους όταν πλησίαζαν στην Αθήνα;
12. Τι έκαναν όταν έφτασαν στο σπίτι;

313

EXERCISE 26

Write about 80 - 100 words:

Μια μέρα στο αεροδρόμιο.

ΔΙΑΛΟΓΟΣ: Στο τελωνείο του αεροδρομίου.
At   the Airport Customs

Υπάλληλος: Το διαβατήριό σας παρακαλώ.

Επιβάτης: Ορίστε.

Υπάλληλος: Δεν έχετε τίποτα να δηλώσετε; Ρολόγια, φωτογραφικές μηχανές, ραδιόφωνα;

Επιβάτης: Όχι, κύριε. Δεν έχουμε τίποτε από αυτά τα πράγματα.

Υπάλληλος: Ποιες είναι οι αποσκευές σας;

Επιβάτης :   Αυτές.

Υπάλληλος: Ανοίξτε αυτή τη βαλίτσα, σας παρακαλώ.

Επιβάτης: Ορίστε.

Υπάλληλος: Μάλιστα. Κλείστε τη βαλίτσα. Ανοίξτε και αυτή τη τσάντα που κρατάτε στο χέρι. Ω! τι βλέπω, τσιγάρα, πούρα, ποτά! Πρέπει να πληρώσετε φόρο τελωνείου. Περάστε στο γραφείο.

Επιβάτης: Πόσα πρέπει να πληρώσω;

Υπάλληλος: Θα σας πει ο ταμίας.

ΔΕΚΑΤΟ- ΤΕΤΑΡΤΟ ΜΑΘΗΜΑ

Η ΑΘΗΝΑ = ATHENS

βλασταίνω = I sprout, grow

ο φιλοξενούμενος, η = guest

επιθυμώ (πεθυμώ) =
I desire, long for

το λεωφορείο = bus

η πλατεία = square

ο υπόγειος σιδηρόδρομος

το μετρό = the underground

η στήλη =column

το αφεντικό = boss

ο ρυθμός = style, rhythm

το σύνταγμα = constitution

ό,τι = whatever

το λαχείο = raffle

ανυπομονώ = I am anxious

η ψυχή = heart, soul

το πεζοδρόμιο = pavement

η ταμπέλα = the sign

το κοντάρι = spear

απολυταρχικός,η, ο =
absolute

κλασικός, η, ο = classical

Την άλλη μέρα οι φιλοξενούμενοι του κ. Σωκράτη ξύπνησαν πολύ νωρίς. Όλοι ανυπομονούσαν να δούνε την Αθήνα, να θαυμάσουνε την πόλη που διάβασαν τόσα πολλά γι αυτή. Όταν ήταν όλοι έτοιμοι, πήραν το λεωφορείο και ξεκίνησαν.

« Εδώ είναι η πλατεία της Ομόνοιας» είπε ο κ. Σωκράτης. Είναι το κέντρο της Αθήνας. Υπάρχει επίσης υπόγειος σιδηρόδρομος - το μετρό. Η πλατεία είναι γεμάτη από κόσμο. Όλοι μιλάνε δυνατά. Άλλοι πουλάνε ζεστά κουλούρια, άλλοι λαχεία, παγωτά, ό, τι φανταστείς και ό, τι επιθυμεί η ψυχή σου.

Τα καταστήματα είναι στολισμένα με όλα τα είδη ρουχισμού και μάλιστα της τελευταίας μόδας. Υπάρχουν επίσης βιβλιοπωλεία και εστιατόρια με τραπέζια και καρέκλες έξω στο πεζοδρόμιο. «Βλέπετε κάνει τόση ζέστη εδώ, που αναγκαζόμαστε να τρώμε έξω», είπε η κυρία Αθηνά.

315

Ο Πέτρος προσπαθεί να διαβάσει συλλαβιστά μια ταμπέλα που έγραφε: «ΚΑΦΕΝΕΙΟ». Εδώ πηγαίνει καθένας να πιει καφέ ή κανένα αναψυκτικό, να διαβάσει την εφημερίδα του και να κουβεντιάσει για πολιτικά ή ο,τιδήποτε άλλο, εξήγησε ο Σοφοκλής.

« Γιατί η Αθήνα είναι γεμάτη από περίπτερα»; ρώτησε η Σοφία. « Στα περίπτερα, » της εξήγησε η κυρία Αθηνά, «ένας μπορεί να αγοράσει εφημερίδες, περιοδικά, τσιγάρα, σπίρτα, σοκολάτες, κάρτες, ενθύμια και άλλα πράγματα. Ο κάθε Έλληνας θέλει να κάνει το μικρό - επιχειρηματία, θέλει να είναι ο ίδιος το αφεντικό!»

Σε λίγο μπαίνουν στην οδό Πανεπιστημίου. Στα αριστερά βλέπουν την Εθνική Βιβλιοθήκη, το Πανεπιστήμιο και την Ακαδημία. Τρία ωραιότατα κτίρια χτισμένα σε κλασικό ρυθμό.

Προχωρώντας φτάνουν στην Πλατεία Συντάγματος. Εδώ στα 1843, ο λαός ξεσηκώθηκε και ζητούσε σύνταγμα από το βασιλιά Όθωνα που κυβερνούσε απολυταρχικά. Από τότε πήρε το όνομά της η πλατεία.

Μετά το Σύνταγμα πλησιάζουν στις στήλες του Ολυμπίου Δία. Εδώ κάποτε βρισκόταν ο ναός του Δία. Ανεβαίνουν μετά στην Ακρόπολη. Εκεί βρίσκονται τουρίστες από πολλές χώρες, από τη Γερμανία, Γαλλία, Αμερική, Ελβετία, Αγγλία κλπ.

Τι υπέροχο θέαμα ο Παρθενώνας στ᾽ αλήθεια! Ο ναός αυτός χτίστηκε τον 5ο αιώνα πριν το Χριστό από το Φειδία, τον Ικτίνο και τον Καλλικράτη, την εποχή του Περικλή. Ο ναός ήταν αφιερωμένος στην παρθένα θεά Αθηνά γι᾽ αυτό πήρε το όνομα Παρθενώνας, δηλαδή ο ναός της Παρθένας θεάς.

316

Δίπλα στον Παρθενώνα βρίσκεται το Ερέχθειο με τις Καρυάτιδες. Πιο πέρα είναι μια γέρικη ελιά. Πολλοί λένε ότι είναι η ελιά που βλάστησε όταν η Αθηνά συναγωνιζόμενη τον Ποσειδώνα στο ποιος θα δώσει το όνομα του στην πόλη, χτύπησε το κοντάρι της στον ιερό βράχο της Ακρόπολης.

Οι τουρίστες βγάζουν αναμνηστικές φωτογραφίες συνεχώς. Από την Ακρόπολη βλέπουν ολόκληρη την Αθήνα να ξαπλώνεται τριγύρω. Λίγο πιο πέρα υπάρχουν άλλοι λόφοι, του Λυκαβητού και του Φιλοπάππου.

Φεύγοντας από την Ακρόπολη κατεβαίνουν προς την Πλάκα. Στενά δρομάκια, μαγαζιά με όλα τα είδη ενθύμια για τους τουρίστες. Κάθονται σε μια ταβερνούλα για να πάρουνε κάτι.

The Parthenon

317

EXERCISE 27

Answer in Greek

1. Γιατί ξύπνησαν νωρίς οι ξένοι;
2. Πώς ταξίδεψαν στο κέντρο της πόλης;
3. Τι είδαν στην πλατεία της Ομόνοιας;
4. Τι είναι το καφενείο;
5. Τι μπορούμε να αγοράσουμε από το περίπτερο;
6. Πώς είναι χτισμένη η Ακαδημία;
7. Τι έγινε στα 1843 στην Αθήνα;
8. Ποιος έχτισε τον Παρθενώνα;
9. Γιατί ονομάστηκε ο Παρθενώνας έτσι;
10. Τι υπάρχει στην Πλάκα;

EXERCISE 28

Write about 80 - 100 words

Ο καλύτερος μου φίλος / Η καλύτερη μου φίλη

ΣΥΝΔΙΑΛΕΞΗ - ΜΙΑ ΓΝΩΡΙΜΙΑ
CONVERSATION - A MEETING

- Είστε Άγγλος;
- Μάλιστα. Είμαι Άγγλος αλλά δε γνωρίζω καλά τα Ελληνικά. Θέλω όμως να τα μάθω. Εσείς πρέπει να είστε Έλληνας.
- Μάλιστα. Είμαι Έλληνας. Μένω στην Αθήνα. Είμαι καθηγητής. Πόσο καιρό είστε στην Αθήνα;
- Ήρθα στην Αθήνα με τη γυναίκα μου και τα δυο μου παιδιά πριν πέντε μέρες. Μας αρέσει η Ελλάδα πολύ. Θα μείνουμε εδώ για τρεις βδομάδες. Μετά θα γυρίσουμε στο Λονδίνο.
- Τι είδατε στην Αθήνα ως τώρα;
- Πήγαμε στην Ακρόπολη και είδαμε τον Παρθενώνα και το Ερέχθειο. Πήγαμε επίσης στο Αρχαιολογικό και στο Βυζα-

318

ντινό Μουσείο.

- Έχετε πάει στις ταβέρνες;
- Ναι, πήγαμε χτες το βράδυ με μερικούς φίλους και ήπιαμε ρετσίνα. Ακούσαμε ελληνική μουσική στο μπουζούκι. Είδαμε μερικούς να χορεύουν τον χορό του Ζορμπά και ενθουσιαστήκαμε.
- Πού σκοπεύετε να πάτε αύριο;
- Αύριο σκοπεύουμε να πάμε στην Αίγινα. Θα πάρουμε το καράβι από τον Πειραιά.
- Θα θέλατε να έρθετε στο σπίτι μου να γνωρίσετε και την οικογένεια μου;
- Ναι, θα χαρούμε πολύ, έτσι θα μπορέσω να εξασκηθώ με τα Ελληνικά μου.
- Πολύ καλά, να έρθετε την Πέμπτη το βράδυ στις οκτώ. Μένουμε στην Οδό Καλλικράτη αριθμός 10.
- Ευχαριστώ πολύ. Χάρηκα πολύ που γνωριστήκαμε.
- Και εγώ επίσης. Γεια σας.
- Γεια σας. Θα σας δούμε την Πέμπτη.

EXERCISE 29
Write about 80 - 100 words:
Οι διακοπές μου - My holidays

Ο ναός του Ποσειδώνα στο Σούνιο

319

ΔΕΚΑΤΟ - ΠΕΜΠΤΟ ΜΑΘΗΜΑ
Ο ΠΕΙΡΑΙΑΣ = PIREAS

η τύχη = fate, fortune
διασχίζω = I traverse, cut across
φορτώνω = I load
ξεφορτώνω = I unload
το εμπόρευμα = merchandise, cargo
η συνοικία = district
τραβώ = I pull, I head for
το υπερωκεάνιο = ship liner
ήδη = already
το εμπορικό πλοίο = cargo ship

το ατσάλι = steel
αράζω = berth, moor
αραγμένος, η, ο = moored berthed
ο γερανός = crane
το ταμείο = ticket office
ο εργάτης = worker
η αποθήκη = warehouse
το εργοστάσιο = factory
η καπνοδόχος = chimney
η βιομηχανία = industry
η ξενιτιά = abroad

Σήμερα είναι Πέμπτη. Πέρασαν ήδη τρεις μέρες από τότε που έφτασαν οι Άγγλοι φίλοι του κ. Σωκράτη. Σήμερα θέλουν να επισκεφτούνε τον Πειραιά. Θέλουν να πάνε μόνοι γιατί θέλουν να μάθουν τους δρόμους. Παίρνουν το λεωφορείο και πάνε στην πλατεία της Ομόνοιας. Εκεί κατεβαίνουν στο υπόγειο μαζί με εκατοντάδες άλλους ανθρώπους, που άλλοι πάνε για να ψωνίσουν από τα υπόγεια καταστήματα και άλλοι για να πάρουν τον υπόγειο ηλεκτρικό σιδηρόδρομο (το μετρό) και να πάνε στα σπίτια τους ή στις δουλειές τους.

Ο κ. Ροβέρτος πηγαίνει στο «Ταμείο» και λέγει: «Τέσσερα εισιτήρια για τον Πειραιά, παρακαλώ». Μετά μπαίνουν στο τρένο και σε λίγο φτάνουν.

Ο Πειραιάς είναι το μεγαλύτερο λιμάνι της Ελλάδας. Εδώ κάθε μέρα φτάνουν πολλά πλοία από άλλα λιμάνια. Μεγάλα υπερωκεάνια και πολλά εμπορικά πλοία είναι αραγμένα εκεί. Τεράστιοι ατσαλένιοι γερανοί και χιλιάδες εργάτες φορτώνουν και ξεφορτώνουν τα εμπορεύματα.

320

Κοντά στο λιμάνι υπάρχουν μεγάλες αποθήκες εμπορευμάτων και από εκεί ξεκινούν οι σιδηρόδρομοι, που διασχίζουν όλη την Ελλάδα.

Κοντά σ' ένα πλοίο είναι μαζεμένος πολύς κόσμος. Πλησιάζουν και ακούνε κλάματα από γριές, μητέρες και τα αδέλφια. Κλαίνε γιατί αγαπημένα τους πρόσωπα φεύγουν για την ξενιτιά για να βρούνε μια καλύτερη τύχη και να βοηθήσουν τις φτωχές οικογένειές τους.

Πέρα από το λιμάνι υψώνονται οι καπνοδόχοι πολλών μικρών και μεγάλων εργοστασίων. Σ' αυτά εργάζονται χιλιάδες εργάτες και πολλοί μηχανικοί και παράγονται πολλά βιομηχνικά προϊόντα. Ο Πειραιάς είναι το μεγαλύτερο βιομηχανικό κέντρο της Ελλάδας.

Μια όμορφη συνοικία του Πειραιά είναι η Καστέλα γύρω από το Μικρολιμάνι. Εδώ σταμάτησε η οικογένεια του κ. Ροβέρτου για να γευματίσει.

Εκεί, σε μια ταβέρνα φάγανε φρέσκο ψάρι με πατάτες, κεφτέδες και μια πλούσια χωριάτικη σαλάτα. Μετά φάγανε καρπούζι και πεπόνι. Ήπιαν επίσης ένα μπουκάλι παγωμένη ρετσίνα.

Το απόγευμα τράβηξαν στα νοτιοανατολικά του Πειραιά. Είδαν τις συνοικίες Παλαιό και Νέο Φάληρο, Καλαμάκι, 'Αλιμος, Ελληνικό, όπου βρίσκεται το μεγάλο αεροδρόμιο, Γλυφάδα, Βούλα και τελικά σταμάτησαν στη Βουλιαγμένη για να κάνουνε κολύμπι.

EXERCISE 30

Απαντήστε τις ερωτήσεις:
1. Πώς ταξίδεψαν από την Ομόνοια στον Πειραιά;
2. Τι είδαν στον υπόγειο της Ομόνοιας;
3. Γιατί πήγε ο κ. Ροβέρτος στο Ταμείο;

4. Τι είδαν όταν έφτασαν στο λιμάνι;

5. Γιατί ήταν μαζεμένος πολύς κόσμος;

6. Πού δουλεύουν οι εργάτες;

7. Πού σταμάτησε η οικογένεια για το γεύμα της;

8. Τι φάγανε και τι ήπιανε;

9. Πού πήγανε μετά το φαγητό τους;

10. Πού πήγαν για κολύμπι;

EXERCISE 31

Write about 80 - 100 words:

Ένας Ελληνικός γάμος - A Greek wedding

ΣΥΝΔΙΑΛΕΞΗ - ΣΤΟ ΕΣΤΙΑΤΟΡΙΟ
CONVERSATION - AT THE RESTAURANT

- Γκαρσόν, τον κατάλογο σας παρακαλώ.

- Ορίστε, κύριε, διατάξετε ό,τι προτιμάτε.

- Τι έχετε σήμερα;

- Σήμερα έχουμε ωραιότατο αρνί ψητό, έχουμε επίσης φρέσκα ψάρια. Έχουμε φρέσκο μπαρμπούνι, αν σας αρέσει. Θέλετε να πιείτε κάτι πριν αρχίσετε;

- Ναι, φέρτε μας ένα μπουκάλι παγωμένη ρετσίνα.

- Αποφασίσατε τι θα πάρετε;

- Εγώ θα φάω αρνί ψητό, η Μαρία προτιμά ψάρι μπαρμπούνι και ο Χριστόφορος προτιμά σουβλάκια και πατάτες τηγανητές.

- Μήπως θέλετε τίποτε άλλο να σας φέρω;

- Ναι, μια χωριάτικη σαλάτα.

- Ορίστε, τα φαγητά σας. Τι φρούτα προτιμάτε να πάρετε;

- Να μας φέρετε ροδάκινα, πεπόνι και καρπούζι.

- Ορίστε τα φαγητά σας. Καλή όρεξη.

- Γκαρσόν, το λογαριασμό παρακαλώ.

- Ο λογαριασμός σας κύριε. Είναι 6,500 δραχμές.

- Ορίστε 7,000 δραχμές. Κρατήστε τα ρέστα.

- Ευχαριστώ κύριε.

EXERCISE 32

Write about 80 - 100 words:

A short conversation between a waiter and a customer.

'Ενα γκαρσόνι και ένας πελάτης

Το λιμάνι του Πειραιά

ΔΕΚΑΤΟ - ΕΚΤΟ ΜΑΘΗΜΑ

ΣΤΗΝ ΠΕΛΟΠΟΝΝΗΣΟ = IN PELOPONNESE

η γέφυρα = bridge
ενώνω = I join, unite
το κανάλι = canal
αποχωρίζω = I separate
κηρύσσω = I preach
η εκστρατεία = expedition
το εργαστήριο = workshop
υπόλοιπος, η, ο = remainder
η Αποκριά =
last Sunday before Lent.

ίσιος, α, ο = straight
τεχνητός, η, ο = artificial
η βιοτεχνία = handicraft
η παρέλαση = parade
το καρναβάλι = carnival
ο πολιούχος = patron saint
ο ισθμός = canal, isthmus
η Στερεά Ελλάδα = Central
Greece

Το Σάββατο το πρωί οι δυο οικογένειες ξεκίνησαν με τα αυτοκίνητά τους για να πάνε στην Επίδαυρο. Ήθελαν να δουν μια αρχαία τραγωδία στο θέατρο της Επιδαύρου. Θα παρουσιαζόταν η «Αντιγόνη» του Σοφοκλή.

Ύστερα από λίγη ώρα ταξίδι έφτασαν στην Κόρινθο. Κάθισαν σε ένα κέντρο (καφετερία) κοντά στον ισθμό της Κορίνθου για να πιούνε κάτι. Ο κ. Σωκράτης τους μίλησε για την Πελοπόννησο. Τους είπε ότι πήρε το όνομά της από το μυθικό βασιλιά Πέλοπα και ότι λέγεται και Μοριάς.

Όταν τελείωσαν τα αναψυκτικά τους στάθηκαν στη γέφυρα του Ισθμού της Κορίνθου που ένωνε άλλοτε την Πελοπόννησο με τη Στερεά Ελλάδα. Στα 1893 στο πιο στενό μέρος του Ισθμού ανοίχτηκε ένα τεράστιο κανάλι και έτσι η Πελοπόννησος αποχωρίστηκε από την υπόλοιπη Ελλάδα.

Επισκέφτηκαν ύστερα την αρχαία Κόρινθο και τη νέα πόλη της Κορίνθου που έχει 25, 000 κατοίκους. Είδαν τον επιβλητικό ναό του Αγίου Παύλου γιατί όπως ξέρουμε ο Άγιος Παύλος πήγε εκεί να κηρύξει το χριστιανισμό. Μετά ξεκίνησαν για το Άργος που ήταν για πολλά χρόνια κέντρο του Μυκηναϊκού πολιτισμού. Λίγο πιο πέρα από την πόλη βρίσκονται οι Μυκήνες όπου κάποτε βασίλευε ο Αγαμέμνωνας ο αρχηγός της εκστρατείας στην Τροία για να φέρει πίσω την «Ωραία Ελένη». Το Άργος σήμερα είναι μια πόλη με 22.000 κατοίκους. Στο Άργος σταμάτησαν για να φάνε. Το απόγευμα ξεκίνησαν για το Ναύπλιο που για λίγα χρόνια ήταν πρωτεύουσα της Ελλάδας (1821).

Όταν ο ήλιος πήγαινε να βασιλέψει έφτασαν στην Επίδαυρο. Εκεί ήταν εκατοντάδες αυτοκίνητα και πολύς κόσμος. Πιο πέρα βρίσκεται και το αρχαίο θέατρο της Επιδαύρου.

Το βράδυ παρακολούθησαν την τραγωδία και μετά επέστρεψαν στην Κόρινθο όπου έμεινε τη νύχτα η οικογένεια του κ. Ροβέρτου ενώ ο κ. Σωκράτης γύρισε με την οικογένειά του στην Αθήνα.

Το άλλο πρωί η οικογένεια Ροβέρτου ξεκίνησε από την Κόρινθο για να πάει στην Πάτρα. Πέρασαν από το Ξυλόκαστρο, το Αίγιο και έφτασαν στην Πάτρα. Η Πάτρα είναι ωραία πόλη με ίσιους δρόμους και μεγάλες πλατείες. Εδώ στην Πάτρα γεννήθηκε και ο μεγάλος ποιητής Κωστής Παλαμάς. Το συγχρονισμένο τεχνητό λιμάνι της Πάτρας έχει μεγάλη κίνηση. Στο κέντρο της πόλης υπάρχουν μεγάλα και ωραία καταστήματα και πολλά εργαστήρια βιοτεχνίας. Πολιούχος άγιος της Πάτρας είναι ο Άγιος Ανδρέας.

Κάθε χρόνο την Άνοιξη, τις Αποκριές στην Πάτρα οργανώνεται μεγάλη παρέλαση καρναβαλιού. Τότε συγκεντρώνονται εκεί χιλιάδες επισκέπτες απ' όλα τα μέρη της Ελλάδας.

Την επόμενη μέρα ξεκίνησαν για την αρχαία Ολυμπία και μετά κατέβηκαν κάτω στη Σπάρτη και στο Μυστρά. Ο κ. Ροβέρτος που ήξερε την ελληνική ιστορία εξηγούσε στην οικογένειά του το καθετί που έβλεπαν.

EXERCISE 33

Απαντήστε τις ερωτήσεις:

1. Γιατί πήγαν οι δυο οικογένειες στην Επίδαυρο;
2. Πού σταμάτησαν για να πιούνε κάτι;
3. Πότε ανοίχτηκε ο Ισθμός της Κορίνθου;
4. Ποιος ήταν ο Αγαμέμνωνας;
5. Πού σταμάτησαν για να φάνε;
6. Τι είδαν όταν έφτασαν στην Επίδαυρο;
7. Ποιος Έλληνας ποιητής γεννήθηκε στην Πάτρα;
8. Τι γίνεται στην Πάτρα κάθε χρόνο την Άνοιξη;
9. Πού πήγε η οικογένεια μετά από την Πάτρα;
10. Τι εξηγούσε ο κ. Ροβέρτος στην οικογένεια;

EXERCISE 34

Write about 80 - 100 words:

Ένα πρόγραμμα στην τηλεόραση που μου άρεσε.

ΣΥΝΔΙΑΛΕΞΗ - ΣΤΟ ΞΕΝΟΔΟΧΕΙΟ
CONVERSATION - AT THE HOTEL

Ξενοδόχος. - Καλημέρα σας κύριε, μπορώ να σας εξυπηρετήσω;

Σμιθ. - Καλημέρα σας. Ενδιαφέρομαι να κρατήσω δύο δωμάτια, για μια βδομάδα.

- Τι δωμάτια θέλετε, δίκλινα ή μονόκλινα;

- Θα ήθελα ένα δίκλινο για μένα και τη γυναίκα μου και

ένα δίκλινο για τα δύο παιδιά μας.

- Πολύ ωραία. Στον δεύτερο όροφο έχουμε διαθέσιμα (ελεύθερα) δύο δίκλινα δωμάτια.

- Πόσο θα κοστίσουν τα δύο δωμάτια μαζί;

- Είναι 5,000 δραχμές την ημέρα το καθένα. Δηλαδή 10,000 δραχμές και τα δύο.

- Η τιμή συμπεριλαμβάνει και το πρόγευμα;

- Όχι, δυστυχώς. Αν θέλετε, μπορείτε να πληρώσετε 500 δραχμές για το κάθε άτομο.

- Εντάξει. Θα έχουμε και πρόγευμα. Θέλετε να σας πληρώσουμε τώρα ή στο τέλος;

- Μπορείτε να πληρώσετε στο τέλος της παραμονής σας. Απλά υπογράψετε εδώ και αφήστε το διαβατήριο σας. Ο μικρός θα πάρει τις βαλίτσες σας πάνω στα δωμάτιά σας. Σας ευχόμαστε ευχάριστη διαμονή στο ξενοδοχείο μας.

- Ευχαριστώ, ευχαριστούμε.

EXERCISE 35

Write about 80 - 100 words

Write a short conversation between a customer and the Receptionist at a hotel.

ΔΕΚΑΤΟ - ΕΒΔΟΜΟ ΜΑΘΗΜΑ

ΣΤΗ ΘΕΣΣΑΛΟΝΙΚΗ = IN THESSALONIKI

ο γύρος = the round (tour)
η παραλία = sea - front
αποφασίζω = I decide
νοικιάζω = I hire, rent
η εθνική οδός = motorway
το Δημαρχείο = Town Hall
η επανάσταση revolution
οδηγώ = I drive
εξαργυρώνω = I change
(money)

η βενζίνη = petrol
η κοιλάδα = valley
τα σύνορα = borders
ο πύργος = tower
η έκθεση = exhibition
το άγαλμα = statue
η κορυφή = peak, summit
ο ήρωας = hero
αποφεύγω = I avoid

Μετά το γύρο της Πελοποννήσου η οικογένεια Ροβέρτου ήθελε να πάει στη Θεσσαλονίκη. Έτσι λοιπόν αποφάσισαν να πάνε με το αυτοκίνητο που είχαν νοικιάσει για να δούνε και τα βόρεια μέρη της Ελλάδας.

Ξεκίνησαν από την Αθήνα στις έξι το πρωί γιατί ο κ. Ροβέρτος δεν ήθελε να οδηγά όταν κάνει ζέστη. Μπαίνουν στην εθνική οδό και σε λίγη ώρα φτάνουν κοντά στη Θήβα. Κάνουν ένα σύντομο σταθμό και μετά ξεκινάνε για τη Λαμία. Εκεί κοντά βρίσκεται και ένα ωραίο άγαλμα του Αθανάσιου Διάκου ήρωα της επανάστασης του 1821. Συνεχίζουν και φτάνουν στο Βόλο την περίφημη περιοχή για τις ελιές της. Εκεί σταματάνε για να φάνε, να ξεκουραστούν λίγο και να βάλουνε και βενζίνα στο αυτοκίνητο. Στο Βόλο έμειναν για λίγες ώρες μέχρι να γίνει δροσερό το απόγευμα.

Κατά τις πέντε το απόγευμα ξεκίνησαν. Περνάνε από τη Λάρισσα και την κοιλάδα των Τεμπών που είναι ένας μαγευτικός τόπος. Πάνω από την κοιλάδα των Τεμπών, στα σύνορα Θεσσαλίας και Μακεδονίας, υψώνονται οι κορυφές του Ολύμπου. Εδώ, πίστευαν οι αρχαίοι Έλληνες, πως κατοικούσαν οι Θεοί. Η Θεσσαλία είναι μια απέραντη πεδιάδα. Σε λίγο φτάνουν στην Κατερίνη που βρίσκεται στη Μακεδονία. Η Μακεδονία είναι η πατρίδα του Μεγάλου Αλεξάνδρου. Εκεί επίσης γεννήθηκε ο φιλόσοφος Αριστοτέλης.

Έφτασαν επί τέλους στη Θεσσαλονίκη. Η Θεσσαλονίκη χτίστηκε στα 315 π. Χρ. από το βασιλιά της Μακεδονίας τον Κάσσανδρο και της έδωσε το όνομα της γυναίκας του Θεσσαλονίκης που ήταν αδελφή του Μεγάλου Αλεξάνδρου.

Το πιο επιβλητικό σημείο της πόλης είναι ο Λευκός Πύργος. Κοντά στον Πύργο είναι το Θέατρο, ο Δημοτικός Κήπος, το Αρχαιολογικό Μουσείο και ο χώρος της Διεθνούς Έκθεσης Θεσσαλονίκης.

Στη Θεσσαλονίκη γεννήθηκε, έζησε και μαρτύρησε ο Άγιος Δημήτριος. Στη θέση όπου μαρτύρησε υψώνεται ο μεγαλοπρεπής ναός του Αγίου Δημητρίου. Εκεί επίσης υπάρχει το ωραίο Πανεπιστήμιο της Θεσσαλονίκης. Το 863 οι αδελφοί Μεθόδιος και Κύριλλος διέδωσαν το χριστιανισμό στους Σλάβους και εφεύραν τη σλαβική γραφή.

Στο κέντρο της πόλης βρίσκεται η αγορά με μεγάλα και ωραία καταστήματα, το Δημαρχείο, οι τράπεζες και πολλά μεγάλα ξενοδοχεία. Κεντρικοί δρόμοι της Θεσσαλονίκης είναι η οδός Μεγάλου Αλεξάνδρου, η οδός Αριστοτέλη και η Εγνατία οδός.

Η Θεσσαλονίκη είναι το δεύτερο μεγαλύτερο λιμάνι της Ελλάδας. Κοντά στο Λευκό Πύργο, στην παραλία βρίσκονται πολλά εστιατόρια, καφενεία, και κέντρα όπου κάθονται απέξω πολλοί πίνοντας το ουζάκι τους.

EXERCISE 36

Απαντήστε τις ερωτήσεις:
 1. Γιατί ξεκίνησαν για τη Θεσσαλονίκη πολύ πρωί;
 2. Ποιος ήταν ο πρώτος τους σταθμός;
 3. Τι είναι γνωστότατος ο Βόλος;
 4. Τι είναι τα Τέμπη;
 5. Ποιους μεγάλους άντρες έβγαλε η Μακεδονία;
 6. Ποιος έχτισε τη Θεσσαλονίκη και πότε;
 7. Από πού πήρε το όνομά της η Θεσσαλονίκη;
 8. Ποιος άγιος έζησε στη Θεσσαλονίκη;
 9. Ποια αξιοθέατα μπορούμε να δούμε εκεί;
10. Τι μπορούμε να δούμε στην παραλία;

Το μνημείο του Μεγ. Αλεξάνδρου στη Θεσσαλονίκη.

EXERCISE 37

Write about 80 - 100 words

Μια επίσκεψη που έκανα

ΣΥΝΔΙΑΛΕΞΗ - ΣΤΗΝ ΤΡΑΠΕΖΑ
CONVERSATION - AT THE BANK

- Καλημέρα κυρία Γκόρτον, πού πάτε πρωί, πρωί;
- Καλημέρα κ. Χρίστο. Πάω στην τράπεζα.
- Σε ποια τράπεζα πάτε;
- Θα πάω στην πιο κοντινή, γιατί θέλω να αλλάξω/ εξαργυρώσω μια επιταγή και μερικά δολάρια.
- Η Εθνική Τράπεζα της Ελλάδας είναι στον επόμενο δρόμο, στα δεξιά.
- Ευχαριστώ, θα πάω εκεί. (Στην Τράπεζα).

Υπάλληλος: - Καλημέρα σας κυρία. Μπορώ να σας εξυπηρετήσω;
- Πού μπορώ να εξαργυρώσω μια ταξιδιωτική επιταγή, παρακαλώ;
- Μπορείτε να την εξαργυρώσετε εδώ.
- Πόσες δραχμές πάει η λίρα Αγγλίας σήμερα; Πόσο πάει το Αμερικάνικο δολάριο;
- Το Αμερικάνικο δολάριο έχει 180 δραχμές και η Αγγλική λίρα έχει τώρα 320 δραχμές. Πόσες λίρες και πόσα δολάρια θέλετε να αλλάξετε;
- Η επιταγή είναι για 100 λίρες. Έχω και 100 δολάρια.
- Το διαβατήριο σας παρακαλώ.
- Ορίστε η επιταγή, τα δολάρια και το διαβατήριό μου.
- Πρέπει να υπογράψετε εδώ παρακαλώ. Πηγαίνετε τώρα στο ταμείο να πάρετε τα λεφτά σας.
- Πού είναι το ταμείο;
- Πιο κάτω στα αριστερά.
- Σας ευχαριστώ, χαίρετε.

331

EXERCISE 38

Write about 80 - 100 words:

Το καλοκαίρι. - Summer

A Greek taverna

ΔΕΚΑΤΟ - ΟΓΔΟΟ ΜΑΘΗΜΑ

ΣΤΗΝ ΚΡΗΤΗ = IN CRETE

η βιοτεχνία = handicraft
η αλληλογραφία = correspondence
αποχαιρετώ = I say goodbye
η διευθέτηση = arrangement
η μοίρα = fate, destiny
η γενέτειρα = birthplace
υψώνω = I raise
η αναγέννηση = renaissance

ο πολιτικός = statesman
ο συγγραφέας = author
ο ναυτικός = seaman
ανατρέφω = I bring up
ο αγρότης = farmer
το εμπόριο = commerce, trade
τα ερείπια = ruins
υπόσχομαι = I promise
τακτικός, η, ο = regular
διάσημος, η, ο = famous

Οι 'Αγγλοι επισκέπτες έμειναν στην Ελλάδα για τρεις βδομάδες. Είδαν σχεδόν όλη την Ελλάδα. 'Εμειναν κατενθουσιασμένοι από ό,τι είδαν και από όπου πήγαν. 'Ηρθε όμως ο καιρός να γυρίσουν στο Λονδίνο. Τα παιδιά φίλεψαν πολύ και υποσχέθηκαν ότι θα έχουν τακτική αλληλογραφία. Πήγαν στο αεροδρόμιο και αποχαιρέτησαν τους φίλους τους που τους υποσχέθηκαν ότι θα ξαναγυρίσουν του χρόνου. Τους κάλεσαν και αυτοί να επισκεφτούν το Λονδίνο.

333

Στο μεταξύ, ο κ. Σωκράτης είχε κάνει διευθετήσεις για να πάει με την οικογένειά του στην Κρήτη και στην Κύπρο για λίγες μέρες. Τα παιδιά αγωνιούσαν να δούνε αυτά τα δυο μεγάλα νησιά, που είχανε κοινή ιστορία και την ίδια μοίρα.

Τη Δευτέρα πήγαν στο αεροδρόμιο και πήραν το αεροπλάνο για το Ηράκλειο. Στην Κρήτη ζουν σήμερα 500,000 άνθρωποι. Οι πιο πολλοί είναι αγρότες. 'Αλλοι είναι ψαράδες και ναυτικοί και άλλοι ασχολούνται με το εμπόριο, τη βιοτεχνία, ή δουλεύουν στα λίγα εργοστάσια του νησιού.

Στην Κρήτη υψώνονται τα βουνά: τα Λευκά όρη, ο Ψηλορείτης (ή 'Ιδη) όπου ανατράφηκε ο Δίας, η Δίκτη και τα βουνά της Σητείας. Το Ηράκλειο είναι η πιο μεγάλη πόλη της Κρήτης με 115,000 κατοίκους. Το Ηράκλειο παλαιότερα λεγόταν Χάνδακας και από τους Τούρκους λεγόταν Κάστρο.

Κοντά στο Ηράκλειο βρίσκονται τα ερείπια της Κνωσσού. Εδώ, στα πανάρχαια χρόνια, ήταν το παλάτι του βασιλιά Μίνωα και στο λαβύρινθο βρισκόταν ο Μινώταυρος που τελικά τον σκότωσε ο Θησέας.

Η δεύτερη μεγαλύτερη πόλη της Κρήτης είναι τα Χανιά με κάπου 65,000 κατοίκους. 'Αλλες πόλεις είναι ο 'Αγιος Νικόλαος, η Σητεία η γενέτειρα του ποιητή Βιτζέντζου Κορνάρου, η Ιεράπετρα, το Ρέθυμνο κ.ά.

Στην Κρήτη γεννήθηκε ο διάσημος ζωγράφος της Αναγέννησης ο Δομίνικος Θεοτοκόπουλος, γνωστός σ' όλο τον κόσμο σαν Ελ Γκρέκο, ο μεγάλος έλληνας πολιτικός Ελευθέριος Βενιζέλος (1864 - 1936) και ο συγγραφέας Νίκος Καζαντζάκης (1883 - 1957) που έγραψε τον «Αλέξη Ζορμπά». Στην Κρήτη η οικογένεια Σωκράτη έμεινε μια βδομάδα.

EXERCISE 39

Απαντήστε τις ερωτήσεις:
1. Πόσο καιρό έκαναν οι Άγγλοι στην Ελλάδα;
2. Πώς ταξίδεψε η οικογένεια στην Κρήτη;
3. Με τι δουλειές ασχολούνται οι Κρητικοί;
4. Ποια βουνά υπάρχουν στην Κρήτη;
5. Τι υπάρχει στην Κνωσό;
6. Ποιες πόλεις έχει η Κρήτη;
7. Ποιος Κρητικός ήταν μεγάλος πολιτικός;
8. Ποιος έγραψε το βιβλίο «Ο Ζορμπάς»;
9. Πόσος είναι ο πληθυσμός της Κρήτης;
10. Ποιος ποιητής γεννήθηκε στη Σητεία;

Ελευθέριος Βενιζέλος
1864 - 1936

Νίκος Καζαντζάκης
1883 - 1957

EXERCISE 40

Write about 80 - 100 words
Μια επίσκεψη σε ένα νησί

ΣΥΝΔΙΑΛΕΞΗ - ΣΤΟ ΠΕΡΙΠΤΕΡΟ
CONVERSATION - AT THE KIOSK

- Έχετε αγγλικές εφημερίδες και περιοδικά;
- Μάλιστα κύριε, στο περίπτερο μας θα βρείτε ξένες εφημερίδες και περιοδικά.
- Δώστε μου την εφημερίδα OBSERVER. Μήπως έχετε και αγγλικά περιοδικά;
- Μάλιστα κύριε. Ποιο περιοδικό θέλετε;
- Δώστε μου το περιοδικό Economist. Επίσης δέκα κάρτες από διάφορα μέρη της Ελλάδας.
- Ορίστε.
- Πόσο κάνουνε;
- Κάνουνε όλα μαζί οκτακόσιες πενήντα δραχμές. Θέλετε να διαβάσετε και ένα Ελληνικό περιοδικό;
- Ναι, δώστε μου το περιοδικό «Ταχυδρόμος» και μια ελληνική εφημερίδα, τα «Νέα».
- Ορίστε κύριε, όλα μαζί χίλιες πενήντα δραχμές.
- Έχετε ρέστα από δύο χιλιάρικα; Δεν έχω ψιλά.
- Μάλιστα, ορίστε τα ρέστα σας.
- Ευχαριστώ , γεια σας.
- Γεια σας.

EXERCISE 41

Write about 80 - 100 words
Σε ένα περίπτερο.

ΔΕΚΑΤΟ - ΕΝΑΤΟ ΜΑΘΗΜΑ
ΣΤΗΝ ΚΥΠΡΟ = IN CYPRUS

η εισβολή = invasion
εισβάλλω = to invade
πολυβασανισμένος, η =
long suffering
αράζω = to berth
ο μεσαίωνας = Middle ages
το τμήμα = part, section
η αυτοκρατορία = empire
κουρσεύω = conquer, pillage
αυθόρμητος, η, = spontaneous
κατακτώ = to occupy
η κοινότητα = community
ο καταυλισμός = camp

κηρύσσω = I preach
αλματώδης = remarkable
ο πρόσφυγας = refugee
η Δημοκρατία = Republic
η συμφορά = calamity
το πραξικόπημα = coup
το βιοτικό επίπεδο =
standard of living
διώχνω = I expel
η συνθήκη = condition
ο Βενετσιάνος = Venetian
το επιχείρημα = pretext,
excuse

Από την Κρήτη η οικογένεια του κ. Σωκράτη ξεκίνησε με πλοίο για να πάει στην Κύπρο. Όλοι αγωνιούσαν να δούνε το πολυβασανισμένο νησί της Αφροδίτης. Το επόμενο πρωινό το πλοίο άραξε στο λιμάνι της Λεμεσού.

Η Κύπρος όπως και η Κρήτη έχει μεγάλη ιστορία. Την πήραν οι Ασσύριοι, οι Αιγύπτιοι, οι Πέρσες, οι Ρωμαίοι. Το μεσαίωνα αποτελούσε τμήμα της Βυζαντινής αυτοκρατορίας. Στα 1192 την πήραν οι Φράγκοι και την κράτησαν ως τα 1489 που την κυβέρνησαν οι Βενετσιάνοι ως τα 1571. Εκείνη τη χρονιά την κούρσεψαν οι Τούρκοι όπως είχαν κουρσέψει και την υπόλοιπη Ελλάδα νωρίτερα. Στα 1878 το νησί έπεσε στα χέρια των Άγγλων που το κράτησαν ως τα 1960 οπότε έγινε η Κύπρος Ανεξάρτητη Δημοκρατία.

Σ' όλη την ιστορία της, η Κύπρος είχε πολλές συμφο-

337

ρές. Μα η πιο χειρότερη ήταν εκείνη του 1974. Οι Τούρκοι εισέβαλαν στην Κύπρο μετά το πραξικόπημα του Ιούλη. Χρησιμοποίησαν το επιχείρημα ότι κινδύνευε η τουρκική κοινότητα! Κατάχτησαν 40% της Κυπριακής γης διώχνοντας 200,000 Κυπρίους από τα σπίτια τους.

Οι όμορφες πόλεις της Αμμοχώστου, της Κερύνειας, της Μόρφου, βρίσκονται τώρα στην κατοχή των Τούρκων. Χιλιάδες πρόσφυγες ξεριζώθηκαν από τη γη τους και ζούνε τώρα σε δύσκολες συνθήκες στο νότιο μέρος. Ζούνε, όμως με την ελπίδα του γυρισμού.

Η Κύπρος έχει πληθυσμό 680.000. Πρωτεύουσα είναι η Λευκωσία. Άλλες πόλεις είναι η Λεμεσός, η Λάρνακα και η Πάφος. Στην Πάφο, σύμφωνα με την παράδοση, γεννήθηκε και η θεά της ομορφιάς η Αφροδίτη.

Από το 1960 - 1974 η Κύπρος είχε κάνει αλματώδη ανάπτυξη. Ο τουρισμός και η οικονομία του νησιού καθώς και το βιοτικό επίπεδο είχαν αναπτυχθεί. Υπάρχουν αεροδρόμια στη Λάρνακα και στην Πάφο.

Ο Αρχιεπίσκοπος Μακάριος ήταν ο πρώτος Πρόεδρος της Κύπρου (1960 μέχρι το 1977). Η εκκλησία της Κύπρου είναι αυτόνομη από το Πατριαρχείο.

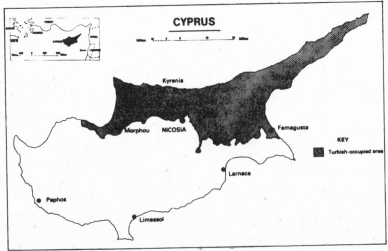

338

Από τότε που έγινε η εισβολή πέρασε πολύς καιρός και ακόμη το Κυπριακό πρόβλημα δε λύθηκε. Οι πρόσφυγες περιμένουν με αγωνία τη μέρα που θα γυρίσουν στην πατρική τους γη.

Στην Κύπρο υπάρχουν δύο οροσειρές: το Τρόοδος και ο Πενταδάκτυλος. Στο κέντρο και ανατολικά του νησιού είναι η εύφορη πεδιάδα της Μεσαορίας. Υπάρχουν τα ερείπια αρχαίων πόλεων στη Σαλαμίνα, στην Πάφο, στην Κερύνεια, στην Αμαθούντα, και αλλού.

Το 45 μ. Χρ. πήγαν στην Κύπρο οι απόστολοι Παύλος και Βαρνάβας για να κηρύξουν το Χριστιανισμό. Πολιούχος άγιος της Κύπρου είναι ο απόστολος Βαρνάβας.

Στην Κύπρο υπάρχουν πολλά μοναστήρια, όπως του Κύκκου, του Απ. Ανδρέα, του Σταυροβουνιού, της Παναγίας του Μαχαιρά, του Απ. Βαρνάβα, του Αγ. Νεοφύτου κ.ά.

Η οικογένεια του κ. Σωκράτη ταξίδεψε σε όλη την ελεύθερη Κύπρο. Θαύμασε τις ομορφιές του νησιού, συγκινήθηκε από την αυθόρμητη φιλοξενία των κατοίκων και έκλαψε όταν είδε τους προσφυγικούς καταυλισμούς. Έκαναν πολλές φιλίες στην Κύπρο και όταν γύρισαν στην Ελλάδα έγραφαν ταχτικά στους φίλους τους.

Ο Δρ. Κύπρος Τοφαλλής με τον Πρόεδρο Μακάριο στο Προεδρικό Μέγαρο, 1973.

339

EXERCISE 42

Απαντήστε τις ερωτήσεις:
1. Σε ποιο λιμάνι έφτασε η οικογένεια Σωκράτη;
2. Ποιοι κυβερνούσαν την Κύπρο από το 1192 - 1489;
3. Πότε πήραν οι 'Αγγλοι την Κύπρο;
4. Πόσος είναι ο πληθυσμός της Κύπρου;
5. Πόσοι πρόσφυγες είναι και που βρίσκονται τώρα;
6. Ποιες πόλεις βρίσκονται κάτω από τους Τούρκους;
7. Πού γεννήθηκε η θεά Αφροδίτη;
8. Τι αναπτύχθηκε στην Κύπρο τα τελευταία χρόνια;
9. Ποιος ήταν ο πρώτος Πρόεδρος της Κύπρου;
10. Ποιοι κήρυξαν το Χριστιανισμό;

EXERCISE 43

Write about 80 - 100 words:
Τι ξέρω για την Κύπρο.

Λευκωσία - Πλατεία Ελευθερίας

ΕΙΚΟΣΤΟ ΜΑΘΗΜΑ

ΧΡΙΣΤΟΥΓΕΝΝΑ - ΠΡΩΤΟΧΡΟΝΙΑ - ΦΩΤΑ
CHRISTMAS - NEW YEAR - EPIPHANY

η παραμονή = eve
ψήνω = I bake
το ηλιοβασίλεμα = sunset
ο βοσκός = shepherd
βελάζω = I bleat
το αμύγδαλο = almond
η καμπάνα = bell
η βασιλόπιτα = New Year cake
ο λόφος = hill
το σωματείο = club
το πεύκο = pine tree
ο αγιασμός = holy water
το κακό πνεύμα = evil spirit

ο λουκουμάς = honey - ball
αλληλοεύχονται = wish each other
ασημένιος, α, ο= silvery
το νόμισμα = coin
ο καλικάντζαρος = goblin
το βαμβάκι = cotton
ραντίζω = I sprinkle
ψάλλω = I chant
νηστήσιμος, η, ο = lenten food
το χάραμα = dawn
η κλήρωση = the draw
τα Επιφάνια = Epiphany

Παραμονή Χριστουγέννων στο χωριό. Το σπίτι μοσχοβολά από καθαριότητα. Η μητέρα κάνει τις προετοιμασίες για τη μεγάλη γιορτή. Ψήνει τα κουλούρια στο φούρνο και η μυρωδιά ξαπλώνεται παντού σ' όλο το χωριό. Το αυτοκίνητο σε λίγο έρχεται απ' την πόλη με τον πατέρα φέρνοντας τα Χριστουγεννιάτικα ψώνια και δώρα, γιατί όλα τα παιδιά θέλουν να φορέσουν κάτι το καινούριο.

Ηλιοβασιλέματα! Η καμπάνα του χωριού χτυπά, καλώντας τους απλοϊκούς χωριάτες στην εκκλησία ν' ακούσουν τη λειτουργία για τη Γέννηση του Χριστού. Την ίδια ώρα ο βοσκός κατεβαίνει το λόφο με τα πρόβατά του. Στην αγκαλιά του κρατεί ένα ολόλευκο αρνάκι που βελάζει.

Τα σχολεία έχουν κλείσει και τα παιδιά νοιώθουν ευτυχισμένα γιατί έχουν τις τόσο όμορφες γιορτές να περάσουν. Μερικά παιδιά παίζουν με αμύγδαλα, άλλα παίζουν ποδόσφαιρο, άλλα κάθονται και λένε ιστορίες, και άλλα βοηθάνε στο σπίτι.

Τα σωματεία είναι στολισμένα με τα Χριστουγεννιάτικα δέντρα - το πεύκο - που είναι στολισμένα με πορτοκάλια, μπαλόνια, βαμβάκι, που μοιάζει με χιόνι και λογής λογής δώρα. Πολλά παιδιά γυρίζουνε τα σπίτια και τραγουδάνε τα Κάλαντα. Ένα παιδί κρατάει ένα καραβάκι και ένα άλλο ένα τρίγωνο κι αρχίζουν να τα λένε:

«Καλήν ημέραν άρχοντες κι αν είναι ο ορισμός σας
Χριστού τη θεία γέννηση να πω στ'αρχοντικό σας....»

Χριστούγεννα! Χαράματα χτυπά η καμπάνα και οι χωρικοί ξεκινάνε για την εκκλησία ν' ακούσουνε το «Η Γέννησή σου Χριστέ ο Θεός ημών ....» να το ψάλλει ο γεροασπρομάλλης παπάς. Στα πρόσωπα όλων ζωγραφίζεται η χαρά. Σφίγγουν όλοι τα χέρια και αλληλοεύχονται «Χρόνια πολλά».

Πλησιάζει η Πρωτοχρονιά. Στο σπίτι οι ίδιες προετοιμασίες. Η μητέρα ψήνει τη Βασιλόπιτα και κρύβει μέσα το ασημένιο νόμισμα. Όποιος το βρει θα είναι ο τυχερός της χρονιάς.

Στο χωριό όλοι ξαγρυπνούν, κάθονται γύρω στο τζάκι, λένε ιστορίες, παραμύθια, διηγούνται για τους καλικάντζαρους. Άλλοι παρακολουθούν γιορτάσιμα προγράμματα στην τηλεόραση και άλλοι παίζουν χαρτιά για να περάσει η ώρα. Όλοι αναμένουν τα μεσάνυχτα. Όλοι προσμένουν το Νέο Χρόνο με μεγάλη ανυπομονησία. Επί τέλους φτάνει! Αγκαλιάζονται όλοι και φιλιούνται. Όλοι εύχονται: Χρόνια Πολλά, Ευτυχισμένος και ειρηνικός νάναι ο Νέος Χρόνος. Μετά πάνε για ύπνο. Τα παιδιά περιμένουν τον Άη Βασίλη στον ύπνο τους να φέρει τα δώρα.

Πρωτοχρονιά! Το χωριό γιορτάζει. Τη χαρά τη βλέπεις παντού. Σε γέρους ασπρομάλληδες, γριές ως τα μικρά παιδάκια. Οι μικροί χαιρετούν τους μεγάλους ευχόμενοι «Χρόνια πολλά» και αναμένουν ένα πρωτοχρονιάτικο δωράκι - την «πουλουστρίνα» όπως τη λένε στην Κύπρο.

Στο σωματείο του χωριού γίνονται ομιλίες, απαγγέλλονται ποιήματα, παρουσιάζεται ένα σκετς και τέλος όλοι τραγουδούν το: «Αρχιμηνιά και Αρχιχρονιά, και Αρχικαλός μας Χρόνος ... 'Αης Βασίλης έρχεται από την Καισαρία...» Τέλος γίνεται η κλήρωση. Πλούσια δώρα. Όλοι πρέπει να κερδίσουν κάτι αυτή τη μέρα της χαράς.

Στις 5 του Γενάρη στην Κύπρο είναι η παραμονή των «Φώτων» (τα Επιφάνια). Ο παπάς του χωριού μαζί με 2-3 παιδιά που βαστούνε το «συκλί» (μικρό κουβά) με τον αγιασμό γυρίζει όλα τα σπίτια. Βαστάει μια δέσμη από βασιλικό και ραντίζει όλα τα δωμάτια ψάλλοντας το «Εν Ιορδάνη Βαπτιζομένου σου Κύριε... » Μετά ευλογεί το τραπέζι με τα νηστήσιμα φαγητά. Πίνει λίγο κρασί από το κάθε σπίτι και παίρνει μια μπουκιά από κάτι. Η σπιτονοικοκυρά δίνει κάτι στον παπά καθώς και τις πατροπαράδοτες «γλισταρκές» (παξιμάδια με σουσάμι).

Την άλλη μέρα είναι η γιορτή των Φώτων (τα Επιφά-

343

νια). Όλοι παίρνουν αγιασμό από την εκκλησία. Με το ράντισμα του παπά στα σπίτια εξαφανίζονται και οι καλικάντζαροι (τα κακά πνεύματα) που υποτίθεται τριγυρνούν λίγες μέρες πριν τα Χριστούγεννα μέχρι τα Φώτα. Μερικές οικογένειες φτιάχνουν λουκουμάδες και ρίχνουν μερικούς στη στέγη του σπιτιού, για να φάνε και να φύγουν οι καλικάντζαροι!

EXERCISE 44

Απαντήστε τις ερωτήσεις:

1. Ποιος κάνει τις προετοιμασίες στο σπίτι;
2. Γιατί χτύπησε η καμπάνα το ηλιοβασίλεμα;
3. Πώς είναι στολισμένα τα σωματεία;
4. Τι είναι η βασιλόπιτα;
5. Τι κάνουν την παραμονή της πρωτοχρονιάς;
6. Τι γίνεται στο σωματείο του χωριού;
7. Τι εύχονται την πρωτοχρονιά;
8. Τι κάνει ο παπάς του χωριού στις 5 του Γενάρη;
9. Γιατί ραντίζουμε τα σπίτια με αγιασμό;
10. Τι φτιάχνουν οι γυναίκες τα Επιφάνια;

EXERCISE 45

Write about 80 - 100 words

Τα Χριστούγεννα

ΧΡΟΝΙΑ ΠΟΛΛΑ

ΚΑΙ

ΕΥΤΥΧΙΣΜΕΝΑ

ΕΙΚΟΣΤΟ - ΠΡΩΤΟ ΜΑΘΗΜΑ

ΣΤΟ ΧΩΡΙΟ = IN THE VILLAGE

βασιλεύω = reign, set
ο γεωργός = farmer
το βόδι = ox
το αλέτρι = plough
η φαντασία = imagination
η φλογέρα = flute
η φασολάδα = dish of beans
το τρακτέρ = tractor

το χωράφι = field
η κατάσταση = situation
το εξωτερικό = abroad
η βουνοπλαγιά = hill side
ο ίσκιος = the shade
η γαλήνη = peace, tranquility
αισθάνομαι = I feel
το ηλιοβασίλεμα = sunset

Η ζωή στο χωριό είναι πολύ όμορφη. Πρώτα απ᾽ όλα εκεί βασιλεύει η ησυχία. Ο κόσμος δεν βιάζεται όπως στις πόλεις. Ο ένας ξέρει τον άλλο και ο ένας βοηθά τον άλλο στα χωράφια. Ας ζήσουμε και εμείς λίγες στιγμές με τη φαντασία μας.

Είναι χαράματα. Στις εφτά η ώρα η καμπάνα της εκκλησίας του χωριού χτυπά καλώντας τα παιδιά να ετοιμαστούν για το σχολείο. Οι φτωχοί γεωργοί με τα βόδια και το αλέτρι βρίσκονται ήδη στα χωράφια και άρχισαν το όργωμα. Άλλοι οι πιο πλούσιοι πάνε με τα τρακτέρ.

Στο σπίτι η μητέρα κάνει τις δουλειές του σπιτιού: Πλένει, μαγειρεύει, σιδερώνει.

Στο καφενείο του χωριού, έξω στην αυλή κάτω από ένα πεύκο βρίσκονται μερικά τραπέζια και λίγες καρέκλες. Εκεί κάθονται οι γέροι του χωριού πίνοντας το καφεδάκι τους. Μιλούν για τα περασμένα, μιλούν για την σημερινή κατάσταση στον τόπο τους. Λένε πόσοι έφυγαν από το χωριό και πήγαν είτε στην πόλη είτε στο εξωτερικό για να βρουν δουλειά. Αισθάνονται ότι το χωριό τους όλο και μικραίνει.

345

Έξω από το χωριό κοντά στη βουνοπλαγιά βρίσκεται ο βοσκός με τα πρόβατά του. Κάθεται στον ίσκιο ενός δέντρου και τρώει ψωμί, ελιές και τυρί. Μετά παίρνει στα χέρια τη φλογέρα του και αρχίζει μερικούς εύθυμους σκοπούς.

Η ώρα περνάει. Είναι απόγευμα. Τα παιδιά επιστρέφουν στο σπίτι από το σχολείο. Ο ήλιος πάει να βασιλέψει. Ο γεωργός με τα κουρασμένα βόδια του επιστρέφει και αυτός στο σπιτικό του, τώρα που βασίλεψε ο ήλιος.

Στο σπίτι, το στρογγυλό τραπέζι είναι στρωμένο, έτοιμο με το φτωχικό φαγητό, λίγο ψωμί, ζεστή φασολάδα και κρεμμύδι, ελιές, χωριάτικη σαλάτα.

Βράδιασε. Στο καφενείο απόμειναν λίγοι άνθρωποι. Η νύχτα προχωράει. Στον ουρανό λάμπουν τα αστέρια.

Το χωριό κοιμάται. Η ειρήνη, η γαλήνη βασιλεύει παντού.

EXERCISE 46

Απαντήστε τις ερωτήσεις:

1. Γιατί είναι όμορφη η ζωή στο χωριό;
2. Πότε χτυπάει η καμπάνα της εκκλησίας;
3. Πού πηγαίνουν οι γεωργοί;
4. Ποιοι κάθονται στο καφενείο;
5. Τι κάνουν στο καφενείο;
6. Γιατί έφυγαν πολλοί από το χωριό;
7. Τι αισθάνονται οι γέροι;
8. Πού βρίσκεται ο βοσκός;
9. Πότε επιστρέφουν οι γεωργοί;
10. Τι τρώνε το βράδυ;

EXERCISE 47

Write about 80 - 100 words

Η ζωή στο χωριό

ΕΙΚΟΣΤΟ - ΔΕΥΤΕΡΟ ΜΑΘΗΜΑ

ΤΟ ΠΑΣΧΑ = EASTER

ο αυλόγυρος = courtyard

το στεφάνι = wreath

η ανάσταση = resurrection

το ομοίωμα = image, effigy

η Κυριακή των Βαΐων =
Palm Sunday

τα βάγια = palm branches

ο επιτάφιος = sepulchre

η σταύρωση = crucifixion

χαρμόσυνος, η, ο = joyful

η μαγειρίτσα = easter soup

το τσουρέκι = easter bun

η χλωμάδα = paleness

το έθιμο = custom

τα πάθη = sufferings
passion

η γριούλα = old woman

διοργανώνω = I organise

Χριστός ανέστη =
Christ is risen

Αληθώς ανέστη =
Truly he is risen

το σακούλι = sack, bag

η φλαγούνα = Cypriot
Easter cake

η μαργαρίτα = daisy

Πλησιάζει το Πάσχα. Τα σχολεία έκλεισαν και τα παιδιά περιμένουν με αγωνία την Κυριακή του Πάσχα. Τα έθιμα στα χωριά είναι ιδιαίτερα όμορφα . Το Σάββατο του Αγίου Λαζάρου που είναι μια βδομάδα πριν το Πάσχα, τα παιδιά φτιάχνουν στεφάνια από κίτρινες μαργαρίτες (που συμβολίζουν τη χλωμάδα του νεκρού Λάζαρου) και γυρίζουν στα σπίτια όπου τραγουδούν για την ανάσταση του Λαζάρου. Μαζεύουν χρήματα ή αυγά τα οποία πουλούν και με τα λεφτά αυτά οργανώνουν μετά μια εκδρομή με το σχολείο τους.

Την άλλη μέρα είναι η Κυριακή των Βαΐων. Είναι δηλαδή η μέρα που μπήκε ο Χριστός στα Ιεροσόλυμα και ο κόσμος τον καλωσόριζε με βάfor για. Οι γριούλες στα χωριά παίρνουν σακούλια με κλωνάρια ελιάς και τα αφήνουν για πενήντα μέρες στην εκκλησία, για να ευλογηθούν.

Η Μεγάλη Βδομάδα αρχίζει τη Δευτέρα. Στις εκκλησίες σε πολλά χωριά οι εικόνες είναι καλυμμένες στα μαύρα γιατί αυτή τη βδομάδα αρχίζουν τα πάθη του Χριστού. Τη Μεγάλη Πέμπτη γίνεται η σταύρωση. Το πρωί της Μεγάλης Παρασκευής τα κορίτσια του χωριού μαζεύουν λουλούδια και το απόγευμα στολίζουν τον Επιτάφιο. Το βράδυ η καμπάνα χτυπά θλιμμένα και όλο το χωριό πηγαίνει να ακούσει τη λειτουργία της ταφής του Χριστού.

Το πρωί του Μεγάλου Σαββάτου τα αγόρια μαζεύουν ξύλα γιατί το βράδυ θα ανάψουν μια μεγάλη φωτιά. Πάνω στη φωτιά θα κάψουν το ομοίωμα του Ιούδα που πρόδωσε το Χριστό. Κατά τα μεσάνυχτα η καμπάνα χτυπά χαρμόσυνα καλώντας τους Χριστιανούς να γιορτάσουν την Ανάστα- ση. Στον αυλόγυρο της εκκλησίας υπάρχει μια μεγάλη φωτιά και όλα τα παιδιά είναι μαζεμένα εκεί. Η εκκλησία είναι ολόφωτη από τα κεριά. Σε λιγο ο παπάς ψάλλει το « *Χρι- στός ανέστη εκ νεκρών θανάτω θάνατον πατήσας και τοις εν τοις μνήμασι ζωήν χαρισάμενος*» και όλοι ψάλλουν μαζί του. Μετά εύχονται ο ένας στον άλλο: Χριστός ανέστη! Αληθώς ανέστη.

Την Κυριακή θα φάνε τη μαγειρίτσα που είναι σούπα από τα σπλάγχνα του αρνιού, και το ψητό αρνί στη σούβλα. Στο σπίτι η μητέρα ετοίμασε τα κόκκινα αυγά, τα κουλούρια, τη σούπα, τα τσουρέκια που είναι γλυκά ψωμάκια (στην Ελ- λάδα) και τις φλαγούνες (στην Κύπρο). Το μεσημέρι θα μα- ζευτούν όλοι οι συγγενείς, οι φίλοι και θα φάνε όλοι μαζί σαν να είναι μια οικογένεια.

EXERCISE 48

Απαντήστε τις ερωτήσεις:

1. Τι κάνουν τα παιδιά το Σάββατο του Αγίου Λαζάρου;
2. Τι παίρνουν τα παιδιά από τα σπίτια;
3. Γιατί παίρνουν οι γριούλες φύλλα ελιάς στην εκκλη -
   σία;
4. Γιατί οι εικόνες είναι σκεπασμένες στα μαύρα;
5. Τι κάνουν τα κορίτσια την Μ. Παρασκευή;
6. Γιατί χτυπά λυπημένα η καμπάνα;
7. Τι κάνουν τα αγόρια το Μ. Σάββατο;
8. Τι ψάλλει ο παπάς το βράδυ του Μ. Σαββάτου;
9. Τι τρώνε στο χωριό την Κυριακή του Πάσχα;
10. Ποιοι άλλοι τρώνε μαζί με την οικογένεια;

EXERCISE 49

Write about 80 - 100 words

Το Πάσχα

The Island of Kos

ΕΙΚΟΣΤΟ - ΤΡΙΤΟ ΜΑΘΗΜΑ

ΟΙ ΕΠΟΧΕΣ = THE SEASONS

ανθίζω = to blossom, bloom
η φύση = nature
γιορτάζω = I celebrate
η διαδήλωση =demonstration
κρεμάζω = I hang
το θέρος = harvest
φτιάχνω = I make
το στεφάνι = garland, wreath

το πρωτοβρόχι = early
autumn rain
το όργωμα = ploughing
η βροχή = rain
το περιβάλλον =
environment
τα σύννεφα = clouds
κυριαρχώ = I dominate
η παγωνιά = freezing cold

Υπάρχουν τέσσερις εποχές. Η άνοιξη, το καλοκαίρι, το φθινόπωρο και ο χειμώνας. Την άνοιξη τα δέντρα και τα λουλούδια ανθίζουν. Γιορτάζουμε την 25η Μαρτίου που είναι εθνική μέρα και το Πάσχα. Την Πρωτομαγιά οι εργάτες γιορτάζουν με διαδηλώσεις. Τα παιδιά στα χωριά μαζεύουν λουλούδια και φτιάχνουν στεφάνια τα οποία κρεμάνε στην είσοδο του σπιτιού.

Τον Ιούνιο αρχίζει το καλοκαίρι. Τα σχολεία κλείνουν και μερικά παιδιά πάνε στα χωράφια για να βοηθήσουν τους γονείς τους στο θέρος. Άλλα παιδιά πάνε στη θάλασσα ή στο βουνό για να περάσουν τους ζεστούς μήνες του καλοκαιριού. Υπάρχουν πολλά φρούτα: ροδάκινα, δαμάσκηνα, καρπούζια, πεπόνια, σταφύλια. Ο ουρανός είναι καταγάλανος.

Το Σεπτέμβριο αρχίζει το φθινόπωρο. Αρχίζουν να πέφτουν τα πρωτοβρόχια. Οι γεωργοί πάνε στα χωράφια και αρχίζουν το όργωμα . Άλλοι πάνε με τρακτέρ και οι φτωχό-

351

τεροι πάνε με τα βόδια και το αλέτρι. Τα σχολεία ανοίγουν. Τα παιδιά επιστρέφουν στα θρανία τους και νοιώθουν χαρούμενα γιατί θα πάρουν καινούρια βιβλία και τετράδια. Ο ουρανός αρχίζει να συννεφιάζει. Γιορτάζουμε επίσης την 28η Οκτωβρίου τη μέρα του «ΟΧΙ».

Το Δεκέμβριο αρχίζει ο χειμώνας. Οι βροχές πέφτουν συχνά, ο αέρας γίνεται πιο δυνατός, και όλοι ντύνονται στα μάλλινα ρούχα γιατί κάνει παγωνιά. Τον ίδιο μήνα είναι τα Χριστούγεννα. Τα σχολεία θα κλείσουν για τις γιορτές και θα ανοίξουν πάλι το Γενάρη.

Με το Μάρτιο αρχίζει πάλι η Άνοιξη. Το πράσινο θα κυριαρχήσει στον κάμπο. Στην Ελλάδα και στην Κύπρο πάντα νοιώθουμε τέσσερις εποχές. Νοιώθουμε τις αλλαγές που γίνονται στη φύση, στο περιβάλλον μας, και τις χαιρόμαστε όλες.

EXERCISE 50

Απαντήστε τις ερωτήσεις:

1. Πότε αρχίζει η άνοιξη;
2. Τι κάνουν την Πρωτομαγιά;
3. Πού πηγαίνουν τα παιδιά το καλοκαίρι;
4. Τι φρούτα έχουμε το καλοκαίρι;
5. Πότε πέφτουν τα πρωτοβρόχια;
6. Πού πηγαίνουν οι γεωργοί;
7. Πώς εργάζονται οι γεωργοί;
8. Ποιο μήνα αρχίζει ο χειμώνας;
9. Τι φορούμε το χειμώνα;
10. Γιατί κλείνουν τα σχολεία το Δεκέμβρη;

EXERCISE 51

Write about 80 - 100 words:

Η εποχή που μου αρέσει.

ΕΛΛΗΝΙΚΟΙ ΧΟΡΟΙ ΚΑΙ ΤΡΑΓΟΥΔΙΑ

GREEK DANCES AND SONGS

ατομικισμός = individualism

αγροτικός, η, ο = rural

η πτώση = fall

υποτάσσω=I subjugate

το δημοτικό τραγούδι = folksong

επικρατώ = I prevail

εξελίσσω= I develop

η αυτοκρατορία = empire

το κλαρίνο = clarinet

το λαγούτο = lute

αντικριστός , η, ο= face to face

οθωμανικός,η, ο = Ottoman

ο ρεμπέτης = the dropout

η επίδραση = influence

η καντάδα = cantada serenade

ο συρτός χορός = dragging dance

ο πηδηχτός = leaping dance

η προέλευση = origin

το δρεπάνι = sickle

το κόσκινο = sieve

τα Εφτάνησα = Ionian Islands

Ύστερα από την πτώση της Κωνσταντινούπολης στα 1453 η Ελλάδα είχε υποταχθεί και παράμεινε κάτω από την Οθωμανική αυτοκρατορία μέχρι το 1829. Η Κύπρος ήταν κι αυτή κάτω από τους Τούρκους από το 1571 μέχρι το 1878. Τα μόνα νησιά που έμειναν έξω από την Τουρκική αυτοκρατορία, ήταν τα Εφτάνησα. Αυτά κυβερνώνταν από τους Ιταλούς και μετά από τους Άγγλους.

Τα δημοτικά μας τραγούδια δημιουργήθηκαν τον καιρό της Τουρκοκρατίας, και ήταν επίσης την ίδια ώρα χοροί. Διάφορες περιοχές της Ελλάδας με το πέρασμα του χρόνου χρησιμοποιούσαν διαφορετικά μουσικά όργανα και έτσι έδιναν ένα τοπικό χρώμα στη μουσική και στους χορούς. Στην

Ήπειρο, για παράδειγμα, επικράτησε το κλαρίνο. Στα νησιά του Αιγαίου κυριαρχεί το βιολί, η λύρα και το σαντούρι. Στην Κρήτη η λύρα και το λαγούτο, στην Κύπρο το βιολί και το λαγούτο. Στα Εφτάνησα που ήταν κάτω από τους Ιταλούς επικράτησε η κιθάρα και την Ιταλική επίδραση την βλέπουμε στις καντάδες.

Βασικά υπάρχουν δύο είδη χορών: ο σ υ ρ τ ό ς (που έχει αρχαία ελληνική προέλευση, όπως βλέπουμε σε αναπαραστάσεις στα αρχαία βάζα) και ο π η δ η χ τ ό ς. Ένα είδος πηδηκτού χορού είναι και ο τσάμικος που έχει την προέλευσή του στην Ήπειρο και ήταν αρχικά ένας στρατιωτικός χορός. Ένας άλλος πολύ γνωστός χορός είναι ο Κ α λ α - μ α τ ι α ν ο ς. Ο χορός της Σ ο ύ σ τ α ς εξελίχθηκε στη Ρόδο.

Πολλοί χοροί, τα τραγούδια και η μουσική αντικαθρεφτίζουν την αγροτική ζωή του τόπου. Στην Κύπρο, για παράδειγμα, έχουμε το χορό του δρεπανιού, το χορό του κοσκίνου, δηλαδή είναι χοροί που συνδέονται με αντικείμενα τα οποία χρησιμοποιούν οι αγρότες. Στους γάμους επίσης έχουμε το χορό του γαμήλιου κρεβατιού όπου ένας άντρας χορεύει στους ώμους του το κρεβάτι που θα πλαγιάσει το νιόπαντρο αντρόγυνο.

Μετά τη Μικρασιατική καταστροφή του 1922 - 23 κάπου ενάμιση εκατομμύριο πρόσφυγες εγκαταστάθηκαν στην Ελλάδα. Μαζί τους είχαν φέρει και το μπουζούκι, το όργανο που επικρατεί σήμερα σε όλη την χώρα.

Ο Ζ ε ϊ μ π έ κ ι κ ο ς χορός κατάγεται από τη Σμύρνη. Αρχικά ήταν πολεμικός χορός στη δυτική Τουρκία. Ο ζεϊμπέκικος χορός εκφράζει τον ατομικισμό του χορευτή, ο οποίος μπορεί να χορεύει πάνω σ΄ ένα τραπέζι ή δαγκάνοντας μια καρέκλα, ή ένα τραπέζι, ή να χορεύει μ' ένα γεμάτο μπουκάλι ή ποτήρι στο κεφάλι.

Ο Χ α σ ά π ι κ ο ς χορός είναι γνωστότερος σήμερα σαν το Συρτάκι και συνήθως χορεύεται από δύο ή τρία άτομα με

355

τα χέρια στους ώμους.

Το Τ σ ι φ τ ε τ έ λ ι είναι βασικά χορός της κοιλιάς. Ο Κ α ρ σ ι λ α μ ά ς (αντικριστός) χορεύεται από δυο άτομα το ένα αντίκρυ στο άλλο.

Έχουμε πολλούς τραγουδιστές και τραγούδια. Έλληνες τραγουδιστές που απόχτησαν μεγάλη φήμη είναι η Σοφία Βέμπω, η Γιώτα Λύδια, ο Τώνης Μαρούδας και ο Νίκος Γούναρης. Ο Βασίλης Τσιτσάνης ήταν ερμηνευτής του ρεμπέτικου τραγουδιού. Οι ρεμπέτες ήταν πρόσφυγες που σύχναζαν στα καμπαρέ, μεθούσαν, έπαιρναν ναρκωτικά και τραγουδούσαν τέτοια τραγούδια που αντικαθρέφτιζαν τον πόθο και τον καημό τους, το κατάντημά τους. Ο Γρηγόρης Μπιθικότσης ερμήνευσε τραγούδια του Θεοδωράκη. Άλλοι δημοφιλείς τραγουδιστές είναι ο Τόλης Βοσκόπουλος, η Μαρινέλλα, ο Καζαντζίδης, η Μοσχολιού, ο Νταλάρας και η Μαρία Φαραντούρη. Συνθέτες που άφησαν όνομα είναι ο Χατζιδάκης, ο Θεοδωράκης, ο Ξαρχάκος, ο Μαρκόπουλος και άλλοι.

EXERCISE 52

Write about 80 - 100 words

Η ελληνική μουσική

Γρηγόρης Μπιθικότσης

PART THREE
TOPICS FOR PREPARED TALK AND SHORT ESSAYS

The topics are given as examples only and students may add or substitute anything in order to reflect their own particular interests or circumstances.

1. Η Οικογένειά μου

Με λένε Νίκο / Μαρία και είμαι δεκαέξι χρονών. Οι γονείς μου είναι από την Κύπρο. Ο πατέρας μου λέγεται Σωκράτης και είναι από την Αμμόχωστο. Η μητέρα μου λέγεται Αθηνά και είναι από τη Λευκωσία. Έχω επίσης δύο αδέλφια. Ο αδελφός μου ο Πέτρος είναι δεκαοκτώ χρονών και η αδελφή μου η Δέσποινα είναι δεκατεσσάρων χρονών.

Ο πατέρας μου είναι μηχανικός. Εργάζεται σε ένα συνεργείο αυτοκινήτων. Η μητέρα μου εργάζεται σε ένα εργοστάσιο που φτιάχνουν φορέματα. Εγώ και τα αδέλφια μου είμαστε ακόμα στο σχολείο. Θέλουμε όλοι να σπουδάσουμε. Ο αδελφός μου θέλει να γίνει ηλεκτρολόγος. Η αδελφή μου θέλει να γίνει δασκάλα. Εγώ θέλω να γίνω γιατρός.

Η οικογένειά μου μένει στο Λονδίνο. Έχουμε ένα ωραίο σπίτι με μεγάλο κήπο. Μαζί μας μένει ο παππούς και η γιαγιά μας. Κάθε χρόνο πάμε στην Κύπρο ή στην Ελλάδα για τις διακοπές μας.

2. Το σπίτι μου

Το σπίτι μου είναι στο Λονδίνο. Έχει τρία υπνοδωμάτια, ένα σαλόνι, μία τραπεζαρία και μία μεγάλη κουζίνα. Έχει επίσης ένα λουτρό (μπάνιο) και μία τουαλέτα.

Στο σαλόνι υπάρχει μια έγχρωμη τηλεόραση, καναπέδες, ένα βίντεο, ένα μικρό τραπεζάκι και μερικές καρέκλες. Στην τραπεζαρία υπάρχει ένα μεγάλο τραπέζι με δέκα καρέκλες. Στην κουζίνα υπάρχει ένα ψυγείο, ηλεκτρική κουζίνα, ντουλάπια και άλλα πράγματα.

Το δικό μου υπνοδωμάτιο είναι ωραία στολισμένο. Έχω μια μικρή τηλεόραση, πολλά βιβλία, χάρτες της Ελλάδας και της Κύπρου και ένα στερεοφωνικό συγκρότημα.

Το σπίτι μου έχει επίσης ένα μεγάλο κήπο, γύρω στα τριάντα μέτρα. Έχουμε δύο μηλιές, μια αχλαδιά, μια κερασιά και πολλά λουλούδια.

Το σπίτι μου είναι πολύ κοντά στα καταστήματα και στο σχολείο μου

3. Οι καλύτεροι μου φίλοι

Οι καλύτεροι μου φίλοι είναι ο Παύλος και η Χριστίνα. Είμαστε στην ίδια τάξη στο σχολείο. Πάντα μιλάμε για τα μαθήματά μας και αν κάποιος από μας έχει κανένα πρόβλημα βοηθάμε ο ένας τον άλλο. Έχουμε επίσης την ίδια ηλικία, είμαστε όλοι δεκαπέντε χρονών.

Ο Παύλος είναι ψηλός με μαύρα μαλλιά και μάτια. Η Χριστίνα είναι ξανθή με γαλανά μάτια. Το Σάββατο το πρωί εγώ και ο Παύλος παίζουμε ποδόσφαιρο με την ομάδα του σχολείου μας.

Το Σάββατο το βράδυ ή την Κυριακή συναντιόμαστε όλοι κάποτε στο σπίτι μου, κάποτε στο σπίτι της Χριστίνας και κάποτε στο σπίτι του Παύλου και μιλάμε, ακούμε μουσική ή παίζουμε διάφορα παιχνίδια. Οι γονείς μας είναι όλοι φίλοι μεταξύ τους.

Ο Παύλος θέλει να σπουδάσει στο πανεπιστήμιο και η Χριστίνα θέλει να σπουδάσει γλώσσες. Εγώ δεν ξέρω ακόμα αλλά για να είμαι ειλικρινής με τραβάει πολύ το ποδόσφαιρο.

4. Οι διακοπές μου

Πέρυσι το καλοκαίρι πήγα με την οικογένειά μου στην Κέρκυρα. Φύγαμε στις αρχές του Αυγούστου. Το ταξίδι με το αεροπλάνο από το Λονδίνο κράτησε τρεις ώρες.

Η Κέρκυρα είναι ένα πολύ όμορφο και καταπράσινο νησί. Στην πόλη της Κέρκυρας είναι ο ναός του Αγίου Σπυρίδωνα, υπάρχουν πολλά καταστήματα, παλαιά κτίρια, ένα φρούριο, ταβέρνες και ξενοδοχεία.

Στα βόρεια του νησιού είναι η Παλαιοκαστρίτσα και στην κορυφή του βουνού υπάρχει ένα μοναστήρι. Ταξιδεύοντας προς το κέντρο και στα ανατολικά του νησιού ένας μπορεί να δει το γραφικό Ποντικονήσι.

Επισκεφτήκαμε επίσης το Αχίλλειο Μουσείο που βρίσκεται σε ένα ψηλό λόφο και από εκεί η θέα ήταν απίθανη.

Η Κέρκυρα είναι κατάφυτη από ελιές. Ο κόσμος είναι πολύ φιλικός. Επισκεφτήκαμε επίσης τα νότια του νησιού. Υπάρχουν ωραίες και καθαρές παραλίες. Στο ξενοδοχείο και στις ταβέρνες είδαμε πολλούς να χορεύουν ντυμένοι στις Κερκυραϊκές στολές.

5. Το σχολείο μου

Το σχολείο μου λέγεται Άγιος Παύλος, και βρίσκεται κοντά στο σπίτι μου. Ο διευθυντής του σχολείου είναι ο κ. Χριστοδουλίδης. Το σχολείο αυτό είναι Γυμνάσιο και υπάρχουν τώρα γύρω στα οκτακόσια παιδιά. Διδάσκουν γύρω στους τριάντα πέντε καθηγητές.

Τα μαθήματα που κάνουμε είναι: Ελληνικά, Μαθηματικά, Αγγλικά, Ιστορία, Γεωγραφία, Βιολογία, Φυσική, Χημεία, Γυμναστική, Μουσική και Θρησκευτικά. Τα παιδιά που είναι στην τετάρτη τάξη διαλέγουν μερικά μαθήματα και προετοιμάζονται για τις εξετάσεις.

Το σχολείο μου το αγαπώ πολύ γιατί εκεί έμαθα πολλά πράγματα, γνώρισα πολλά παιδιά και έκανα πολλούς φίλους και φίλες. Κάθε χρόνο έχουμε αθλητικούς αγώνες, μουσικά κονσέρτα, δραματάκια και άλλες εκδηλώσεις. Θα λυπηθώ πολύ όταν φύγω από το σχολείο μου.

6. Η πόλη που ζω

Ζω σε μια μεγάλη πόλη που λέγεται Λονδίνο. Το Λονδίνο είναι η πρωτεύουσα της Αγγλίας. Στην πόλη αυτή είναι τα γραφεία της Κυβέρνησης, η Βουλή που είναι ένα ωραιότατο παλαιό κτίριο κοντά στον ποταμό Τάμεση. Υπάρχουν πολλά εργοστάσια , γραφεία, θέατρα, μουσεία, πανεπιστήμια, πολυτεχνεία, σχολεία, και εστιατόρια.

Στο Λονδίνο ζούνε επίσης πολλοί ξένοι και έρχονται πολλοί τουρίστες για να θαυμάσουν τα αξιοθέατα. Οι τουρίστες συνήθως επισκέφτονται το Βρετανικό Μουσείο, το Κοινοβούλιο, το παλάτι του Μπάκιγχαμ, τον ζωολογικό κήπο, τα κέρινα ομοιώματα στο Ματάμ Τιζώτ, την εθνική Πινακοθήκη, τον Πύργο του Λονδίνου, την πλατεία Τραφάλγκαρ, το Αββαείο του Ουέστμινστερ και άλλα.

Μου αρέσει πολύ το Λονδίνο γιατί είναι μια μεγαλούπολη με ιστορία. Υπάρχουν πολλά καταστήματα, γραφικές λαϊκές αγορές και πολλά πράσινα πάρκα.

7. Η εργασία μου (η δουλειά μου)

Εργάζομαι σε ένα τουριστικό γραφείο. Αρχίζω δουλειά στις εννιά το πρωί και τελειώνω στις πέντε. Επειδή το γραφείο αυτό είναι στο κέντρο της πόλης πρέπει να πάω εκεί με το τρένο ή με το λεωφορείο. Έτσι πρέπει να φεύγω από το σπίτι κάθε πρωί γύρω στις οκτώ και μισή.

Το γραφείο ειδικεύεται με διακοπές στην Ελλάδα και στην Κύπρο. Πρέπει να δίνω πληροφορίες στους ενδιαφερόμενους τουρίστες για τις χώρες αυτές. Πολλοί με ρωτάνε για τα ξενοδοχεία, για τον καιρό, για τα ιστορικά τοπία για κρουαζιέρες στα νησιά και άλλα. Στο γραφείο είμαστε γύρω στα δέκα άτομα. Μου αρέσει αυτή η δουλειά γιατί μπορώ να ταξιδεύω τακτικά στην Ελλάδα και στην Κύπρο για να επιθεωρώ τα ξενοδοχεία. Μου αρέσει επίσης γιατί συναντώ πολλούς που ενδιαφέρονται να ταξιδέψουν στην πατρίδα μας.

Εργάζομαι στο γραφείο αυτό για τρία χρόνια. Ο μισθός μου είναι αρκετά καλός, και γενικά είμαι πολύ ευχαριστημένος.

8. Τι κάνω το Σαββατοκύριακο

Το Σάββατο ξυπνώ στις οκτώ. Πάω αμέσως στο μπάνιο και πλένομαι και καθαρίζομαι. Μετά ντύνομαι και πάω κάτω στην τραπεζαρία για το πρωινό μου.

Στις δέκα το πρωί πάω με τη μητέρα μου να κάνουμε τα ψώνια. Πάμε με το αυτοκίνητο γιατί πάντα ψωνίζουμε πολλά πράγματα. Συνήθως πάμε σε κάποιο σουπερμάρκετ της γειτονιάς μας. Κάποτε πάμε και στη λαϊκή αγορά.

Το απόγευμα πάω στους φίλους μου ή έρχονται οι φίλοι μου στο σπίτι μου. Το βράδυ πάμε επίσκεψη σε συγγενείς ή φίλους και καμιά φορά πάμε στο θέατρο.

Την Κυριακή πάλι ξυπνώ στις οκτώ γιατί θέλω να διαβάζω την Κυριακάτικη εφημερίδα όταν παίρνω το πρωινό μου. Κάποτε πάμε στην εκκλησία και όταν είναι καλός ο καιρός καμιά φορά κάνουμε σούβλα και τρώμε με συγγενείς ή φίλους. Κάποτε πάμε σε κανένα γάμο ή σε πάρτυ για γενέθλια φίλων ή συγγενών μας. Συνήθως πάω να κοιμηθώ γύρω στις έντεκα.

9. Τα Χριστούγεννα

Τα Χριστούγεννα τα περιμένω με μεγάλη λαχτάρα. Τα σχολεία κλείνουν για μερικές μέρες. Τα καταστήματα είναι στολισμένα πολύ όμορφα. Όλοι στέλνουμε κάρτες και δώρα στα αγαπημένα μας πρόσωπα.

Στο σπίτι μας πάντα στολίζουμε ένα Χριστουγεννιάτικο δέντρο. Βάζουμε τα δώρα εκεί. Αγοράζουμε μια μεγάλη γαλοπούλα γιατί πάντα έρχονται πολλοί συγγενείς μας. Στην τηλεόραση υπάρχουν πολύ ωραία προγράμματα.

Την παραμονή των Χριστουγέννων καθόμαστε αργά το βράδυ και παίζουμε διάφορα παιχνίδια ή βλέπουμε τηλεόραση. Οι μεγάλοι παίζουν χαρτιά, για να περάσει η ώρα.

Τη μέρα των Χριστουγέννων πάμε όλοι στην εκκλησία και ευχόμαστε ο ένας στον άλλο " Χρόνια πολλά". Μετά γυρίζουμε στο σπίτι, ανοίγουμε τα δώρα μας και αρχίζει η διασκέδαση. Τρώμε σούπα αυγολέμονο, γαλοπούλα, ψητές πατάτες, λαχανάκια, σαλάτα και διάφορα γλυκίσματα.

10. Μια επίσκεψη (Σε ένα Μουσείο)

Την περασμένη εβδομάδα επισκέφτηκα με το σχολείο μου το Βρετανικό Μουσείο. Αυτό το Μουσείο είναι ένα από τα μεγαλύτερα στον κόσμο. Μου έκανε μεγάλη εντύπωση γιατί υπήρχαν εκθέματα από πολλές χώρες.

Στον πρώτο όροφο είδαμε πολλά αντικείμενα, βάζα, αγαλματάκια και άλλα οικιακά σκεύη από την Κίνα και άλλες ασιατικές χώρες. Μετά ανεβήκαμε στον επάνω όροφο και είδαμε Αιγυπτιακά έργα τέχνης. Είδαμε επίσης τις μούμιες των Φαραώ της Αιγύπτου. Είδαμε επίσης έργα από την αρχαία Βαβυλωνία, την Μεσοποταμία, την Περσία κ.λ.π.

Κατεβήκαμε μετά και θαυμάσαμε τα Ρωμαϊκά έργα τέχνης. Είδαμε επίσης τα Ελληνικά μάρμαρα του Παρθενώνα, είδαμε ωραιότατους αμφορείς και άλλα οικιακά σκεύη. Είδαμε επίσης αγάλματα και προτομές όπως του Σωκράτη και του Περικλή, της Αφροδίτης κλπ. Είδαμε επίσης εκθέματα από την Κύπρο, θαυμάσαμε την αίθουσα όπου διατηρούνται αρχαίοι πάπυροι, και τα πιο παλαιά βιβλία. Η επίσκεψη στο Μουσείο ήταν πολύ ευχάριστη γιατί έμαθα πολλά πράγματα.

11. Τα προγράμματα που μου αρέσουν στην τηλεόραση

Η τηλεόραση βοηθάει τον άνθρωπο να μάθει πολλά πράγματα. Υπάρχουν προγράμματα εκπαιδευτικά, αθλητικά, πολιτικά, ψυχαγωγικά κλπ. Εμένα μου αρέσουν τα ψυχαγωγικά προγράμματα. Μου αρέσουν όλες οι κωμωδίες γιατί όταν γυρίζω στο σπίτι από τη δουλειά θέλω να κάτσω να ξεκουραστώ και να δω κάτι το εύθυμο και το ευχάριστο.

Μου αρέσουν επίσης τα προγράμματα με εκπαιδευτικό περιεχόμενο γιατί συνεχώς μαθαίνουμε καινούρια πράγματα. Παρακολουθώ επίσης καθημερινά τις ειδήσεις γιατί θέλω να ξέρω τι γίνεται στον κόσμο. Φυσικά υπάρχουν και τα προγράμματα με εγκληματικό περιεχόμενο ή βία. Αυτά δεν μου αρέσουν καθόλου γιατί δημιουργούν φόβο ή τρόμο στα παιδιά και αυτά πάντα τα αποφεύγω. Τα αθλητικά προγράμματα είναι επίσης ευχάριστα. Νομίζω όμως ότι η τηλεόραση μπορεί και να αποβλακώνει τον άνθρωπο όταν κάθεται για ώρες μπροστά στο "κουτί" ή μπροστά στο " χαζοκούτι", όπως το λένε στην Ελλάδα.

12. Ένα ελληνικό έθιμο

Υπάρχουν πολλά ελληνικά έθιμα τα οποία συνδεόνται με την θρησκεία ή με τον τρόπο ζωής των Ελλήνων. Τα θρησκευτικά έθιμα σχετίζονται κυρίως με τις γιορτές του Πάσχα, των Χριστουγέννων, της Πρωτοχρονιάς, των Φώτων κλπ. Άλλα ελληνικά έθιμα είναι αυτά που σχετίζονται με πανηγύρια, με τους γάμους, βαφτίσια, με τις εθνικές γιορτές κλπ.

Τα έθιμα που μου αρέσουν πιο πολύ είναι αυτά που σχετίζο-
νται με το Πάσχα. Αρχίζουν με τα καρναβάλια, δηλαδή σα-
ράντα μέρες πριν το Πάσχα. Μετά έχουμε το Σάββατο του
Λαζάρου, την Κυριακή των Βαΐων όπου οι γριούλες παίρ-
νουν σακούλια με φύλλα ελιάς στην εκκλησία. Τη Μεγάλη
Βδομάδα οι εικόνες είναι σκεπασμένες στα μαύρα. Τη Μεγά-
λη Παρασκευή γίνεται ο Επιτάφιος. Στα σπίτια βάφουν τα
κόκκινα αυγά, ψήνουν τα κουλούρια, τα τσουρέκια και στην
Κύπρο τις φλαγούνες. Το Μεγάλο Σάββατο το βράδυ γίνεται
η ανάσταση και όλοι ψάλλουν το "Χριστός Ανέστη ". Όλοι
γιορτάζουν, ψήνουν το αρνί στη σούβλα, τσουγκρίζουν τα
αυγά. Το Πάσχα είναι η μέρα της χαράς, είναι η μέρα που η
Ζωή νίκησε το θάνατο.

13. Ένα βιβλίο που διάβασα και μου άρεσε

Το βιβλίο που διάβασα και μου άρεσε πολύ είναι το γαλλικό
μυθιστόρημα "Οι Άθλιοι" του Βίκτωρα Ουγκώ. Το βιβλίο
αυτό μιλάει για τη ζωή ενός κατάδικου του Γιάννη Αγιάννη,
που στάλθηκε στα κάτεργα γιατί έκλεψε ένα ψωμί. Όταν αφέ-
θηκε τελικά λεύτερος κανένας δεν ήθελε να τον δει. Η ιστο-
ρία εξελίσσεται γύρω στα 1815 μετά τους Ναπολεονικούς
πολέμους. Ο μόνος που έδειξε συμπόνοια στον Αγιάννη
ήταν ο Μυριήλ, ο επίσκοπος της Ντην.

Ο Αγιάννης σταδιακά αλλάζει τρόπο ζωής τα καταφέρνει να
γίνει πλούσιος και δήμαρχος στο Μοντρέγι - συρ - μερ, αλλά
ο αστυνομικός επιθεωρητής Ιαβέρης τον υποψιάζεται και
τον κατατρέχει συνεχώς. Παίρνει την Τιτίκα, ένα ορφανό
κοριτσάκι από την κηδεμονία των σκληρών Θερναδιέρων
και την φροντίζει σαν να ήταν ένας στοργικός πατέρας. Η
Τιτίκα τελικά παντρεύεται έναν επαναστάτη φοιτητή τον
Μάριο ενώ ο Αγιάννης πεθαίνει ευτυχισμένος ύστερα πό
τόσες κακουχίες. Το μυθιστόρημα είναι πλούσιο σε περιγρα-

364

φές και δίκαια θεωρείται ένα από τα αριστουργήματα της παγκόσμιας λογοτεχνίας.

14. Ένας ελληνικός γάμος

Την περασμένη Κυριακή πήγα σε ένα ελληνικό γάμο. Ο γαμπρός λεγόταν Νίκος και η νύφη λεγόταν Δάφνη. Η νύφη φορούσε ένα πολύ ωραίο δαντελωτό νυφικό και κρατούσε μια ανθοδέσμη από κρινάκια. Ο γαμπρός φορούσε ένα μαύρο κοστούμι και ένα άσπρο γαρίφαλο.

Μαζευτήκαμε όλοι στην εκκλησία του Αγίου Ιωάννη για την τελετή. Τα παρανυφάκια ήταν και αυτά όμορφα στολισμένα. Στην εκκλησία ήταν όλοι οι συγγενείς και οι φίλοι του Νίκου και της Δάφνης. Υπήρχαν πολλοί κουμπάροι και κουμπάρες (αυτό είναι κυπριακό έθιμο). Η εκκλησία ήταν ανθοστολισμένη.

Μετά την τελετή πήγαμε σε ένα ξενοδοχείο για τη δεξίωση. Φάγαμε ψητό κοτόπουλο, πατάτες του φούρνου, καρότα και μπιζέλι. Μετά είχαμε γλύκισμα και καφέ. Το μουσικό συγκρότημα έπαιζε ελληνικά και αγγλικά τραγούδια και έδινε ζωντάνια και πολλοί χόρευαν. Μετά, χόρεψε το αντρόγυνο και όλοι τους καρφίτσωσαν πολλά λεφτά. Στο τέλος όλοι ευχηθήκαμε στο Νίκο και στη Δάφνη «να ζήσουν χρόνια πολλά και ευτυχισμένα»

15. Τα σχέδια μου για τα επόμενα δύο - τρία χρόνια

Βρίσκομαι τώρα στην τελευταία τάξη του Λυκείου. Προετοιμάζομαι για τις εισαγωγικές εξετάσεις του πανεπιστημίου. Θέλω να σπουδάσω Ιστορία στο πανεπιστήμιο γιατί ελπίζω να γίνω κάποτε καθηγητής σ' αυτό το μάθημα. Μου αρέσει το μάθημα της Ιστορίας γιατί μελετώντας το παρελθόν μπορούμε να καταλάβουμε καλύτερα το παρόν.

Οι σπουδές μου στο πανεπιστήμιο θα διαρκέσουν για τρία

χρόνια. Θα ήθελα όμως να συνεχίσω να κάνω μετεκπαίδευση. Όταν τελειώσω το πανεπιστήμιο θα αποταθώ σε σχολεία για να διδάξω Ιστορία. Ενδιαφέρομαι να διδάξω σε Λύκειο ή σε Κολέγιο. Θα ήθελα επίσης να γράψω μια μέρα την Ιστορία της σύγχρονης Ελλάδας και της Κύπρου. Φυσικά όλα τα σχέδιά μου και τα όνειρά μου θα εξαρτηθούν από τα αποτελέσματα των εξετάσεων που θα δώσω τον Ιούνιο. Νομίζω όμως, ότι είναι καλό ο άνθρωπος να έχει κάποιο πρόγραμμα στη ζωή του, να έχει κάποιο σκοπό, μια αισιοδοξία, αν θέλει να πετύχει.

PART FOUR

EXAMINATION PAPERS

THE GREEK INSTITUTE
SUMMER EXAMINATIONS 1990
PRELIMINARY CERTIFICATE
ORAL PART - 10 Minutes

1. PREPARED TALK: Select any TWO topics from the list below and talk to the Examiner for 4 minutes (i. e. 2 min. on each topic).

1. My family
2. My friends
3. My holidays
4. My home
5. My town or village
6. My school or Work
7. Easter or Christmas
8. What I do at Week-ends
9. My favourite TV Programme
10. A visit

2. SIMPLE CONVERSATION: Talk to the Examiner for about 4 - 5 minutes on simple topics, e.g. ordering a meal at a restaurant, likes and dislikes, shopping, describe a friend, visiting someone etc. The Examiner will ask you simple questions and basic answers are expected.

LISTENING COMPREHENSION

TIME: 40 Minutes

Each statement will be read twice at normal speed. After the second reading, the candidates will be given 30 seconds to write in English a short answer: this could be a phrase or a short sentence. At the end of the test, candidates will be given 2 more minutes to check their answers.

1. Ξενοδοχείο Απόλλων.
   What is this place?_____

2. Το πρόγευμα σερβίρεται από τις εφτάμισι μέχρι τις
   εννιά.
   What time is breakfast served?_____

3. Ο ταχυδρόμος φέρνει τα γράμματα κάθε πρωί στις 8.00.
   What happens at 8.00 a.m?_____

4. Το Σάββατο το βράδυ πήγαμε στη δισκοθήκη.
   Where did we go on Saturday?_____

5. Τι έχετε να δηλώσετε παρακαλώ;
   Where are you likely to hear this statement?_____

   _____

6. Η τράπεζα θα είναι ανοικτή από τις οκτώ μέχρι τη μία.
   When is the bank open?_____

7. Το κουρείο είναι κλειστό κάθε Τετάρτη.
   What happens here every Wednesday?_____

   _____

8. Μπαρμπούνια, φρέσκα ψάρια.
   What is this person selling?_____

9. Την Τετάρτη επισκεφτήκαμε το μοναστήρι.
   What did we do on Wednesday?_____

10. Χθες το βράδυ δεν ήπια ρετσίνα, ούτε ούζο, ήπια μπίρα.
    What did I drink last night?_____

11. Ο λογαριασμός ήταν δεκαπέντε χιλιάδες δραχμές.
    How much was the bill?_____

12. Μήπως έχετε αγγλικές εφημερίδες παρακαλώ;
    What did this person want to know?_____

   _____

13. Ο Ηλίας Βενέζης έγραψε το βιβλίο " Αιολική Γή ".
    What did this person write? _____

14. Σε ποια πόλη της Ελλάδας μένετε;
    What did this person ask? _____

15. Για πόσο καιρό θα μείνετε στην Κύπρο;
    What did this person want to know? _____

16. Ο Νίκος διαβάζει το περιοδικό ΤΑΧΥΔΡΟΜΟΣ
    What is Nikos doing? _____

17. Την Κυριακή πήγαμε στην Επίδαυρο και είδαμε μια τρα-
    γωδία.
    What did we do on Sunday? _____

18. Ντομάτες, αγγουράκια, πατάτες, σέλινα .
    What is this person selling? _____

19. Σήμερα η θερμοκρασία θα είναι γύρω στους 25 βαθμούς.
    What are we told about the temperature? _____

    _____

20. Ο Πετράκης ήταν άρρωστος γιατί έφαγε πολλά παγωτά.
    What happened to Petrakis? _____

21. Χθες το βράδυ επισκεφτήκαμε τα ξαδέρφια μας στην
    Κόρινθο.
    What did we do last night? _____

22. Το αυτοκίνητό μας χάλασε στην Εθνική Οδό.
    What happened to our car? _____

23. Το καλοκαίρι ενοικίασα ένα αυτοκίνητο για τρεις βδομά-
    δες.
    What did I do during the summer? _____

24. Η Ελένη και ο Χρήστος θα πάνε στην Κέρκυρα για δέκα μέρες.
    Where and for how long are these two people going?

    _____

25. Μπορείτε να μου αλλάξετε ένα χιλιάρικο παρακαλώ;
    What did this person want? _____

26. Μία λίρα Αγγλίας έχει 270 δραχμές, ένα δολάριο 165 δραχμές.
    How many drachmas are there to the pound and the dollar?

    _____

27. Το πλοίο Ολυμπία αναχωρεί για την Κρήτη στις 12 το μεσημέρι.
    What happens at 12 noon? _____

28. Το έργο " Πόλεμος και Ειρήνη " παρουσιάζεται απόψε στις 8.00.
    What is on television at 8.00 p.m.? _____

    _____

29. Ο Παναθηναϊκός έχασε από τον Ολυμπιακό με 2 - 0.
    Who won in this football match? _____

    _____

30. Ο Κώστας και η Μαίρη πάνε στο Φροντιστήριο κάθε πρωί.
    Where do these two people go? _____

    _____

READING COMPREHENSION (40 Minutes)

Answer in **English** as many questions as you can. Your answer could be a phrase or short sentence.

1. ΑΝΑΧΩΡΗΣΕΙΣ
   Where would you see this sign? _____

2. ΑΠΑΓΟΡΕΥΕΤΑΙ ΤΟ ΚΑΠΝΙΣΜΑ
   What does this sign tell you? _____

3. Ο Κώστας διαβάζει μια εφημερίδα.
   What is this person doing? _____

4. Η Άννα αγοράζει κάρτες από το περίπτερο.
   What is Anna doing? _____

5. Η γιαγιά αγόρασε γάλα, τυρί και αυγά από το μπακάλι-
   κο.
   What did this person buy? _____

6. Ο Γιώργος πήγε στο χωριό του για τις γιορτές του
   Πάσχα.
   Where did George go? _____

7. Το αεροπλάνο της Ολυμπιακής φτάνει στις 5.30 μ.μ.
   What happens at 5.30 p.m.? _____

8. Ο Αλέκος Αλεξανδράκης είναι γνωστός ηθοποιός.
   Who is this person? _____

9. Τρία κιλά μήλα, δύο κιλά αχλάδια και έξι κιλά πατάτες.
   What did this person buy? _____

10. Τουριστικό Γραφείο ΑΠΟΛΛΩΝ. Για διακοπές στην
    Ιταλία, Κύπρο, Κρήτη, Ρόδο και Κέρκυρα ελάτε σε μας.
    Οι πιο φτηνές τιμές.
    Why should you book your holiday here? _____

11. Ο Χρήστος είναι μηχανικός αυτοκινήτων και ο αδελφός του ο Γιάννης είναι ηλεκτρολόγος.
What are the jobs of the two brothers? _____

12. Η γιαγιά δεν πήγε στην εκκλησία γιατί ήταν άρρωστη.
Why did this person not go to church? _____

13. Ο Μανώλης σπουδάζει γλώσσες και η Μαρίνα μαθηματικά.
What are these two persons studying? _____

14. Ξενοδοχείο ΑΚΡΟΠΟΛΗ. Ελληνική μουσική και παραδοσιακοί χοροί κάθε Τετάρτη στις 8.00 μ.μ.
What happens at this Hotel? _____

15. Οι τουρίστες επισκέφτηκαν το αρχαιολογικό μουσείο και την Ακρόπολη.
Where did the tourists go? _____

16. Η τράπεζα θα είναι κλειστή αύριο.
What is happening at this place? _____

17. Ο Νίκος πήγε στον οδοντογιατρό την Τρίτη.
What happened on Tuesday? _____

18. Ο βασιλιάς Κάσσανδρος έχτισε τη Θεσαλονίκη στα 315 π. Χρ.
What did this person do ? _____

19. Ο κ. Γιώργος Βασιλείου είναι ο Πρόεδρος της Κύπρου.
Who is this person? _____

20. Η οικογένεια Σμιθ έμεινε στην Ελλάδα για τρεις βδομάδες.
How long did this family stay? _____

21. Η Δάφνη έκανε ηλιοθεραπεία για δύο ώρες αλλά ο Σοφοκλής έπινε καφέ και διάβαζε την εφημερίδα του.
What did these people do? _____

22. Η θερμοκρασία στην Αθήνα αναμένεται να ανεβεί στους 28 βαθμούς ενώ στην Κρήτη θα φτάσει τους 31 βαθμούς. What are we told about Athens and Crete? _____

23. Το πρόγραμμά μας αρχίζει με τις ειδήσεις και μετά θα ακολουθήσει Δελτίο καιρού και αμέσως μετά το παιδικό πρόγραμμα " Στρουμφάκια " . Name two programmes. _____

24. Ρόδος, Κέρκυρα, Κρήτη, Κύπρος... Ειδικές τιμές αν κλείσετε θέση πριν τις 30 Απριλίου. Θα έχετε έκπτωση 30 %. What is on offer here? _____

25. Στις 8.15 έγινε δυστύχημα στη Λεωφόρο Αμαλίας. Ένα φορτηγό χτύπησε ένα ποδηλατιστή. What happened at 8. 15 ? _____

26. Ταβέρνα ΤΟ ΦΙΛΟΤΙΜΟ. Μουσική από τις 9.00 μέχρι τις 3.00. Οι πιο χαμηλές τιμές. Εύγευστοι μεζέδες, φιλική εξυπηρέτηση. What can you get here? _____

27. Πωλείται αυτοκίνητο σε θαυμάσια κατάσταση, χρώμα κόκκινο και σε πολύ λογική τιμή. Give two details about this car. _____

28. Οι εφημερίδες ΕΛΕΥΘΕΡΟΣ ΤΥΠΟΣ και ΤΑ ΝΕΑ έχουν τη μεγαλύτερη κυκλοφορία στην Ελλάδα. What are we told about these newspapers? _____

29. Στα χωριά το Πάσχα βάφουν κόκκινα αυγά και κάνουν σούβλα. What do they do at Easter? _____

30. Τα σχολεία στην Ελλάδα θα είναι κλειστά από τις 15 Ιουνίου μέχρι τις 15 Σεπτεμβρίου. What is happening in Greece during these dates?

BASIC WRITING (40 Minutes)
Write about 100 words in Greek on ONE of the following topics:

1. Ένα ταξίδι στην Ελλάδα ή στην Κύπρο
2. Γράψετε ένα γράμμα σε ένα φίλο ή φίλη σας
3. Πώς πέρασα το Πάσχα.

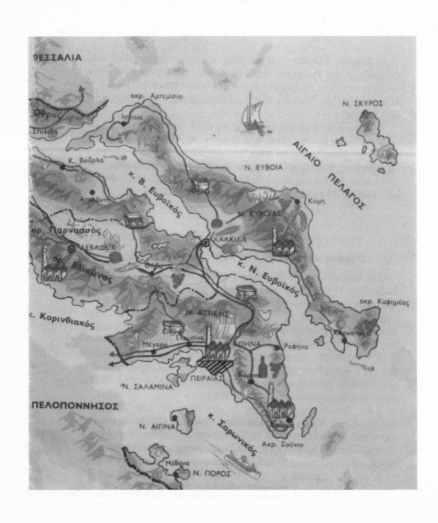

THE GREEK INSTITUTE
SUMMER EXAMINATIONS 1990
INTERMEDIATE CERTIFICATE
ORAL PART - 15 Minutes

1. PREPARED TALK. Select any TWO topics from the list below and talk to the Examiner for 3 minutes on each topic.

1. Television	6. A book or film
2. Young People today	7. Newspapers
3. A Greek Custom	8. Life in a Village or Town
4. A Wedding	9. My Childhood
5. A Greek Island	10. My ambition

2. CONVERSATION. Talk to the Examiner for about 7 minutes on everyday topics, e.g. Holidays, Hotels, Hiring a Car, Shopping, Greek Restaurants etc. The Examiner will ask you general questions.

LISTENING COMPREHENSION (50 Minutes)

Each statement will be read twice at normal speed. After the second reading, the candidates will be given 30 seconds to write in English or in Greek a short answer; this could be a phrase or a short sentence. At the end of the test, candidates will be given 2 more minutes to check their answers.

1. Οι τουρίστες βγάζουν πολλές φωτογραφίες στην Ακρόπολη. Φωτογραφίζουν τον Παρθενώνα, το Ερέχθειο και την Αθήνα.
What are the tourists doing? _____

2. Ο κ. Σμιθ εξαργύρωσε μια επιταγή 100 λιρών.
What did Mr Smith do? _____

3. Η Ελένη αγόρασε μια εφημερίδα και ένα περιοδικό από το περίπτερο.
What did this person buy? _____

4. Ενοικιάζεται διαμέρισμα δύο δωματίων πολύ κοντά στη θάλασσα. Μόνο πεντακόσιες λίρες το μήνα.
What is advertised here? _____

5. Πωλείται αυτοκίνητο BMW χρώμα άσπρο σε πολύ καλή κατάσταση. Τιμή μόνο 300, 000 δραχμές λόγω αναχώρησης του ιδιοκτήτη στο εξωτερικό.
Why is the owner selling? _____

6. Αττικόν. Οδός Σταδίου. Παρουσιάζεται για μόνο δυο βράδυα το επικό έργο " Δέκα Εντολές".
What can be seen at this place? _____

7. Ζητείται προσοντούχος καθηγητής για να διδάξει Αγγλικά σε παιδιά ηλικίας 11 - 14 ετών. Πρέπει να έχει τουλάχιστον τρία χρόνια πείρα.
What is this person expected to do? _____

8. Λονδίνο καθημερινώς, 4ήμερη από 67, 000 δραχμές. Εισιτήρια, ξενοδοχείο, ξενάγηση. Εξυπηρέτηση - πληροφορίες για νοσοκομεία, γιατρούς.
What is on offer for 67, 000 Drachmas? _____

9. Προσφορές εισιτηρίων με επιστροφή με απ'ευθείας πτήσεις. Νέα Υόρκη 85, 000, Μοντρεάλ 90, 000 Σίδνεϋ 150, 000.
What can you get for 90, 000 drachmas? _____

10. Αναλαμβάνουμε υπεύθυνα οικοδομικές εργασίες, σοβαντίσματα, κτίσματα διαμόρφωση χώρου διαμερισμάτων από πεπειραμένο τεχνίτη.
What does this person offer? _____

11. Χρυσαφικά, ασημικά, νομίσματα, αντίκες. Τιμές ασυναγώνιστες.
What is this person selling? _____

12. Τυπογραφικές εργασίες: Επιστολόχαρτα, Τιμολόγια, Προγράμματα.
What kind of printing can you get here? _____

13. Ζητείται έμπειρος κουρέας στο Βόρειο Λονδίνο. Εργασία πέντε μέρες με ψηλές απολαβές.
What is wanted for this shop? _____

14. Στο Βιβλιοπωλείο «Εστία» παρουσιάζεται η νέα έκδοση του βιβλίου " Σύγχρονη Ελλάδα". Θα βρίσκεται και ο συγγραφέας.
What is happening at this place? _____

15. Ζητείται κιθαρίστας και μπουζουξής για τη δημιουργία μουσικού συγκροτήματος. Αποταθείτε στον κ. Ανδρέα.
What is Mr Andreas looking for? _____

16. Εκδρομή στην Τήνο. Αναχώρηση 8 Αυγούστου επιστροφή 17 Αυγούστου.
How long does this trip last ? _____

17. Στο Ελληνικό πρωτάθλημα προηγείται ο Παναθηναϊκός με 46 βαθμούς και τελευταίος είναι ο Εθνικός με 15 βαθμούς.
Which football team is first and which one is last? _____

_____

18. Μεταφέρουμε επιβάτες, αποσκευές, δέματα σε όλα τα μέρη του Λονδίνου.
What services are provided by this office? _____

_____

19. Πωλούνται πολυτελή διαμερίσματα και σπίτια στη Λεμεσό, πολύ κοντά στη θάλασσα.
What is advertised here? _____

_____

20. Αίθουσες για γάμους, αρραβώνες, βαπτίσια από 200 μέχρι 500 άτομα. Λογικές τιμές.
What is on offer here? _____

21. Εξασφαλίζουμε δάνεια από τράπεζες για αγορά σπιτιών, επιχειρήσεων, εργοστασίων και εστιατορίων.
What kind of loan can you get here? _____

22. Μετακομίζετε; Για τα προσωπικά σας είδη αφήστε τους ειδικούς να αναλάβουν όλη τη διαδικασία από το σπίτι σας μέχρι τον προορισμό σας.
What kind of service are you offered here? _____

_____

23. Ο Πρόεδρος της Κύπρου συναντήθηκε στη Νέα Υόρκη με τον Γενικό Γραμματέα των Ηνωμένων Εθνών και τον ενημέρωσε για το Κυπριακό.
Whom did the Cypriot President meet? _____

24. Εργοστάσιο επίπλων κουζίνας κατασκευάζει έπιπλα κουζίνας γερμανικού τύπου, ντουλάπες εντοιχισμένες

και ντουλάπια μπάνιου.
What does this factory make? _____

25. Κηπουρός αναλαμβάνει κλαδέματα, καθαρισμούς και
συντηρήσεις κήπων, γλαστρών και ζαρτινιέρων.
In what way can this person help you? _____

26. Ηλεκτρολόγος, με πενταετή πείρα αναλαμβάνει διορθώ-
σεις ηλεκτρικών ειδών στο σπίτι σας σε πολύ λογικές
τιμές.
What kind of services are provided by this person? _____

27. Συνταξιούχος 60 ετών με αυτοκίνητο Ι.Χ., ζητεί εργασία
αποθηκάριος, κρατήσεις τηλεφώνων, παραγγελιών κλπ.
What is this person looking for? _____

28. Κινέζικο σερβίτσιο φαγητού 90 τεμάχια, 60 ποτήρια
Βοημίας, κασετίνα μαχαιροπίρουνα 71 τεμάχια επίχρυ-
σα. Όλα 60, 000 δραχμές.
What can you get for 60, 000 drachmas? _____

29. Γραφείο ξύλινο, 3 πολυθρόνες και μια περιστρεφόμενη ,
9 συρτάρια.
What is for sale here? _____

30. Προσοχή! Κως! Κτήμα οικοδομήσιμο, ωραία περιοχή,
μεγάλη εξέλιξη.
What can you buy in Kos? _____

READING COMPREHENSION (50 Minutes)

Answer in English or in Greek as many questions as you can.

1. Μόλις κυκλοφόρησε το νέο τεύχος του περιοδικού ΙΣΤΟ-ΡΙΑ. Θα το βρείτε σε όλα τα περίπτερα.

   What is for sale? _____

2. Γνωστός Κύπριος πολιτικός δήλωσε ότι πρέπει να δοθεί η ψήφος σε όλους τους νέους 18 ετων.

   What did this person suggest? _____

3. Ο πληθυσμός της Ελλάδας έχει ξεπεράσει τα δέκα εκατομμύρια. Υπάρχουν περισσότερες γυναίκες στην Ελλάδα.

   What are we told about the population? _____

4. Πρόεδρος της Βουλής εξελέγη ο προταθείς από τη Νέα Δημοκρατία κ. Αθ. Τσαλδάρης συγκεντρώνοντας 151 ψήφους

   Who is Mr Tsaldaris? _____

5. Η εφημερίδα " Ελεύθερος Τύπος " για 19 συνεχείς μήνες βρίσκεται στην πρώτη θέση, ανάμεσα σε όλες τις εφημερίδες της χώρας.

   What happened to this newspaper? _____

6. Δεκαέξι νεκροί και περισσότεροι από 20 τραυματίες, είναι ο τραγικός απολογισμός των τροχαίων δυστυχημάτων που έγιναν το Σαββατοκύριακο στους δρόμους της Αθή-

380

νας και της επαρχίας.

What happened during the week-end? _____

_____

7. Στις 15 Ιουνίου τελειώνουν τα μαθήματα στα Δημοτικά Σχολεία ενώ στις 8 του ίδιου μήνα τελειώνουν τα μαθήματα στα Γυμνάσια.

What happens during the two dates? _____

_____

8. Με τον καθιερωμένο αγιασμό και την ορκωμοσία των νέων βουλευτών άρχισε το Σάββατο τις εργασίες της η νέα βουλή.

What are we told about Parliament? _____

_____

9. Χαιρετίζουμε τη γερμανική ένωση και είμαστε σταθερά προσανατολισμένοι στην πολιτική ένωση της Ευρώπης, είπε ο Έλληνας πρωθυπουργός.

What did the Greek Prime Minister say? _____

_____

10. Ο Έλληνας πρωθυπουργός ανακοίνωσε ότι η στρατιωτική θητεία θα είναι 15 μήνες. Θα δημιουργηθούν επίσης ιδιωτικά πανεπιστήμια.

What are the two new measures announced? _____

_____

11. Όλοι θα έχουμε το δικαίωμα να επιλέγουμε το γιατρό και το θεραπευτήριο, κάτι που δεν γινόταν ως τώρα.

What right will we now have? _____

_____

12. Οι πετυχεμένες επιχειρήσεις συχνά μεγαλώνουν πολύ γρήγορα. Επιλέξτε και εσείς τον κατάλληλο υπολογιστή.
What are you advised here? _____

13. Η κυβέρνηση κάνει προσπάθειες για να γίνουν οι Ολυμπιακοί Αγώνες του 1996 στην Αθήνα.
What is the Government trying to do? _____

14. Έλληνας επιχειρηματίας στάλθηκε στη φυλακή γιατί δεν πλήρωνε φόρους για δέκα ολόκληρα χρόνια.
What happened to this person? _____

15. Στις 2 Ιουλίου θα γίνει η οικονομική, νομισματική και κοινωνική ενοποίηση των δυο γερμανικών κρατών.
What will happen on the 2nd July? _____

16. Νεαρός ρίχτηκε στο κενό από τον τρίτο όροφο πολυκατοικίας για να μην πέσει στα χέρια του εξαγριωμένου πλήθους που τον καταδίωκε.
What did this young man do? _____

17. Συνεχίζεται η μείωση των τιμών στα φρούτα και λαχανικά λόγω της πρόσφατης βροχόπτωσης.
What are we told about fruit and vegetables? _____

18. Μεγάλη αύξηση κατά 50% σημείωσε η κυκλοφορία νέων αυτοκινήτων στο πρώτο δίμηνο του 1990.
What happened here? _____

19. Η τιμή πώλησης του δολαρίου χτες ήταν 170 δραχμές και της αγοράς ήταν 165.
What was the value of the dollar? _____

20. Προκειμένου να εξυπηρετήσουμε την αυξανόμενη πελατεία μας μεταφερθήκαμε σε μεγαλύτερα και ανετότερα γραφεία στο κέντρο της Λευκωσίας.
Why did this firm move? _____

21. Το δυστύχημα έγινε στο 14ο χιλιόμετρο της Εθνικής Οδού Δράμας - Καβάλας στις 2. 30 το πρωί.

Where did the accident happen? _____

22. " Πεταλούδα" ονομάζεται το έργο που θα ανεβάσει το ερχόμενο φθινόπωρο ο Αλέκος Αλεξανδράκης στο θέατρο "Ιλίσια" .
    What is Alexandrakis doing? _____

23. Πολύτιμα χειρόγραφα του Παπαδιαμάντη βγαίνουν στο σφυρί στου " Σόθμπις" του Λονδίνου με κίνδυνο να χαθούν για πάντα για την Ελλάδα.
    What is happening to the Papadiamantis manuscripts?

_____

24. Η Ελληνική Τηλεόραση εξασφάλισε τη μεγάλη συναυλία για τον Νέλσον Μαντέλα και την παρουσίασε σε δυο μέρη.
    What did Greek TV arrange? _____

25. Το κανάλι τηλεόρασης MEGA παρουσιάζει στις 19.00 την ελληνική κωμωδία " Το τεμπελόσκυλο" του Σ. Φωτιάδη με τους Δημήτρη Παπαμιχαήλ και Μαίρη Χρονοπούλου.
    What is on MEGA TV at 19.00? _____

26. Εκλάπη αυτοκίνητο AUDI 80 χρώματος λευκού, δίπορτο με αριθμό κυκλοφορίας ΥΑΚ 652.
    Give two details about this car. _____

27. Πωλείται πιάνο Δυτικής Γερμανίας λόγω αναχώρησης του ιδιοκτήτη.
    What is for sale? _____

28. Έγχρωμες τηλεοράσεις, βίντεο, ψυγεία, κουζίνες και μικροσυσκευές. Πολλές άτοκες δόσεις. Χωρίς προκαταβολή.
    What is so attractive in this advertisement? _____

_____

29. Την 12η θέση σε σύνολο 20 χωρών, κατέλαβε η Ελλάδα στο Ευρωπαϊκό πρωτάθλημα άρσης βαρών εφήβων που έγινε στη Μάλτα.

What competition is it mentioned here? _____

30. Στην Κρήτη και στα Δωδεκάνησα προβλέπονται λίγες νε-
φώσεις ενώ στην υπόλοιπη Ελλάδα ο καιρός θα είναι αί-
θριος.
What weather forecast is mentioned here? _____

GREEK ESSAY (50 Minutes)

Write an essay in Greek (about 150 - 200 words)

(α) Τα παιδικά μου χρόνια.
(β) Ένα βιβλίο που διάβασα και μου άρεσε πολύ.
(γ) Οι νέοι σήμερα.
(δ) Σε ποια εποχή θα προτιμούσατε να ζούσατε;
(ε) Οι αλλαγές στην Ευρώπη.

LONDON EAST ANGLIAN GROUP
GCSE EXAMINATION
SUMMER 1990

Syllabus Title	MODERN GREEK
Paper Number	Paper 1 - Basic Listening Comprehension
Time allowed	30 minutes

Paper 1 - Basic Listening Comprehension

QUESTION 1

- Συγγνώμη, μήπως υπάρχει εδώ κοντά αγορά;

- Ναι, αν προχωρήσετε ευθεία και μετά πάρετε το δεύτερο στενό αριστερά, είναι στη γωνία.

- Ευχαριστώ πολύ.

QUESTIONS 2 & 3

Το επόμενο τρένο για τη Θεσσαλονίκη φεύγει από την πλατφόρμα αριθμός τέσσερα στις 1. 45 μ.μ.

QUESTIONS 4 & 5

Στις 10 Οκτωβρίου θα διεξαχθεί ο μεγάλος ποδοσφαιρικός αγώνας μεταξύ Παναθηναϊκού και Ολυμπιακού στο στάδιο Παναθηναϊκού στις 3.30 μ.μ. Εισιτήρια θα πωλούνται στην είσοδο.

QUESTION 6

Το κατάστημά μας θα παραμείνει κλειστό από τις 20 εως τις 30 Αυγούστου λόγω ανακαίνησης.

QUESTIONS 7 & 8

- Πάμε για φαγητό απόψε Μαρία;

- Αχ, δεν μπορώ απόψε, έχω κανονίσει να πάω θέατρο με τον αδελφό μου.

- Καλά τότε πάμε αύριο.

- Εντάξει λοιπόν. Αύριο στις 9.00 στην Ταβέρνα " Υμηττός".

QUESTIONS 9 & 10

- Πού θα πας διακοπές φέτος Κώστα;

- Κάθε χρόνο πάμε στην Ελλάδα. Για φέτος είπαμε να πάμε στη Γαλλία.

- Και πότε θα πας;

- Έχουμε κρατήσει θέσεις για τις 28 Ιουλίου. Θα μείνουμε δύο βδομάδες.

- Εσύ πού θα πας Άννα;

- Εγώ δεν θα πάω διακοπές φέτος. Σκέφτομαι να βρω μία καλοκαιρινή δουλειά. Χρειάζομαι τα λεφτά ν΄ αγοράσω ένα ποδήλατο.

QUESTION 11

Εμένα μ΄ αρέσει περισσότερο το ξενοδοχείο παρά το κάμπινκ. Στο ξενοδοχείο έχει όλες τις ανέσεις. Το κάμπινκ όμως είναι πολύ φθηνό. Αν έχεις λεφτά σε συμβουλεύω να μείνεις σε ξενοδοχείο.

QUESTION 12

Την τελευταία φορά που ταξίδευα για την Κύπρο μου συνέβηκε κάτι που δεν θα το ξεχάσω ποτέ. Όταν έφθασα στο αεροδρόμιο αντελήφθηκα ότι ξέχασα να πάρω μαζί μου το διαβατήριο και το εισιτήριό μου.
Δεν πρόφταινα να πάω σπίτι και να επιστρέψω, το αεροπλάνο έφευγε σε μία ώρα.

˙QUESTION 13

- Τι έχετε μέσα στη βαλίτσα σας κύριε;

- Έχω τα ρούχα μου, τα παπούτσια μου, τα ξυριστικά μου και ένα μικρό δώρο για τον ξάδερφό μου.

- Τι ακριβώς είναι το δώρο για τον ξάδερφό σας;

- Μία φωτογραφική μηχανή.

- Μπορείτε να μου ανοίξετε τη βαλίτσα σας, σας παρακαλώ;

˙QUESTIONS 14, 15 & 16

- Μήπως έχετε διαθέσιμα δωμάτια παρακαλώ;

- Μάλιστα. Τι δωμάτιο θέλετε;

- Ένα μονόκλινο παρακαλώ. Τι ευκολίες παρέχετε στα δωμάτια;

- Κάθε δωμάτιο έχει δικό του μπάνιο, τηλεόραση και τηλέφωνο.

- Πόσο κάνει τη βραδυά;

- Τρεις χιλιάδες δραχμές.

QUESTIONS 17, 18 & 19

Η διεθνούς φήμης τραγουδίστρια Αλέξια φθάνει στο Λονδίνο την Κυριακή στις 11 το πρωί. Την Τρίτη το βράδυ στις 9.30 θα τραγουδήσει στο κέντρο «Φαντασία». Είσοδος με φαγητό 25 λίρες.

QUESTIONS 20 & 21

- Ποιος είναι αυτός δίπλα στον γαμπρό;

- Ποιος, ο ψηλός μελαχροινός ή αυτός με τα ξανθά μαλλιά;

- Όχι, αυτός ο μελαχροινός.

- Είναι ο Νίκος ο ξάδελφος του γαμπρού. Είναι από την Κύπρο. Σπουδάζει στο Μάντσεστερ.

- Και αυτή δίπλα στη νύφη, ποια είναι;

- Είναι φιλενάδα της νύφης. Είναι Αγγλίδα. Πρώτη φορά έρχεται σε Κυπριακό γάμο.

QUESTIONS 22 & 23

Καλωσορίσατε στο κατάστημά μας. Θα είμαστε ανοιχτοί μέχρι τις 10 το βράδυ. Επισκεφθείτε το τμήμα ανδρικών ειδών στο υπόγειο . Όλα σε μισή τιμή. Το τμήμα αθλητικών ειδών βρίσκεται στο δεύτερο όροφο. Θα βρείτε όλα τα είδη χειμερινών και καλοκαιρινών σπορ. Το παιδικό τμήμα βρίσκεται στον τρίτο όροφο.

Στον τελευταίο όροφο υπάρχει καφετέρια και εστιατόριο. Χρησιμοποιήστε τις ηλεκτρικές σκάλες αν νοιώθετε κουρασμένοι.

QUESTION 24

Στο σχολείο μας κάνουμε τα εξής μαθήματα: Τα μικρά παιδιά (πρώτη, δεύτερη και τρίτη τάξη) κάνουν Ελληνικά, Μουσική και Χορό. Τα πιο μεγάλα παιδιά κάνουν Ελληνικά,

Χορό, Μουσική και Ιστορία της Κύπρου και της Ελλάδας. Τα μεγαλύτερα παιδιά προετοιμάζονται για τις εξετάσεις τους στα Ελληνικά.

QUESTIONS 25, 26 & 27

Η Τράπεζα Κύπρου ζητεί να προσλάβει υπαλλήλους για το κατάστημά της στο Βόρειο Λονδίνο. Οι υποψήφιοι πρέπει να έχουνε περάσει εξετάσεις στα Ελληνικά, Αγγλικά και Μαθηματικά και να είναι άνω των 16 χρονών. Πρέπει επίσης να είναι πρόθυμοι να εργαστούν και το Σάββατο.

Mystras - Medieval City near Sparta

389

Question 1.

While walking down the street with a friend you are stopped by a passerby.
Ενώ περπατάς στο δρόμο με ένα φίλο σου σας σταματά κάποιος περαστικός.

What does the woman ask your friend?
Τι ρωτά η κυρία το φίλο σου;

....(1 mark)

Questions 2 - 3

While in a train station in Greece you hear the following announcement.
Καθώς βρίσκεσαι στο σταθμό τρένου στην Ελλάδα ακούς την ακόλουθη ανακοίνωση.

2. What time is the next train to Thessaloniki?
    Πότε είναι το επόμενο τρένο για τη Θεσσαλονίκη;

....(1 mark)

3. From which platform does it leave?
    Από ποια πλατφόρμα φεύγει;

....(1 mark)

Question 4 - 5

You hear the following announcement on the radio.
Ακούς την ακόλουθη ανακοίνωση στο ραδιόφωνο.

4. What kind of game will take place?
    Τι είδους σπορ θα διεξαχθεί;

.... (1 mark)

5. Where can you buy the tickets from?

Από πού μπορείτε να αγοράσετε εισιτήρια;

....(1 mark)

Question 6.

While you are in a shop you hear the following announcement.

Ενώ βρίσκεσαι σ΄ ένα κατάστημα ακούς την ακόλουθη ανα-κοίνωση.

6. When will the shop be closed?

Πότε θα είναι κλειστό το κατάστημα;

....(2 marks)

Questions 7 - 8.

You hear two friends talking about going out for a meal.

Ακούς δύο φίλους να μιλούν για πού θα πάνε για φαγητό.

7. Why can Maria not go out with her friend tonight?

Γιατί δεν μπορεί η Μαρία να βγει με το φίλο της απόψε;

.... (2 marks)

8. When do they agree to go out?

Πότε συμφωνούν να βγουν;

....(2 marks)

Questions 9 - 10.

While at a friend's house you hear this conversation between Anna and Costas.

Καθώς βρίσκεσαι στο σπίτι ενός φίλου σου ακούς την ακό-λουθη συνομιλία μεταξύ της Άννας και του Κώστα.

Where is Costas going for his holidays this year?

Πού θα πάει ο Κώστας για διακοπές φέτος;

....(1 mark)

10. Why isn't Anna going on holiday this year?

Γιατί η Άννα δεν θα πάει διακοπές φέτος;

....(1 mark)

Question 11.

You are on holiday and are thinking of going camping. You ask the opinion of a friend.

Βρίσκεσαι σε διακοπές και σκέφτεσαι να πας κάμπινγκ. Ζητάς τη γνώμη κάποιου φίλου σου.

11. What advice does your friend give you?

Τι συμβουλή σου δίνει ο φίλος σου;

....(1 mark)

Question 12.

Your Greek teacher is telling you what happened to him the last time he travelled to Cyprus.

Ο δάσκαλος των Ελληνικών σου διηγείται τι του συνέβηκε την τελευταία φορά που ταξίδεψε στην Κύπρο.

12. What did your teacher forget?

Τι ξέχασε ο δάσκαλός σου;

(i) ....

(ii)...

(2 marks)

Question 13

While queuing at the Customs in Cyprus, you hear this conversation between a tourist and a customs officer.

Καθώς βρίσκεσαι στο τελωνείο στην Κύπρο ακούς αυτό το διάλογο μεταξύ ενός τουρίστα και της υπαλλήλου του τελωνείου.

13. Apart from clothes, what was in the suitcase? (Name two items).

Εκτός από τα ρούχα, τι έχει άλλο μέσα στη βαλίτσα; (Γράψε δύο).

(i) ....

(ii) ....

(2 marks)

Questions 14 - 16.

You are in Athens looking for somewhere to stay. You go into a hotel and hear this conversation.

Βρίσκεσαι στην Αθήνα και ψάχνεις για να μείνεις κάπου. Μπαίνεις σ'ένα ξενοδοχείο και ακούς τον ακόλουθο διάλογο.

14. What kind of room is the man looking for?

Τι δωμάτιο ζητά ο κύριος;

....(1 mark)

15. What facilities are there in the rooms? (Name two).

Γράψε δύο πράγματα που έχει κάθε δωμάτιο.

(i) ....

(ii)..

(2 marks)

16. How much does the room cost?

Πόσο στοιχίζει το δωμάτιο;

....(1 mark)

Questions 17 - 19.

While at a club you hear this announcement about the singer Alexia.

Καθώς βρίσκεσαι σ΄ ένα νυχτερινό κέντρο ακούς αυτή την ανακοίνωση σχετικά με την τραγουδίστρια Αλέξια.

17. When is Alexia arriving in London?

Πότε φθάνει στο Λονδίνο η Αλέξια;

....(1 mark)

18. When is she going to sing?

Πότε θα τραγουδίσει;

....(2 marks)

19. What does the price include?

Τι περιλαμβάνει η τιμή;

....(1 mark)

Questions 20 - 21

While at a Greek wedding you overhear this conversation.
Καθώς βρίσκεσαι σ'ένα γάμο ακούς αυτή τη συνομιλία.
20. What does Nicos look like?

Περίγραψε το Νίκο.

....(2 marks)

21. Who is the English girl?

Ποια είναι η Αγγλίδα;

....(1 mark)

Questions 22 - 23.

While in a department store in Greece you hear this announcement.

Ενώ ψωνίζεις σ΄ ένα κατάστημα στην Ελλάδα ακούς αυτή την ανακοίνωση.

22. On which floor is the men's department?

Σε ποιον όροφο βρίσκεται το τμήμα ανδρικών ειδών;

....(1 mark)

23. What is on the top floor?

Τι υπάρχει στον τελευταίο όροφο;

....(2 marks)

Question 24.

The Headteacher of your Greek Community School is giving some information about the subjects which are studied at the School.

Ο διευθυντής του Ελληνικού σχολείου δίνει μερικές πληρο-φορίες για τα μαθήματα που διδάσκονται στο σχολείο αυτό.

24. Which pupils are studying the History of Cyprus and
Greece?

*Ποιοι κάνουν μαθήματα Ιστορίας της Κύπρου και της
Ελλάδας;*

....(1 mark)

Questions 25 - 27

You hear an advertisement on the Greek Community Radio.
*Ακούς αυτή τη διαφήμιση στον Ελληνικό Ραδιοσταθμό Λον-
δίνου.*

25. What job is being advertised?

Τι είδους εργασία διαφημίζεται;

....(1 mark)

26. What qualifications are needed?

Τι προσόντα χρειάζονται;

....(2 marks)

27. What else should the applicants be prepared to do?

Τι άλλους όρους θέτει η διαφήμιση;

....(2 marks)

Paper 2 - Higher Listening Comprehension

QUESTION 1

Καλημέρα. Σας τηλεφωνώ από το γραφείο της κυρίας Νικολάου. Σας παρακαλώ να πάρετε στον αριθμό 3636220 και να ζητήσετε τη γραμματέα της. Επαναλαμβάνω 3636220.

QUESTION 2

Γεια σας. Σας παίρνω εκ μέρους της εταιρείας SUNTOURS. Τα εισιτήρια σας είναι έτοιμα. Να περάσετε να τα πάρετε με την πρώτη ευκαιρία. Τα γραφεία μας είναι ανοιχτά από τις 10 το πρωί μέχρι τις 4 το απόγευμα κάθε μέρα εκτός Σαββάτου που κλείνουμε στις 1. 30 μ.μ. Πρέπει να τα πάρετε οπωσδήποτε τουλάχιστον δύο μέρες πριν από το ταξίδι σας.

QUESTION 3

Γεια χαρά. Δε μ'αρέσει να μιλώ σε μηχανήματα. Τι να σου πω; Θα σε ξαναπάρω.

QUESTIONS 4 - 6

- Πώς θα καταλάβω τον ξάδελφό σου αύριο στο σταθμό Ρένα;
- Λοιπόν. Είναι όμορφο παιδί, δεκαοκτώ χρονών, αρκετά ψηλός, λεπτός. Έχει μαύρα, κατσαρά μαλλιά, αυτά.

Μου είπε ότι αν δε δει κανέναν όταν βγει από τον έλεγχο εισιτηρίων, θα πάει να περιμένει κάτω από το μεγάλο ρολόι.

- Ονομάζεται Αντώνης, έτσι δεν είναι;
- Ναι, Αντώνης Γιαννόπουλος. Πιστεύω πως θα έχετε πολλά να πείτε. Και αυτός πρόκειται να σπουδάσει Πληροφορική, αλλά είναι και πολύ μορφωμένος. Ενδιαφέρεται για την πολιτική, διαβάζει λογοτεχνία. Πάνω απ'όλα είναι πολύ καλό παιδί και κάνει ευχάριστη παρέα.

QUESTIONS 7 - 10

- Πόσες μέρες είσαι εδώ στο νοσοκομείο;
- Σήμερα κλείνω μία εβδομάδα.
- Πόσο θα πρέπει να μείνεις ακόμη;
- Εξαρτάται. Σήμερα μου ξαναβγάλανε ακτινογραφίες. Θα με δει αύριο ο γιατρός και θα μου πει. Ακόμη δεν ξέρουν αν θα χρειαστεί να κάνω άλλη θεραπεία.
- Σοβαρά; Γιατί; Δεν μπορώ να καταλάβω τι έπαθες. Πού κτύπησες ακριβώς;
- Στο σβέρκο.
- Στο σβέρκο; Περίεργο πώς και έγινε έτσι;
- Καθόμουν δίπλα στον οδηγό στο μπροστινό κάθισμα. Ευτυχώς φορούσα ζώνη, αλλιώς θα κτυπούσα πολύ άσχημα στο κεφάλι. Η ζώνη με κράτησε αλλά τραυματίστηκα στο σβέρκο από το τράνταγμα.

- Ποιος έφταιγε;

- Τι να σου πω; Τυπικά ο άλλος οδηγός. Εμείς είχαμε προτεραιότητα αλλά δεν ήμασταν σε κεντρικό δρόμο και έπρεπε να προσέχει πιο πολύ ο Λεωνίδας.

QUESTIONS 11 - 13

- Δεν κάνει ποτέ κρύο εδώ στην Αθήνα, έτσι δεν είναι;

- Κάνεις λάθος. Συνήθως έχουμε καλό καιρό, αλλά θυμάμαι πολλούς χειμώνες που έχει χιονίσει αρκετά εδώ στο κέντρο.

- Σοβαρά;

- Ναι. Εδώ στο μπαλκόνι που καθόμαστε υπήρξανε τρεις πόντοι χιόνι πρόπερσι. Βέβαια λυώνει σε μία μέρα μέσα στην πόλη. Στα βόρεια προάστεια όμως δημιουργούνται προβλήματα όταν χιονίζει. Οι δρόμοι στην Πεντέλη κλείνουν.

- Τόσο πολύ; Δε θα φανταζόμουνα ποτέ τέτοιες συνθήκες στην Αθήνα.

- Δεν είσαι ο μόνος. Πολλοί ξένοι νομίζουν πως κάνει πάντα ζέστη στην Ελλάδα. Πριν πέντε χρόνια περίπου την Καθαρά Δευτέρα την περάσαμε στο Λυκαβητό - ξέρεις ο μεγάλος λόφος στο κέντρο της Αθήνας - στα χιόνια. Ήταν καταπληκτικά όμορφα. Μία άλλη χρονιά το Φλεβάρη η κυκλοφορία στον περιφερειακό γινόταν μόνο με αλυσίδες επειδή είχε πολύ πάγο στο δρόμο εκείνη την ημέρα. Το πιστεύεις;

- Σε πιστεύω. Αλλά μου κάνει εντύπωση.

- Ευτυχώς αυτές είναι σπάνιες περιπτώσεις γιατί έχουμε πολύ ήπιο κλίμα. Μπορεί να βρέχει, να κάνει κρύο τους χειμωνιάτικους μήνες αλλά δεν έχουμε αυτή τη φοβερή υγρασία που έχετε εσείς στην Αγγλία και η θερμοκρασία δεν πέφτει ποτέ πολύ κάτω από το μηδέν και έχουμε αυτό το θαυμάσιο ήλιο.

QUESTIONS 14 - 17

Το Γεωδυναμικό Ινστιτούτο Αθηνών ανακοίνωσε αργά τη νύχτα ότι σημειώθηκε ισχυρή σεισμική δόνηση μεγέθους 4, 8 βαθμών της κλίμακας Ρίχτερ, στις 12. 29 μετά τα μεσάνυχτα στο νομό Αχαΐας.

Το επίκεντρο του σεισμού ήταν στην περιοχή της Πάτρας, 170 χιλιόμετρα δυτικά της Αθήνας και έγινε αισθητός στον Πύργο Ηλείας και στην Κεφαλλονιά.

Σημειώθηκαν μικροτραυματισμοί στην προσπάθεια των κατοίκων να βγουν πανικόβλητοι από τα σπίτια τους. Αρκετοί από αυτούς μεταφέρθηκαν στο νοσοκομείο.

Σύμφωνα με τις πρώτες πληροφορίες, κατάρρευσαν δύο σπίτια και προκλήθηκαν σοβαρές ζημιές σε εφτά μονοκατοικίες. Επίσης εκκενώθηκαν δύο πολυκατοικίες που υπέστησαν σοβαρές ζημιές.

Paper Number	Paper 2 - Higher Listening Comprehension
Time allowed	30 Minutes

Questions 1 - 3

You are listening with your Greek friend to messages which have been left on the answerphone machine in his home.

Βρίσκεσαι στο σπίτι του φίλου σου και ακούτε μαζί τα μηνύματα που έχουν γραφτεί στον αυτόματο τηλεφωνητή.

1. Which number should your friend call and whom should he ask for?

Ποιόν αριθμό πρέπει να πάρει ο φίλος σου και ποιον να ζητήσει;

....(2 marks)

2. When should he collect the tickets?

Πότε πρέπει να πάει να πάρει τα εισιτήρια;

....(3 marks)

3. Why does the caller not say why he called?

Γιατί ο ομιλητής δεν εξηγεί τι θέλει;

....(1 mark)

Questions 4 - 6

You are at the house of your friend Rena. She is talking to another friend called Angelos.

Είσαι στο σπίτι της φίλης σου Ρένας. Μιλάει σ΄ έναν άλλο φίλο που ονομάζεται Αγγελος.

4. Describe Rena´s cousin. Give four details.

Περίγραψε τον ξάδελφο της Ρένας. Γράψε τέσσερις λεπτομέρειες.

....(2 marks)

5 Where at the station should Angelos wait for Rena's cousin?

Πού στο σταθμό θα πρέπει ο Άγγελος να περιμένει τον ξάδελφο της Ρένας;

....(3 marks)

6. Why does Rena think that her cousin and Angelos should get on well together?

Γιατί πιστεύει η Ρένα ότι ο ξάδελφός της και ο Άγγελος θα συνεννοηθούν εύκολα;

....(3 marks)

Questions 7 - 10

You are visiting a friend in a hospital who has had an accident while on holiday and overhear this conversation.

Επισκέπτεσαι ένα φίλο σου στο νοσοκομείο που τραυματί- στηκε ενώ ήταν σε διακοπές και ακούς αυτή τη συζήτηση.

7. Why does the patient not know how long her stay in hospital will be?

Γιατί η ασθενής δεν ξέρει πόσο καιρο θα πρέπει να μείνει στο νοσοκομείο;

....(2 marks)

8. Where was she when she was injured?

Πού ήταν όταν τραυματίστηκε;

....(2 marks)

9. Why does she consider herself lucky?

Γιατί θεωρεί τον εαυτό της τυχερό;

....(2 marks)

10. Who does she think was responsible for the accident? Explain your answer.

Ποιός νομίζει ότι ήταν υπέυθυνος για το δυστύχημα;

Γράψε λεπτομέρειες.

....(2 marks)

Question 11 - 13

You are at a friend's house in Athens and you overhear this conversation between your friend and a visitor from England.
Βρίσκεσαι στο σπίτι ενός φίλου σου στην Αθήνα και ακούς την ακόλουθη συζήτηση.

11. Which area of Athens is worst affected by the weather conditions being described?
Ποια περιοχή της Αθήνας επηρεάζεται περισσότερο από τις καιρικές συνθήκες που περιγράφονται;

....(1 mark)

12. Does snow ever settle in the centre of Athens? Explain your answer.
Το στρώνει ποτέ στο κέντρο της Αθήνας; Γράψε λεπτομέρειες.

....(2 marks)

13. According to the speaker, what are the similarities and differences between the weather in Athens and the weather in England in the winter?
Πώς συγκρίνεται ο καιρός της Αθήνας με τον καιρό της Αγγλίας το χειμώνα σύμφωνα με αυτά που άκουσες;

....(4 marks)

QUESTIONS 14 - 17

You are listening to the news on the radio in Greece and hear the following item.

Ακούς το ραδιόφωνο στην Ελλάδα και ακούς την ακόλουθη είδηση.

14. When did the earthquake occur?

Τι ώρα έγινε ο σεισμός;

....(2 marks)

15. How far from Athens did it occur and in which area?

Πόσο μακριά από την Αθήνα έγινε και σε ποιά περιοχή;

....(2 marks)

16. How were injuries caused ?

Πώς προκλήθηκαν οι τραυματισμοί;

....(2 marks)

17. What material damage was caused?

Ποιές υλικές ζημιές υπήρξαν;

....(4 marks)

Paper 3 - Basic Reading Comprehension
Time allowed - 30 minutes

Question 1.

While walking in the streets of Limassol one day you see the following signs on different buildings.

Περπατώντας στους δρόμους της Λεμεσού βλέπεις τις ακόλουθες επιγραφές σε διάφορα κτίρια.

ΒΙΒΛΙΟΘΗΚΗ
1

ΤΑΧΥΔΡΟΜΕΙΟ
2

ΘΕΑΤΡΟ
3

ΕΣΤΙΑΤΟΡΙΟ
4

Answer the questions below by writing the number of the sign beside the question.

Where would you go to:
Πού μπορείς να πας για:

(a) buy stamps?
    να αγοράσεις γραμματόσημα;
    ....
    (1 mark)

(b) watch a play?
    να παρακολουθήσεις ένα θεατρικό έργο;

    ....
    (1 mark)

(c) borrow books?
    να δανειστείς βιβλία;

    ....
    (1 mark)

(d) have a meal?
    φαγητό;

    ....
    (1 mark)

Question 2.

You see these signs on a Greek island.
Βλέπεις αυτές τις πινακίδες σ΄ ένα Ελληνικό νησί.

(α)

ΕΝΟΙΚΙΑΖΟΝΤΑΙ
ΔΩΜΑΤΙΑ

What is for rent?
Τι ενοικιάζονται;

....

(1 mark)

(b)

> # ΕΘΝΙΚΗ ΤΡΑΠΕΖΑ ΕΛΛΑΔΟΣ
>
> Ωρες λειτουργίας: 8.00 - 12.00
> 4.00 - 6.00 μόνο
> για τουρίστες.

Who does the bank serve from 4.00 - 6.00 ?
Ποιούς εξυπηρετέι η τράπεζα από τις 4.00 - 6.00;

....

(1 mark)

Question 3.

You see this advertisement in a bookshop.
Βλέπεις αυτή τη διαφήμιση σ΄ένα βιβλιοπωλείο.

ΜΕΓΑΛΗ ΜΟΝΟΤΟΝΙΚΗ ΕΓΚΥΚΛΟΠΑΙΔΕΙΑ
νεα δομη

όλες οι γνώσεις για όλους

What is being advertised?

Τι διαφημίζεται;

....

(1 mark)

Question 4.

You read this advertisement in a magazine.

Διαβάζεις αυτή τη διαφήμιση σ΄ ένα περιοδικό.

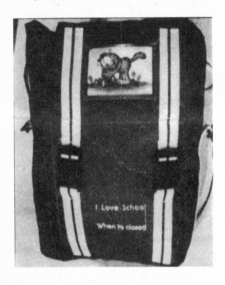

Ειδική προσφορά μέχρι τις 15 Σεπτεμβρίου: Η ωραία αυτή τσάντα σε πολλούς χρωματισμούς, από £13.00 μόνο £7.80.

Until when is the special offer available?

Μέχρι πότε είναι η ειδική προσφορά;

....

(1 mark)

Question 5

You see this sign at the side of the road.

Βλέπεις αυτή την πινακίδα στο δρόμο.

Χωρίς ζώνη ασφάλειας η πιθανότητα θανάτου
ΔΙΠΛΑΣΙΑΖΕΤΑΙ

Κι΄ όμως μπορείς να το προλάβεις!

ΥΠΟΥΡΓΕΙΟ ΣΥΓΚΟΙΝΩΝΙΩΝ & ΕΡΓΩΝ

What is this sign urging the public to do?
Τι προτρέπει το κοινό αυτή η πινακίδα;

....

(1 mark)

Question 6

You are reading the entertainment pages of a magazine.
Διαβάζεις τις σελίδες ψυχαγωγίας ενός περιοδικού.

ΘΕΑΤΡΙΚΟΣ ΟΡΓΑΝΙΣΜΟΣ ΚΥΠΡΟΥ

ΠΑΡΟΥΣΙΑΖΕΙ
ΤΗΝ ΚΩΜΩΔΙΑ

« ΠΟΛΥ ΚΑΚΟ ΓΙΑ ΤΙΠΟΤΑ »

ΤΟΥ ΣΑΙΞΠΗΡ

ΕΠΙΣΗΜΗ ΠΡΩΤΗ ΠΑΡΑΣΤΑΣΗ

ΔΗΜΟΤΙΚΟ ΘΕΑΤΡΟ ΛΕΥΚΩΣΙΑΣ
ΣΑΒΒΑΤΟ 16 ΔΕΚΕΜΒΡΙΟΥ 8. 30 Μ.Μ.
ΤΑΚΤΙΚΕΣ ΠΑΡΑΣΤΑΣΕΙΣ:
ΚΑΘΕ ΤΕΤΑΡΤΗ, ΣΑΒΒΑΤΟ ΚΑΙ ΚΥΡΙΑΚΗ
Στο ΔΗΜΟΤΙΚΟ ΘΕΑΤΡΟ ΛΕΥΚΩΣΙΑΣ

Εισιτήρια από τα ταμεία των θεάτρων

α) When is the first performance of the play?
   Πότε είναι η πρώτη παράσταση;

....

(1 mark)

(b) In which theatre is it being performed?
Σε ποιο θέατρο παίζεται;

....
(1 mark)

Question 7.

You have received this invitation from a friend.
Έλαβες αυτή την πρόσκληση από ένα φίλο σου.

> Σε προσκαλώ στο πάρτυ
> των γενεθλίων μου που θα γίνει
> το Σάββατο 10 Μαρτίου
> η ώρα 8. 00 μ.μ.
> στο σπίτι μου.

(α) What is this invitation for?
Τι είδους πρόσκληση είναι αυτή;

....
(1 mark)

(b) When is the invitation for?
Για πότε είναι η πρόσκληση;

....
(2 marks)

Question 8.

You are in Cyprus and you want to visit Greece. You look at an advertisement in the newspaper.
Είσαι στην Κύπρο και θέλεις να επισκεφτείς την Ελλάδα. Βλέπεις αυτή τη διαφήμιση στην εφημερίδα.

ΠΑΣΧΑ ΣΤΗΝ ΚΡΗΤΗ

ΑΕΡΟΠΟΡΙΚΩΣ

ΓΙΑ ΠΛΗΡΟΦΟΡΙΕΣ
HERCULES TRAVEL
Τηλ. 453112 - 453113.

What is Hercules Travel advertising?

Τι διαφημίζει το ταξιδιωτικό γραφείο Hercules;

....

(1 mark)

Question 9.
You read this advertisement in the newspaper.
Διαβάζεις αυτή τη διαφήμιση στην εφημερίδα.

Θέλετε ένα γατάκι;

Χαρίζονται όμορφα καθαρά και υγιή γατάκια όλων των χρωμάτων (άσπρα, πορτοκαλιά, τιγράκια, ασπρόμαυρα). Ζητούν τη στοργή σας. Αποταθείτε Ναπολέοντος 19, Στρόβολος (Περιοχή Σταυρός). τηλ. **423802.**

(α) What are being offered free?

Τι προσφέρεται δωρεάν;

....

(1 mark)

412

(b) What colours are they? (Name two).
   Τι χρώμα έχουν; (Γράψε δύο)

....
                                                                (**2 marks**)

Question 10.

You are staying with a friend in Greece. You see her school
timetable for Tuesday.
*Μένεις σε μια φίλη σου στην Ελλάδα. Βλέπεις το σχολικό
της πρόγραμμα για την Τρίτη.*

	ΤΡΙΤΗ
1	Νέα Ελληνικά
2	Φυσική
3	Αγγλικά
4	Μαθηματικά
5	Γερμανικά

(α) What languages does your friend do at school on Tuesdays?
   Τι γλώσσες διδάσκεται η φίλη σου στο σχολείο την Τρίτη;

....
                                                                (**2 marks**)

(b) What subject does she have for Period 2?
   Τι μάθημα έχει τη δεύτερη περίοδο;

....
                                                                (**1 mark**)

Question 11.

You are reading the contents page of a Greek magazine.
Διαβάζεις τα περιεχόμενα ενός Ελληνικού περιοδικού.

ΤΡΑΓΩΔΙΑ
• Ο Τάκης Αντωνιάδης γράφει για την πιο μεγάλη θαλάσσια τραγωδία της Κύπρου (14)

ΗΛΙΟΘΕΡΑΠΕΙΑ
• Συμβουλές γιατρών για το τι πρέπει να προσέχετε αυτές τις καυτές μέρες σαν θα κάνετε ηλιοθεραπεία (24)

ΚΟΥΖΙΝΑ
• Πώς θα μαγειρέψετε το ψάρι (62).

Ο ΗΘΟΠΟΙΟΣ
• Ποιος ήταν ο μεγάλος ηθοποιός Σερ Λώρενς Ολίβιε (30).

(α) What can you read about on page 24?
   Τι μπορείς να διαβάσεις στη σελίδα 24;

....

(1 mark)

(b) Where would you look if you were interested in cooking?
   Πού θα ψάξεις αν ενδιαφέρεσαι για μαγειρική;

....

(1 mark)

Question 12.

You look at the T.V. programmes in a newspaper.
Κοιτάζεις τα προγράμματα της τηλεόρασης σε μία εφημερίδα.

**5.00 ΕΚΠΑΙΔΕΥΤΙΚΗ
ΤΗΛΕΟΡΑΣΗ**

6.00 ΠΑΙΔΙΚΟ ΠΡΟΓΡΑΜΜΑ

6.30 ΕΙΔΗΣΕΙΣ

6.45 ΤΕΧΝΗ ΚΑΙ ΠΟΛΙΤΙΣΜΟΣ

**7.30 Η ΚΡΥΦΗ ΙΣΤΟΡΙΑ ΤΟΥ
ΠΕΤΡΛΑΙΟΥ**

**8.25 Η ΙΣΤΟΡΙΑ ΤΟΥ
ΚΙΝΟΥΜΕΝΟΥ ΣΧΕΔΙΟΥ**
Σειρά που αναφέρεται στους
σημαντικότερους δημιουργούς
καλλιτέχνες του κινουμένου
σχεδίου.

9.00 ΕΙΔΗΣΕΙΣ

**9.40 ΔΕΚΑΛΕΠΤΟ ΝΕΟΛΑΙΑΣ
ΧΡΙΣΤΙΑΝΙΚΗΣ
ΔΗΜΟΚΡΑΤΙΑΣ**

**10.00 Ο ΕΛΛΗΝΙΚΟΣ
ΚΙΝΗΜΑΤΟΓΡΑΦΟΣ**
« Εκείνο το καλοκαίρι».
Σκηνοθεσία Βασ.
Γεωργιάδης. Παίζουν
Ελ. Ναθαναήλ, Λάκης
Κομνηνός, Α. Φιλιππίδης.

**11. 25 ΣΥΝΤΡΟΦΙΑ ΜΕ ΤΗΝ
ΑΦΡΟΔΙΤΗ ΜΑΝΟΥ**
(Επανάληψη)

12.00 ΕΙΔΗΣΕΙΣ

(α) For whom is the programme at 6.00 ?
Για ποιους είναι το πρόγραμμα στις 6.00;

....

(1 mark)

415

(b) At what time is the second news bulletin?
Τι ώρα είναι το δεύτερο δελτίο ειδήσεων;

....

(1 mark)

Question 13.

You have received this letter from your friend Anna.
Πήρες αυτό το γράμμα από την φίλη σου Άννα.

Αθήνα 15 .1. 90

Αγαπημένη μου φίλη,

  Σε χαιρετώ. Πήρα την κάρτα και τα σκουλαρίκια που μου έστειλες για τα Χριστούγεννα και σ᾿ ευχαριστώ πάρα πολύ.

  Πέρασα πολύ ωραία τις διακοπές των Χριστουγέννων. Την ημέρα των Χριστουγέννων μαζεύτηκε όλη η οικογένεια στο σπίτι μας για φαγητό. Την παραμονή της Πρωτοχρονιάς πήγαμε όλη η παρέα σε ρεβεγιόν που γινόταν σ᾿ ένα πολύ ωραίο ξενοδοχείο. Περάσαμε υπέροχα.

  Πήρα πολλά δώρα φέτος. Το καλύτερο δώρο όμως ήταν από τους γονείς μου, ένα στερεοφωνικό που περίμενα τόσο καιρό.

Αυτά για τώρα,

Σε φιλώ με αγάπη

Άννα

(α) What is Anna thanking you for?
Για ποιο πράγμα σ᾿ ευχαριστεί η Άννα;

....

(2 marks)

(b) How did Anna spend New Year's Eve?
   Πώς πέρασε η Άννα την παραμονή της πρωτοχρονιάς;

....
   (2 marks)

(c) What was the best present she received?
   Ποιό ήταν το καλύτερο δώρο που πήρε;

....
   (1 mark)

Question 14.

You read about a T.V. programme in a magazine.
Διαβάζεις τα προγράμματα της τηλεόρασης σ΄ ένα περιοδικό.

Στο **MEGA CHANNEL**, μέσα σ΄ ένα χείμαρρο νέων σειρών, ελληνικών και ξένων είναι δύσκολο να ξεχωρίσει κανείς τις καλύτερες. Αξίζει, όμως, να παρακολουθήσετε:

1.Το «ΛΑΒΥΡΙΝΘΟ» το τηλεπαιχνίδι, που παρουσιάζει η Μαρία Αλιφέρη κάθε ΤΡΙΤΗ, ΠΑΡΑΣΚΕΥΗ και ΚΥΡΙΑΚΗ, στις 8.00. Θεαματικό παιχνίδι με συμμετοχή μόνο ζευγαριών.

(α) How often is this programme shown?
   Κάθε πότε παίζεται αυτό το πρόγραμμα;

....
   (1 mark)

(b) What kind of programme is it?
   Τι είδους πρόγραμμα είναι αυτό;

....

(1 mark)

(c) Who can take part in the programme?
   Ποιος μπορεί να λάβει μέρος σ΄ αυτό το πρόγραμμα;

....

(1 mark)

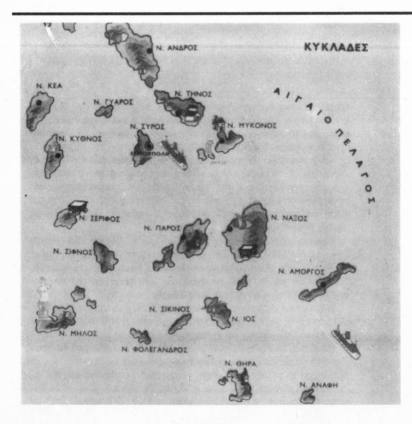

Paper 4 - Higher Reading Comprehension
Time allowed -   30 Minutes

Question 1.

You see this sign in a hospital.
Βλέπεις αυτή την πινακίδα σ΄ένα νοσοκομείο.

ΔΩΣΤΕ ΑΙΜΑ
- ΣΩΣΤΕ ΖΩΕΣ

What are you being asked for?
Τι σου ζητούν να προσφέρεις;

....
(1 mark)

Question 2.

You are reading some instructions on dieting in a magazine.
Διαβάζεις σ΄ένα Ελληνικό περιοδικό μερικές οδηγίες για μια δίαιτα.

ΒΑΣΙΚΕΣ ΟΔΗΓΙΕΣ

* **Καφές ή τσάι με γάλα και υποκατάστατα της ζάχαρης επιτρέπονται στο πρόγευμα.**

* **Ποτά, χωρίς καφεΐνη, ή μεταλλικό νερό επιτρέπονται όλη τη μέρα.**

* **Σνακ που υπάρχουν στον κατάλογο επιτρέπεται να τρώγονται οποιαδήποτε στιγμή της μέρας.**

* **Συνεννοηθείτε με το γιατρό σας πριν αρχίσετε αυτή ή οποιαδήποτε άλλη δίαιτα.**

(a) Name three things that are allowed during the
course of the diet.
Γράψε τρία πράγματα που επιτρέπονται σ΄αυτή τη δίαιτα.

....
(3 marks)

419

(b) What do you have to do before you start this diet?
Τι πρέπει να κάνεις πριν αρχίσεις αυτή τη δίαιτα;

....
(1 mark)

Question 3.

You read this item in a newspaper.
Διαβάζεις αυτή την είδηση στην εφημερίδα.

Κοριτσάκι έπαιζε με σπίρτα

και προκάλεσε πυρκαγιά

Κοριτσάκι που παρακολουθούσε χθες τηλεόραση στο σπίτι του, διέλαθε σε κάποια στιγμή της προσοχής των γονιών του και αφού πήρε τα σπίρτα τα άναψε με αποτέλεσμα να προκληθεί πυρκαγιά και να καούν έπιπλα και οικιακά σκεύη, η αξία των οποίων ανέρχεται σε 4. 000 λίρες.

Η πυρκαγιά κατασβέστηκε από τους γονείς και την Πυροσβεστική Υπηρεσία.

(a) How did the accident happen?
Πώς συνέβηκε το ατύχημα;

....
(2 marks)

(b) What damage was caused?
Τι ζημιές προκλήθηκαν;

....
(2 marks)

(c) Who helped to put the fire out?
Ποιοι βοήθησαν να σβήσουν τη φωτιά;

....
(1 marks)

Question 4.
You are reading a newspaper in Cyprus.
Διαβάζεις μια εφημερίδα στην Κύπρο.

Πλαστά δολάρια

MΕΤΑ την πολυήμερη παρακολούθηση η αστυνομία συνέλαβε το βράδυ της περασμένης Τρίτης δύο άτομα, στην κατοχή των οποίων βρέθηκαν 40, 200 πλαστά δολάρια Αμερικής.

Οι συλληφθέντες, οι οποίοι τέθηκαν υπό οκταήμερη κράτηση, είναι οι Μιχαήλ Παύλου Χατζηκώστας από την Αμμόχωστο και Ιάκωβος Πέτρου Ιακώβου, 36 χρόνων ιδιοκτήτης μπαρ από το Πραστειό Αμμοχώστου.

Η σύλληψη των δυο έγινε στο σπίτι του Χατζηκώστα στο συνοικισμό «Μακάριος» στη Λεμεσό, σύμφωνα με την Αστυνομία, κατά την ώρα της σύλληψης τους, ο Ιακώβου πέταξε σε διπλανή αυλή τσάντα, μέσα στην οποία υπήρχαν 840 χαρτονομίσματα των 50 δολαρίων.

(a) Why were the two men arrested?
Γιατί συνελήφθησαν οι δύο άνδρες;

....

(1 mark)

(b) What happened during the arrest?
Τι συνέβηκε κατά τη διάρκεια της σύλληψης;

....

(2 marks)

Question 5.

You are reading the music pages of a Greek magazine.
Διαβάζεις τις μουσικές σελίδες ενός Ελληνικού περιοδικού.

ΜΟΥΣΙΚΗ

Το τραγούδι εναντίον των ναρκωτικών

ΣΥΝΑΥΛΙΑ εναντίον των ναρκωτικών δίνουν ήδη στην Κύπρο οι Ελλαδίτες τραγουδιστές Πασχάλης και Πωλίνα, με πρωτοβουλία της Επιτροπής Νεολαίας της Λαϊκής Τράπεζας.

Με την ονομασία «Γεγονός ΄89: Όχι στα ναρκωτικά», οι συναυλίες άρχισαν την Παρασκευή 29 Σεπτεμβρίου και θα συνεχιστούν το Σάββατο 30 του μηνός στο Κάστρο της Πάφου, την Κυριακή 1 του Οκτωβρίου στο παλιό ΓΣΖ Λάρ

νακας και τη Δευτέρα στο Κηποθέατρο Λεμεσού.

Ο Πασχάλης και η Πωλίνα θα παρουσιάσουν το σιόου «On the Rocks» μαζί με το 12μελές συγκρότημα τους στο οποίο συμμετέχει η Φανή Πολυμέρη και ο Δάκης Αντωνιάδης. Το σιόου έχει ενθουσιάσει την Ελλάδα και αναμένεται να ξεσηκώσει το νεαρόκοσμο της Κύπρου.

Στο μεταξύ, λόγω της αφιέρωσης των συναυλιών των ναρκωτικών, μεγάλο ενδιαφέρον έχουν ξένες πρεσβείες και πολιτιστικοί παράγοντες στην Κύπρο, την Ελλάδα και σε άλλες χώρες, στέλλοντας μηνύματα συμπαράστασης.

(a) What is the purpose of the concert?

Ποιος είναι ο σκοπός της συναυλίας;

....

(1 mark)

(b) Where will the last concert take place and when?

Πού θα γίνει η τελευταία συναυλία και πότε;

....

(2 marks)

(c) What evidence is there that the concert will be successful?

Πώς είναι φανερό ότι οι συναυλίες θα έχουν επιτυχία;

....

(1 mark)

(d) How widespread is interest in the concert? Give reasons for your answer.

Πόσο ευρύ είναι το ενδιαφέρον για τη συναυλία; Δικαιολόγησε την απάντησή σου.

....

(2 marks)

A cafe in Cyprus

423

Question 6.

You are in Nicosia during the heatwave and you read this article.

Είσαι στη Λευκωσία κατά τη διάρκεια του καύσωνα και διαβάζεις αυτό το άρθρο.

Στους 40 βαθμούς πάει το θερμόμετρο

ΚΑΥΣΩΝΑΣ ΚΑΙ ΣΤΗΝ ΕΛΛΑΔΑ - ΕΦΤΑ ΝΕΚΡΟΙ

Σ τους 40 βαθμούς αναμένεται, σύμφωνα με την Μετεωρολογική Υπηρεσία, να φθάσει μέχρι αύριο Τρίτη το θερμόμετρο μετά από το κύμα καύσωνος που άρχισε να πλήττει από χθες την Κύπρο.

Η απότομη άνοδος της θερμοκρασίας αναμένεται ότι θα δημιουργήσει πολλά προβλήματα σε άτομα μεγάλης ηλικίας καθώς επίσης και σε άτομα που έχουν διάφορα προβλήματα υγείας.

Η χθεσινή άνοδος της θερμοκρασίας στους 36 βαθμούς ανάγκασε τους

Λευκωσιάτες να εγκαταλείψουν την πρωτεύουσα με αποτέλεσμα να δημιουργηθεί κυκλοφοριακή συμφόρηση στους δρόμους προς τις παραλιακές πόλεις.

Η Λευκωσία χθες παρουσίασε εικόνα βουβής και νεκρικής πόλης αφού ελάχιστοι ήταν αυτοί που κυκλοφορούσαν στους δρόμους της. Σήμερα η θερμοκρασία θα ανέλθει στους 38 βαθμούς, ενώ αύριο Τρίτη το θερμόμετρο θα φθάσει και ίσως ξεπεράσει τους 40 βαθμούς.

Ενημερωτικά αναφέρεται ότι χθές το νοσοκομείο Λευκωσίας δεν είχε δεχθεί ούτε ένα άτομο με προβλήματα υγείας από τον καύσωνα.

424

(a) Who are most at risk during the heatwave?

Ποιοι κινδυνεύουν περισσότερο από το κύμα καύσωνος;

....
(2 marks)

(b) How according to the article has the heatwave affected Nicosia?

Πώς το κύμα καύσωνος επηρέασε τη Λευκωσία;

....
(2 marks)

Question 7.

You read this article in a newspaper.
Διαβάζεις αυτό το άρθρο σε μια εφημερίδα.

Ο πιλότος έδιωξε καπνιστές

« ΔΥΟ ΓΕΡΜΑΝΙΔΕΣ τουρίστριες που επέστρεφαν στην πατρίδα τους με αεροπλάνο Αμερικάνικης αεροπορικής εταιρείας διατάχθηκαν να εγκαταλείψουν το αεροπλάνο σε αεροδρόμιο της Αλάσκας γιατί κατά τη διάρκεια της πτήσης κάπνιζαν προκλητικά στο χώρο του αεροπλάνου όπου δεν επιτρέπεται το κάπνισμα» γράφει η μαζικής κυκλοφορίας εφημερίδα Bild.

Οι Γερμανίδες τουρίστριες, δυο δίδυμες αδελφές από το Dortmund, ζήτησαν θέσεις στο χώρο που επιτρέπεται το κάπνισμα αλλά είχαν όλες δοθεί.

Γι᾽ αυτό θεώρησαν δικαίωμά τους να καπνίσουν οπωσδήποτε, παρά τις διαμαρτυρίες των μη καπνιστών και τις προτροπές των αεροσυνοδών.

Όταν το αεροπλάνο έφτασε στην Αλάσκα ο αρχιπιλότος του αεροπλάνου τις υποχρέωσε να το εγκαταλείψουν.

Ο πρόξενος της Δυτικής Γερμανίας αρνήθηκε να επέμβει και οι δίδυμες αδελφές αναγκάστηκαν να μείνουν στην Αλάσκα για μια βδομάδα μέχρι που οι συγγενείς τους να τους στείλουν λεφτα για το ταξίδι της επιστροφής !

(a) Why did the two sisters think that they had a right to smoke in the aeroplane?

Γιατί οι δυο αδελφές θεώρησαν πως είχαν δικαίωμα να κα-πνίσουν μέσα στο αεροπλάνο;

....

(2 marks)

(b) What eventually hapenned to them?

Τι έγινε τελικά μ΄ αυτές;

....

(2 marks)

Question 8.

You read this article in a newspaper.

Διαβάζεις αυτό το άρθρο στην εφημερίδα.

Η Κυρά Λένα

Η ΚΥΡΑ - ΛΕΝΑ η γυναίκα που το όνομα της έγινε θρύλος στην Ελλάδα κατά τη διάρκεια του Πολέμου, ήταν το φωτογραφικό θέμα του κ. Πολ Ρασμούνσεν, που κέρδισε το πρώτο βραβείο στο φωτογραφικό διαγωνισμό του Μπι - Μπι - Σι με θέμα: «Σπίτι».

Η φωτογραφία με τίτλο: «Αναμνήσεις», δείχνει την Ελληνίδα που γνωρίζοντας Γερμανικά δούλευε σαν διπλός πράκτορας. Ενώ μετέφραζε για χάρη των Γερμανών αξιωματικών, ταυτόχρονα έδινε πληροφορίες και στην Αντίσταση.

Η φωτογραφία (που βραβεύτηκε) δείχνει περισσότερο τις συνθήκες ζωής κάποιου, από οποιαδήποτε φωτογραφία που έλαβε μέρος στο διαγωνισμό» είπε ο΄ κ. Κόλιν Φορτ ένας από τους τρεις κριτές του διαγωνισμού.

Ο φωτογράφος Πολ Ράσμουνσεν ζει στην Ελλάδα στη Μονεμβασιά εδώ και δέκα χρόνια.

Ας σημιωθεί ότι από τις συμμετοχές στο διαγωνισμό, οι 27 ήταν ελληνικές.

Ακόμα, η ανακοίνωση των αποτελεσμάτων συνέπεσε με τους εορτασμούς των 150 χρόνων της φωτογραφίας.

(a) Give details of three things you are told about Kyra Lena.
   Γράψε τρεις πληροφορίες για την Κυρά Λένα.

....

(3 marks)

(b) Why is the BBC mentioned in this article?
   Γιατί αναφέρεται το Μπι- Μπι - Σι σ' αυτό το άρθρο;

....

(2 marks)

**Η εκκλησία και το ηρώο του Χατζηθεοδοσίου στους Στύλλους
της Κύπρου.**

Paper 5: Basic Oral - 10 mins maximum
Paper 6: Higher Oral - 10 mins maximum

Guided Conversation Themes

1.	Your home
2.	Your family
3.	Your morning and evening routine
4.	The town or village in which you live
5.	Your school and your school life
6.	What you do at weekends
7.	Sports that you play and watch
8.	Your holidays
9.	Your friends
10.	Your plans for the next two or three years
11.	A visit abroad.

Candidates are required to speak on **three** themes.

Theme **one** is selected by the examiner from the three listed by the candidate on his / her questionnaire.

Themes **two** and **three** are selected at random by the examiner from the remaining eight.

Candidates Role - Play

A1

You are at the coach station in Athens and you want to travel to Kalamata. The examiner will play the part of the ticket office clerk.

1. Say that you want to go to Kalamata today.

2. Say that you want to leave at 11.00.

3. Ask for two tickets.

A2

A friend from Cyprus is staying at your house.
He/ She does not speak any English. The examiner will play the part of your friend.

1. Ask whether he/ she slept well.

2. Ask what he/ she would like for breakfast.

3. Say that you usually have an egg and coffee.

A3

You are staying with a family in Thessaloniki.
You are discussing plans for tomorrow. The examiner will play the part of a member of the family.

1. Say that you would like to go to the seaside.

2. Ask how far away it is.

3. Ask at what time you will leave.

A 4

You and your sister are sitting outside a café near the Acropolis in Athens. The examiner will play the part of the waiter / waitress.

1. Order a coffee and an orange juice.

2. Say that you would like coffee without sugar.

3. Ask how much it is.

A5

You are at a petrol station with your family in Limassol. The examiner will play the part of the attendant.

1. Ask for £10 worth of petrol.

2. Ask how far it is to Paphos.

3. Ask whether there is a toilet.

A6

You have been introduced to a young Greek person at a party. The examiner will play the part of this person.

1. Ask his / her name.

2. Ask where he / she is from in Greece.

3. Ask what he / she is doing in England.

B1

A friend from Cyprus is staying in your home.
The examiner will play the part of this friend.

1. Ask whether he / she likes the room.
2. Ask if your friend has everything he/ she needs.
3. Say that you get up at 7.30.
4. Ask what he / she wants to do tomorrow.
5. Suggest going into town.

B2

A friend you have made on holiday in Greece is leaving soon
for Italy. The examiner will play the part of the friend.

1. Ask when he / she is leaving for Italy.
2. Say that you would like to write to him / her.
3. Ask for his / her address.
4. Say that you will write soon.
5. Wish him / her a good journey.

B3

You have just finished a meal at the house of your friend in
Cyprus. The examiner will play the part of a member of the
family.

1. Say thank you but you have had enough.
2. Say that the food was delicious.
3. Say that you like chicken and potatoes.
4. Explain that you do not like cheese very much.
5. Say that you would like a glass of water.

B4

You are in Omonia Square in Athens and you want to catch
the bus to Papagou. You speak to a passer-by. The examiner
will play the part of the passer-by.

1. Ask where the bus to Papagou leaves from.
2. Ask where the bus stop is.
3. Ask whether you have to turn anywhere.
4. Ask how far away it is.
5. Ask what time it is.

B5

You are being interviewed by an agency which arranges exchanges for young people who wish to stay with Greek families. The examiner will play the part of the interviewer.

1. Tell the interviewer where you were born.
2. Tell him / her where you started learning Greek.
3. Say you want to practise the language.
4. Say you have been with your parents.
5. Say that you liked the food and weather.

B6

You are at a street market in Nicosia. The examiner will play the part of the stall-holder.

1. Ask how much the water melons cost.
2. Say they are too expensive.
3. Ask for two kilos of peaches.
4. Ask where you can buy flowers.
5. Ask how much you owe.

C1

You are at a café in Corfu. You have been served a sandwich which has been made with stale bread. The examiner will play the part of the waiter / waitress.

1. Say that you have a complaint.
2. Explain that you have just bought a sandwich.
3. Explain that the bread is not fresh.
4. Say that you wish to order something else.
5. Order something else to eat.

6. Ask whether you have to pay any more.
7. Respond to the waiter's / waitress's question.

C 2

You are staying with a friend in Cyprus. You are tired and do not want to go out tonight. The examiner will play the part of your friend.

1. Ask what your friend wants to do this evening.
2. Explain what you would rather do and why.
3. Say that there are some good programmes on TV.
4. Say there is an English film and a sports programme.
5. Ask what is on at the cinema.
6. Reply to your friend´s question.
7. Ask whether his / her friend Dimitirs will be coming too.

C 3

You and your friend are travelling from Italy to Greece on a Greek boat and you go to reserve cabins. The examiner will play the part of the booking clerk.

1. Ask whether there are any cabins available.
2. Respond to the clerk's question.
3. Ask how much a cabin with a shower will cost.
4. Ask whether they have any cheaper cabins.
5. Book the accommodation you require.
6. Ask at what time the boat will arrive in Corfu.
7. Ask at what time they serve breakfast.

C 4

You are at a kiosk in Hania in Crete and you want to phone home to your family in England. The examiner will play the part of the kiosk holder.

1. Ask whether you can make a call abroad.
2. Reply to the kiosk holder's question.
3. Ask how much it costs per minute.

433

4. Find whether they sell English newspapers.
5. Ask the kiosk holder if he/ she can change a
   1, 000 drachma note.
6. Ask for directions to the old town.
7. Reply to the question you are asked.

C 5

You are at the doctor's in Cyprus. You are suffering from headache and dizziness. You stayed on the beach from ten until four yesterday. The examiner will play the part of the doctor.

1. Describe your symptoms to the doctor.
2. Answer the doctor's question.
3. Ask whether it may be serious.
4. Ask whether you will need to take any medicine.
5. Find out when you will be able to go to the beach again.
6. Say that you will be more careful.
7. Answer the doctor's final question.

C 6

You have been invited to spend a few days at a friend's summer house by the sea. You discuss it with a friend who has been there before. The examiner will play the part of your friend.

1. Ask where exactly the house is.
2. Find out if you can get there by public transport.
3. Find out how many people the house can accommodate.
4. Ask whether there are any shops nearby.
5. Find out how far the house is from the beach.
6. Ask for any other piece of information you want about the place.
7. Reply to your friend's question.

General Conversation Themes

1. Towns, buildings, Houses
2. People
3. Leisure Activities, Sport
4. Town and Country, Geography, Climate
5. Public Entertainment, Tourist visits
6. Yearly routine, Festivals and Holidays
7. Domestic and Personal Situations Abroad
8. Family and Daily Routine
9. Public Transport
10. School.

---

1. Πού μένεις; Σε σπίτι ή διαμέρισμα; Περίγραψε το.
2. Περίγραψε με λίγα λόγια τον εαυτό σου. Έχεις κανένα χόμπυ; Έχεις πολλούς φίλους;
3. Τι κάνεις τον ελεύθερο σου χρόνο;
   Βλέπεις τηλεόραση; Ποια έργα βλέπεις;
   Διαβάζεις βιβλία, περιοδικά;
4. Προτιμάς την πόλη ή την εξοχή; Γιατί;
5. Σε ποια μέρη της Βρετανίας/του εξωτερικού έχεις πάει σαν τουρίστας; Τι είδες εκεί;
6. Γιορτάζεις τα γενέθλια σου; Λίγα λόγια για μία άλλη γιορτή - αγγλική ή ελληνική.
7. Σε τι διαφέρει η Ελλάδα/ η Κύπρος/ η Γαλλία από την Αγγλία;
8. Τι κάνεις συνήθως τα Σαββατοκύριακα;
9. Πώς ταξιδεύεις όταν πηγαίνεις σε άλλο μέρος της Βρετανίας/στο εξωτερικό; Γιατί;
10. Περίγραψε το σχολείο σου. Ποιο μάθημα σ' αρέσει περισσότερο;

Paper 7 - Basic Writing
Time allowed - 45 Minutes

PART 1 - A

*You should answer **either** Question 1 **or** Question 2.*

Πρέπει να απαντήσεις την Ερώτηση 1 ή την Ερώτηση 2.

1. A school in Greece is planning to publish an article in their magazine on people in England who are learning Greek. You have been asked to fill in the form below in Greek.

Ένα σχολείο στην Ελλάδα σκοπεύει να δημοσιεύσει ένα άρθρο στο περιοδικό του με θέμα τους ανθρώπους στην Αγγλία που μαθαίνουν ελληνικά. Παρακαλείσαι να συμπληρώσεις το ακόλουθο έντυπο στα Νέα Ελληνικά.

Όνομα	....
Επώνυμο	....
Ηλικία	....
Χρώμα μαλλιών	....
Χρώμα ματιών	....
Μάθημα που προτιμάς	....
Σπορ που σ' αρέσει	....
Φαγητό που προτιμάς	....
Ζώα που σου αρέσουν	....
Δουλειά που θα ήθελες να κάνεις	....

2. You are going to stay with a family in Cyprus and want to write a letter to introduce yourself. The following letter contains several numbered spaces. Using the list below the letter write out in Modern Greek the words which would apply to your own circumstances.

Θα πας να μείνεις σε μια οικογένεια στην Κύπρο και θέλεις να γράψεις ένα γράμμα για να παρουσιάσεις τον εαυτό σου. Το ακόλουθο γράμμα περιέχει μερικά αριθμημένα κενά. Χρησιμοποιώντας τη λίστα που είναι από κάτω από το γράμμα, γράψε στα Νέα Ελληνικά τις λέξεις που ταιριάζουν στη δική σου περίπτωση.

Ονομάζομαι .... και είμαι ....
(1)

.... Η οικογένεια μου αποτελείται από
(2)

.... Μένουμε σ(ε) ....
(3) (4)

Τα ενδιαφέροντά μου είναι ....
(5)

Θα φτάσω στην Κύπρο τ ....,
(6)

14............................... .
(7)

---

(1) Name
Όνομα } ....

(2) Age
Ηλικία } ....

(3) How many are there in your family
Πόσα άτομα είσαστε στην οικογένεια } ....

437

(4) Type of dwelling
Είδος κατοικίας } ....

(5) Two of your interests } ....
Δύο από τα ενδιφέροντά σου

(6) Day
Ημέρα } ....

(7) Month
Μήνας } ....

PART I - B

*You should answer **either** Question 3 **or** Question 4.*

Write your answer in the box opposite the question.

Πρέπει να απαντήσεις στην Ερώτηση 3 ή την Ερώτηση 4.

Γράψε την απάντηση σου στα Νέα Ελληνικά στο χώρο κάτω από την ερώτηση.

3. You have just received this post card from a friend in Greece.

Μόλις έλαβες αυτή την κάρτα από ένα φίλο σου στην Ελλαδα.

Βρίσκομαι για λίγες μέρες στο σπίτι της αδελφής μου. Μένει σε μια μικρή πόλη κοντά στο βουνό, κάθε πρωί πηγαίνουμε περίπατο. Το απόγευμα διαβάζουμε. Το Σάββατο θα πάμε σε μια ντισκοτέκ. Βασίλης	

Write a similar post card of 25 - 30 words in Modern Greek to your friend. You should mention:
(1) With which relative you are staying and for how long.
(2) Where your relative lives.
(3) What you do every day.

(4) What you do in the evening.
(5) What you are going to do on Friday.

The details must be different to those in the card from your friend.

Γράψε μία παρόμοια με 25 - 30 λέξεις στα Νέα Ελληνικά στο φίλο σου. Πρέπει να αναφέρεις:

(1) *Με ποιο συγγενή μένεις και για πόσο καιρό.*
(2) *Πού μένει ο συγγενής.*
(3) *Τι κάνετε κάθε μέρα.*
(4) *Τι κάνετε κάθε βράδυ.*
(5) *Τι θα κάνετε την Παρασκευή.*

Δεν πρέπει να γράψεις τις ίδιες πληροφορίες που έχει γρά-ψει ο φίλος σου.

4.

> Δεν μπορώ να περιμένω άλλο. Πρέπει να
> πάω στα μαγαζιά. Θα γυρίσω στις εφτά.
> Αν πεινάσεις, πάρε κάτι να φας.

You are staying with a friend in Cyprus and have arrived back late and found this note. You have to go out again. Write a note of 25 - 30 words in Modern Greek to your friend.

You should say:

(1) Why you were late.

(2) What time it is now.

(3) What you took to eat.

(4) What you plan to do this evening.

(5) What time you will return.

Μένεις στο σπίτι ενός φίλου σου στην Κύπρο. Άργησες να γυρίσεις στο σπίτι και βρήκες αυτό το μήνυμα. Πρέπει να ξαναβγείς. Γράψε ένα σημείωμα με 25 - 30 λέξεις στα Νέα Ελληνικά στο φίλο σου.

Πρέπει να αναφέρεις:

(1) *Γιατί άργησες.*

(2) *Τι ώρα είναι τώρα.*

(3) *Τι έφαγες.*

(4) *Τι θα κάνεις σήμερα το απόγευμα.*

(5) *Τι ώρα θα γυρίσεις.*

PART II

*You should answer **either** Question 5 **or** Question 6.*
Write your anwer in Modern Greek

Πρέπει να απαντήσεις την Ερώτηση 5 ή την Ερώτηση 6.
Γράψε την απάντησή σου στα Νέα Ελληνικά

5. You have received this letter from a friend.
Πήρες αυτό το γράμμα από ένα φίλο σου.

Αγαπημένη μου φίλη

Γεια σου. Ευχαριστώ για το γράμμα σου. Τι κάνει ο ξάδελφός σου; Ξέρω ότι έχεις πολύ διάβασμα τώρα που είναι ο τελευταίος σου χρόνος. Πόσες ώρες διαβάζεις κάθε μέρα; Τι κάνεις όταν έχεις ελεύθερο χρόνο; Έχεις πάει κανένα ταξίδι με το σχολείο σου αυτή τη χρονιά;

Αποφάσισες τι θα κάνεις με τα λεφτά που παίρνεις από τη δουλειά που κάνεις το Σάββατο; Τι θα κάνεις όταν τελειώσεις το σχολείο;

Γράψε μου σύντομα.

Πολλά φιλιά

Έφη

Write a letter in Modern Greek in reply to this letter. You must write 60 - 70 words and refer to four points in Efi's letter. One of these must come from the second paragraph.

Γράψε ένα γράμμα στα Ελληνικά απαντώντας σ´αυτό το γράμμα. Πρέπει να γράψεις 60 - 70 λέξεις και να αναφερθείς σε τέσσερα σημεία από το γράμμα της Έφης. Ένα από αυτά τα σημεία πρέπει να είναι από τη δεύτερη παράγραφο.

6. You have received a letter from a friend in Greece asking you about the points listed below. Write a letter in Modern Greek of about 60 - 70 words. You should deal with four of the points including number (5) or number (6).

You should mention:

(1) What kind of house you live in.

(2) What there is near your home.

(3) How far your home is from your school.

(4) How you get to shool.

(5) What you did last weekend.

(6) What your plans are for September.

Έλαβες ένα γράμμα από μία φίλη σου στην Ελλάδα που σε ρωτά για τα ακόλουθα θέματα. Γράψε ένα γράμμα στα Ελληνικά με 60 - 70 λέξεις. Πρέπει να αναφερθείς σε τέσσερα θέματα. Ένα από αυτά πρέπει να είναι το (5) ή το (6).

Πρέπει να γράψεις:

(1) Σε τι είδος κατοικία μένεις.

(2) Τι υπάρχει κοντά στο σπίτι σου.

(3) Πόσο μακριά είναι το σπίτι σου από το σχολείο σου.

(4) Πώς πηγαίνεις στο σχολείο.

(5) Τι έκανες το περασμένο Σαββατοκύριακο

(6) Ποια είναι τα σχέδιά σου για το Σεπτέμβρη.

Paper 8 - Higher Writing
Time allowed - One hour

*Choose **two** questions from the following and write in Modern Greek a compostition of about 80 - 90 words for each question. Credit will be given for using a variety of words and expressions, but irrelevant material will earn no marks.*

Διαλέξτε δύο από τις ακόλουθες ερωτήσεις και γράψετε στα Νέα Ελληνικά μία έκθεση 80 - 90 λέξεις περίπου για κάθε ερώτηση. Θα δοθεί σημασία στη χρήση ποικιλίας λέξεων και εκφράσεων, αλλά δεν θα δοθούν βαθμοί σε άσχετο υλικό.

Question 1

You have recently been on a holiday on a Greek island. With the help of the map below, write an account of how you spent your time.

Πήγες πρόσφατα διακοπές σ' ένα Ελληνικό νησί. Με τη βοήθεια του παρακάτω χάρτη, γράψε πως πέρασες τις διακοπές σου.

Question 2.

A magazine in Greece is interested in education in Britain. Write an article describing school life in Britain today.

΄Ενα περιοδικό στην Ελλάδα ενδιαφέρεται για την παιδεία στη Βρετανία. Γράψε ένα άρθρο για τη σχολική ζωή στη Βρετανία σήμερα.

Question 3.

Write a compostition based on the pictures below.

Γράψε μια έκθεση που να βασίζεται στις παρακάτω εικόνες.

ANSWERS

EXERCISE 1

1. η	7. το	13. ο	19. το
2. το	8. το	14. η	20. η
3. η	9. η	15. ο	21. η
4. το	10. ο	16. ο	22. το
5. το	11. η	17. ο	23. η
6. ο	12. ο	18. το	24. ο

EXERCISE 2

1. ένα	6 ένας	11. μία	16. ένας
2. μία	7. μία	12. ένα	17. ένας
3. ένα	8. μία	13. ένας	18. ένα
4. ένας	9. ένας	14. ένα	19. μία
5. ένας	10. ένας	15. μία	20. μία

EXERCISE 3

1. ένα ποτήρι	7. η κουζίνα	14. ο πίνακας
2. μια πένα	8. ο μαθητής	15. η Χριστίνα
3. ένα φλιτζάνι	9. ο Αντρέας	16. ο δάσκαλος
4. ένα κουτάλι	10. η Ελένη	17. η μητέρα
5. το ψωμί	11. η Άννα	18.το τσάϊ
6. η καρέκλα	12. το νερό	19. ένα πιάτο
	13. ένα πιρούνι	20. ένα μολύβι

EXERCISE 4 (self - explanatory)

EXERCISE 5

1. οι δάσκαλοι	11. οι κοπέλες	21. τα ξενοδοχεία
2. οι χτίστες	12. οι ταβέρνες	22. τα εστιατόρια
3. οι ράφτες	13. οι κουζίνες	23. τα μαθήματα
4. οι ταχυδρόμοι	14. οι μύτες	24. τα λουλούδια
5. οι εργάτες	15. οι μηχανές	25. τα καρπούζια
6. οι πατέρες	16. οι κάρτες	26. τα αχλάδια
7. οι μανάβηδες	17. οι μέρες	27. τα μάτια
8. οι αδελφοί	18. οι τράπεζες	28. τα ψωμιά
9. οι ταμίες	19. οι δραχμές	29. τα λεωφορεία
10. οι ψαράδες	20. οι τιμές	30. τα γράμματα

EXERCISE 6

1. ο Έλληνας	11. η ταβέρνα	21. το φρούτο
2. ο άντρας	12. η πόλη	22. το ψάρι
3. ο οδηγός	13. η τάξη	23. το βιβλιο
4. ο δάσκαλος	14. η εκκλησία	24. το χρώμα
5. ο βοσκός	15. η πατάτα	25. το πόδι
6. ο ναυτικός	16. η εφημερίδα	26. το δόντι
7. ο μαθητής	17. η βάρκα	27. το λεωφορείο
8. ο γιατρός	18. η ντομάτα	28. το μήλο
9. ο ψωμάς	19. η δραχμή	29. το καφενείο
10. ο γείτονας	20. η τιμή	30. το βουνό

EXERCISE 7

1. Άγγλος, ίδα	6. Έλληνες, ίδες	11. Σκωτσέζος
2. Κύπριος, ια	7. Κύπριοι	12. Γερμανίδα
3. Γάλλος	8. Αγγλίδες	13. Αμερικάνοι, ίδες
4. Ιταλίδα	9. Ουαλλός, έζα	14. Άγγλοι, ίδες
5. Βρετανοί, ίδες	10. Ιρλανδός, έζα	15. Σουηδοί

EXERCISE 8 - Already answered.

EXERCISE 9

1. κοντός
2. καλός
3. χοντρός
4. ζεστός
5. ακριβός
6. φτηνός
7. ψηλός
8. ωραίος
9. φτωχός
10. πλούσιος

11. ψηλή
12. κοντή
13. λεπτή
14. φτηνή
15. ανοιχτή
16. κλειστή
17. ξανθή (ια)
18. γαλάζια (νη)
19. κοντή
20. ελληνική

21. καλό
22. κόκκινο
23. πράσινο
24. κίτρινο
25. πράσινο
26. φτηνό
27. ακριβό
28. ανοιχτό
29. ζεστό
30. κλειστό

EXERCISE 10

1. Τα φορέματα είναι γαλάζια.
2. Τα πανταλόνια είναι γκρίζα.
3. Οι μπλούζες είναι άσπρες.
4. Τα παλτά είναι γαλάζια.
5. Τα πουκάμισα είναι άσπρα.
6. Οι γραβάτες είναι κόκκινες.
7. Τα παπούτσια είναι καφετιά (καφέ).
8. Τα μαντίλια είναι τριανταφυλλιά.
9. Οι φούστες είναι πράσινες.
10. Τα πανταλόνια είναι γαλάζια.
11. Οι μπλούζες είναι πορτοκαλιές.
12. Οι γραβάτες είναι σταχτιές.
13. Τα πουκάμισα είναι κίτρινα.
14. Τα παπούτσια είναι μαύρα.
15. Τα μαντίλια είναι άσπρα.
16. Οι ράφτες είναι κοντοί.
17. Οι Έλληνες είναι φιλόξενοι.
18. Οι γιατροί είναι ψηλοί.

19. Οι δάσκαλοι είναι καλοί.
20. Οι μαθητές είναι έξυπνοι.

EXERCISE 11

1. κόκκινο	5. πράσινη	9. ροζ (τρια-	13. μαύρο
2. γκρίζο	6. μαύρη	νταφυλλιά)	14. κόκκινο
3. άσπρο	7. κίτρινο	10. κόκκινη	15. άσπρος
4. γαλάζιο	8. καφέ(τί)	11. πορτοκαλί	16. μαύρη
		12. πράσινο	

EXERCISE 12

1. Τα σπίτια είναι μεγάλα.
2. Οι κουζίνες δεν είναι μικρές.
3. Οι κήποι είναι ωραίοι.
4. Τα τραπέζια δεν είναι μεγάλα.
5. Οι καρέκλες είναι άσπρες.
6. Τα βάζα είναι στα τραπέζια.
7. Αυτά δεν είναι μαχαίρια.
8. Αυτά είναι πιρούνια.
9. Εκείνα δεν είναι κουτάλια.
10. Εκείνα είναι πιάτα.
11. Αυτά είναι φλιτζάνια.
12. Οι φρυγανιές είναι στα πιάτα.
13. Τα αυγά δεν είναι τηγανητά.
14. Τα αυγά είναι βραστά.
15. Τα τσάια είναι ζεστά.
16. Οι καφέδες είναι ζεστοί.

EXERCISE 13

1. Αυτό είναι ένα κουτάλι.
2. Εκείνο είναι ένα φλιτζάνι.

3. Το σπίτι δεν είναι μικρό.

4. Το αυγό είναι άσπρο.

5. Αυτός είναι Άγγλος.

6. Ο καφές δεν είναι ζεστός.

7. Εκείνο είναι το πιρούνι.

8. Το ψάρι είναι τηγανητό.

9. Εκείνη είναι μια καρέκλα.

10. Το πιάτο είναι καθαρό.

11. Το ποτήρι δεν είναι γεμάτο κρασί.

12. Η ταβέρνα είναι γεμάτη.

13. Η κουζίνα είναι μεγάλη.

14. Η καρέκλα είναι μικρή.

15. Η γυναίκα δεν είναι Αγγλίδα.

16. Ο άντρας είναι Έλληνας.

17. Αυτός είναι τουρίστας.

18. Αυτός είναι Γάλλος.

EXERCISE 14

1. μου	4. της	7. τους	10. τους	13. της
2. σου	5. μας	8. του	11. μου	14. σας
3. του	6. σας	9. μας	12. σου	15. του

EXERCISE 15

1. ο φίλος μου
2. η φιλενάδα σου
3. το όνομά του
4. το όνομά της
5. το φόρεμά της
6. το πουκάμισό του
7. η γραβάτα του
8. η θεία μου
9. ο θείος σου
10. ο αδελφός της
11. η μητέρα μας
12. ο θείος τους
13. η αδελφή τους
14. το βιβλίο μας
15. το πανταλόνι του
16. το αυτοκίνητο σου
17. η φούστα της
18. τα παπούτσια μας
19. τα μάτια τους
20. οι φίλοι σας.

EXERCISE 16

1. Άγγλος	5. κοντός	9. γραμμα-τέας	13. κόκκινο
2. Αγγλίδα	6. νέα	10. δάσκαλος	14. γαλάζια
3. χοντρός	7. ψηλός	11. ξανθιά	15. μαύρα
4. ψηλή	8. Έλληνας	12. μαύρο	16. λεπτή

EXERCISE 17

1- 10 Με λένε

11. Τον λένε	16. Την λένε
12. Την λένε	17. Την λένε
13. Την λένε	18. Τον λένε
14. Τον λένε	19. Την λένε
15. Τον λένε	20. Τον λένε

EXERCISES 18 AND 19 - Already answered

EXERCISE 20

1 της Μαρίας	8. του παιδιού	15. του Μάρκου
2. της Άννας	9. του δασκάλου	16. του παππού
3. του Νίκου	10. του ψαρά	17. της γιαγιάς
4. του Γιάννη	11. του ψωμά	18. του Χρίστου
5. του πατέρα	12. του μανάβη	19. της Χριστίνας
6. της μητέρας	13. του Γιώργου	20. του Πέτρου
7. της Ελένης	14. του κρεοπώλη	

EXERCISE 21

1 του	7. του	13. της
2. του	8. της	14. της
3. της	9. της	15. της
4. της	10. του	16. της
5. του	11. του	17. του
6. του	12. της	18. της

EXERCISE 22

1. των ψαράδων
2. των παιδιών
3. των γυναικών
4. των μανάβηδων

5. των ξενοδοχείων
6. των ταβερνών
7. των μαθητών
8. των παιδιών

9. των σπιτιών
10. των παραθύρων
11. των φρούτων
12. των Ελλήνων

EXERCISE 23

1. τον
2. την
3. την
4. το
5. τον

6. την
7. την
8. το
9. την
10. τον

11. την
12. το
13. το
14. το
15. την

16. την
17. τον
18. την
19. την
20. τον

EXERCISE 24

1. έναν
2. μια
3. ένα
4. ένα
5. μια

6. ένα
7. έναν
8. έναν
9. ένα
10. μια

11. ένα
12. έναν
13. μια
14. ένα
15. μια

16. μια
17. έναν
18. μια
19. ένα
20. ένα

21. έναν
22. μια
23 μια
24. ένα
25. ένα

EXERCISE 25

1. τα
2. τις
3. τις
4. τα
5. τους

6. τις
7. τις
8. τα
9. τα & τις
10. τα

11. τα & τις
12. τις
13. τα
14. τα & τις
15. τους & τις

16. τους

EXERCISE 26

1. στην ταβέρνα
2. στο ξενοδοχείο
3. στο τραπέζι
4. στο παράθυρο
5. στην κουζίνα
6. στην Αθήνα
7. στο Λονδίνο
8. στο τραπέζι
9. στη δουλειά

10. στο σπίτι
11. στην Ελλάδα
12. στην Αγγλία
13. στην Κρήτη
14. στην Κύπρο
15. στον κήπο
16. στην Αθήνα
17. στην πόλη
18. στο Ηράκλειο

19. στην πόλη
20. στο γραφείο
19. στην πόλη
21. στους φίλους τους
22. στις τάξεις
23. στα πιάτα
24. στους δρόμους
25. στα δέντρα

EXERCISE 27

1. στο φούρνο
2. στο ιατρείο
3. στο φαρμακείο
4. στο γραφείο
5. στο χωράφι

6. στο νοσοκομείο
7. στο σχολείο
8. στην εκκλησία
9. στο μπακάλικο
10. στην ταβέρνα

11. στο κουρείο
12. στο ραφτάδικο
13. στο κρεοπωλείο
14. στην κουζίνα
15. στην τάξη

EXERCISE 28

1. - ε
2. - η
3. - ε, - ε
4. - η
5. - ε

6. - ε
7. - ε, - ε, - η
8. - ε, - ε, - ε
9. - η, - ου
10. - οι

11. - ε
12. - α, - ου
13. - α
14. - ου
15. - ε

EXERCISE 29

1. στην τράπεζα
2. στο γραφείο
3. στο ξενοδοχείο
4. στην ταβέρνα
5. στο εστιατόριο
6. στο σχολείο

7. στην Ακρόπολη
8. στο καφενείο
9. στην εκκλησία
10. στο σχολείο
11. στη δουλειά
12. στο κατάστημα/ μαγαζί

13. στο κουρείο
14. στο νοσοκομείο
15. στην εκκλησία
16. στο χωράφι
17. στο ιατρείο
18. στην κουζίνα

EXERCISE 30

1.Θέλω, εις, ει, ουμε, ετε, ουν   5. χορεύω, εις, ει, ουμε, ετε, ουν

2.ταξιδεύω, εις, ει, ουμε, ετε, ουν 6. ξέρω   »   »   »

3. αγοράζω, εις, ει, ουμε, ετε, ουν 7. μένω   »   »   »

4. δουλεύω, εις, ει, ουμε, ετε, ουν 8. κάνω   »   »   »

EXERCISE 31

1. γελώ,   ας,   α,   ούμε (άμε), άτε, ουν (άνε)
2. διψώ,   ας,   α,   ούμε (άμε), άτε, ουν (άνε)
3. ξυπνώ,   ας,   α,   ούμε, (άμε), άτε, ουν (άνε)
4. βαστώ, βαστάς, βαστά, βαστούμε, (άμε), βαστάτε, βαστούν (άνε).

EXERCISE 32

1. δουλεύει	9. καπνίζει	17. διδάσκει
2. γράφει	10. δουλεύει	18. ταξιδεύουν
3. μαθαίνει	11. πουλά	19. πηγαίνουμε
4. μαθαίνουμε	12. διαβάζουν	20. πηγαίνετε
5. μιλά	13. πουλά	21. μιλά
6. τρώ(γ)ει	14. αγοράζει	22. στέλλουν
7. πίνετε	15. μιλάς	23. αγαπούν
8. πίνει	16. ξέρω	24. αγαπά
		25. τραγουδάτε

EXERCISE 33

1. μιλά	6. θέλω	11. αρχίζεις
2. πίνει	7. αγοράζει	12. φεύγει
3. δουλεύει	8. φεύγουν	13. στέλλουν
4. μένω	9. πουλά	14. αγοράζουμε
5. γράφει	10. ψάλλει	15. δουλεύετε

EXERCISES 34 & 35 are self - explanatory and are for oral practice.

EXERCISE 36

1. πάει	6. χορεύω	11. αγοράσετε
2. μείνει	7. δω	12. φάνε
3. πάνε	8. πάτε	13. δεις
4. πάει	9. έχουμε	14. αγοράσει
5. είναι	10. μάθουμε	15. κόψουν

EXERCISE 37

1. θα αγοράσει	7. θα δούν (ε)	14. θα ταξιδέψουν
2. θα χορέψει	8. θα διαβάσει	15. θα βοηθήσουν
3. θα μαγειρέψει	9. θα γράψει	16. θα τηγανίσει
4. θα ετοιμάσει	10. θα δουλέψει	17. θα πιει
5. θα πιει	11. θα κόψει	18. θα στείλει
6. θα μάθει	12. θα δούνε	19. θα πάμε
7. θα δούν	13. θα πάει	20. θα πάω

EXERCISE 38

1. Έφαγα	6. Έκανες	11. Δούλεψε
2. Ήπια	7. Μαγείρεψα	12. Πήγε
3. Δούλεψες	8. Τηγάνισαν	13. Έραψες
4. Αγόρασα	9. Χορέψατε	14. Μαγείρεψε
5. Τηγανίσαμε	10. Διάβασε	15. Αρχίσαμε

EXERCISE 39

1. έφυγα, ες, ε, αμε, ατε, αν,   7. πούλησα, ες, ε, αμε, ατε, αν
2. ταξίδεψα,   » » »   8. αγόρασα   »   »
3. ξύπνησα   » » »   9. έστειλα   »   »
4. συνάντησα   » » »   10. έκανα   »   »
5. οδήγησα   » » »   11. φίλησα   »   »
6. ήπια   » » »   12. τραγούδησα   »   »

455

EXERCISE 40

1. Έφυγα	6. Είχε	11. Είδα
2. Έφαγα	7. Φάγαμε	12. Είδαμε
3. Μαγείρεψε	8. Ήπιε	13. Πήγε
4. Έφαγε	9. Έγραψε	14. Έστειλες
5. Έφαγαν	10. Διάβασαν	15. Αγόρασε

EXERCISE 41 - This is self-explanatory and for oral practice.

EXERCISE 42

1. Την Κυριακή	6. Απόψε	11. Ο Μάρτης
2. Την Πέμπτη	7. Αύριο	12. Ο Ιούνης
3. Το Νοέμβριο	8. Το Σάββατο	13. τρίτο
4. Το Μάϊο	9. Την Κυριακή	14. δεύτερο
5. Την Τετάρτη	10. Τον Σεπτέμβριο	15. τέταρτο

EXERCISE 43

1. έγραφα, ες, ε, αμε, ατε, αν
2. αγόραζα, ες, ε, αμε, ατε, αν
3. έστελλα, ες, ε, αμε, ατε, αν
4. έμενα, ες, ε, αμε, ατε, αν
5. έτρωγα, ες, ε, αμε, ατε, αν
6. τραγουδούσα, ες, ε, αμε, ατε,αν
7. Φιλούσα, ες, ε, αμε, ατε, αν
8. γελούσα, ες, ε, αμε, ατε, αν
9. σταματούσα, ες, ε, αμε, ατε, αν
10. ρωτούσα, ες, ε, αμε, ατε, αν

EXERCISE 44

1. έγραφε
2. αγοραζε
3. έστελναν
4. μέναμε
5. έτρωγες

6. μιλούσε
7. τραγουδούσατε
8. φιλούσα
9. σταματούσε
10. ρωτούσαμε

11. έγραφαν
12. αγοράζατε
13. έμενε
14. τραγουδούσαμε
15. πήγαιναν

EXERCISE 45

1. γράφε
   γράφετε
2. φιλάτε
3. ρώτα
4. ρωτάτε
5. Φόρα
6. μιλάς
   μιλάτε

7. τρώγε
8. φεύγε,
   φεύγετε
9. φεύγεις
   φεύγετε
10. μίλα
11. πήγαινε

12. πηγαίνετε
13. αγοράζεις
14. μιλάς
    μιλάτε
15. τρέχεις
    τρέχετε
16. λες, λέτε

EXERCISE 46

1. Γράψε
2. Στείλε
3. πας, πάτε
4. Φέρεις, ετε
5. στείλεις, ετε
6. πάτε
7. Φιλήσεις, ετε

8. φύγε, ετε
9. Μίλησε
10. Γράψε
11. Ρωτάτε
12. Δούλεψτε
13. Γράψετε
14. Δίνεις, ετε

15. λέτε
16. Φέρνεις, ετε
17. Αγόρασε
18. Αγοράστε
19. Φίλησε
20. Φίλησε
21. Διάβασε
22. πάτε

EXERCISE 47

1. παντρεύομαι, εσαι, εται, όμαστε, εστε, ονται
2. σκέφτομαι, εσαι, εται, όμαστε, εστε, ονται
3. δροσίζομαι, εσαι, εται, όμαστε, εστε, ονται
4. Χάνομαι, εσαι, εται, όμαστε, εστε, ονται
5. ξεχνιέμαι, έσαι, έται, όμαστε, έστε, ούνται
6. κοιμούμαι, άσαι, άται, ούμαστε, άστε, ούνται

EXERCISE 48

1. παντρεύεται
2. θυμάται
3. κουραζόμαστε
4. διδάσκεστε
5. λυπάται
6. αρραβωνιάζεται
7. στέκονται

8. χαιρόμαστε
9. είμαστε, είμαστε
10. κουράζονται
11. διδάσκεται
12. ετοιμάζεται
13. κοιμάσαι
14. κοιμάστε

15. σκέφτεται
16. σκεφτόμαστε
17. ετοιμάζομαι
18. ετοιμάζεστε
19. λυπάσαι
20. διδάσκεται

EXERCISE 49 - For oral practice.

EXERCISE 50

1. επισκεφτόταν
2. ξυριζόταν, ξυριζόταν
3. σκεφτόμουν
4. λυπούνταν
5. χαιρόταν

6. εξεταζόσουν
7. ντύνονταν
8. έρχονταν
9. σκεφτόσαστε
10. χαίρονταν

11. διδασκόταν
12. ήσαστε (αν)
13. επισκεφτόταν
14. στεκόμαστε (αν),
15. στέκονταν, κάθονταν

EXERCISE 51

1. ήρθα, ες, ε, αμε, ατε, αν

2. γεύτηκα, ες, ε, αμε, ατε, αν

3. επισκέφτηκα, ες, ε, αμε, ατε, αν

4. ονειρεύτηκα, ες, ε, αμε, ατε, αν

5. διδάχτηκα, ες, ε, αμε, ατε, αν

6. κουράστηκα, ες, ε, αμε, ατε, αν

7. αγαπήθηκα, ες, ε, αμε, ατε αν

8. στενοχωρήθηκα, ες, ε, αμε ατε, αν

EXERCISE 52

1. επισκέφτηκαν
2. γεύτηκαν
3. χάθηκε
4. φοβήθηκε
5. παντρεύτηκε
6. αρραβωνιάστηκε
7. λυπήθηκαν

8. κοιμήθηκαν
9. ήρθε
10. επισκεφτήκαμε
11. γεύτηκες
12. στενοχωρήθηκε
13. κουραστήκαμε
14. παντρεύτηκαν

15. εξετάστηκε
16. χάρηκα
17. διδαχτήκαμε
18. διδαχτήκατε
19. κουράστηκαν
20. ξεκουραστήκα-
με

EXERCISE 53

1. θα λυπηθώ, εις, ει, ούμε, είτε, ούν
2. θα χαρώ, εις, εί, ούμε, είτε, ούν
3. θα ονειρευτώ, εις, ει, ούμε, είτε, ούν
4. θα εξεταστώ, είς, εί, ούμε, είτε, ούν
5. θα διδαχτώ, είς, εί, ούμε, είτε, ούν

EXERCISE 54

1. σηκωθούν
2. χαρεί
3. κοιμηθούν
4. ονειρευτεί
5. είμαι
6. είσαι
7. θυμηθεί

8. επισκεφτούν
9. ξεκουραστούν
10. είναι
11. εξεταστεί
12. παντρευτείτε
13. ξεκουραστεί
14. επισκεφτούμε

15. λυπηθώ
16. κοιμηθείς
17. κοιμηθούμε
18. σηκωθείτε
19. ξεκουραστούμε
20. εξεταστούν

EXERCISE 55

1. εξεταστείς, εξεταστείτε
2. κρυφτείτε
3. δανείστου, δανειστείτε
4. δανειστείς, δανειστείτε

5. κρύβεσαι
6. δροσίζεστε
7. εξεταστείς, εξεταστείτε
8. εξεταστείς, εξεταστείτε

9. κοιμήσου
10. κοιμηθείς, κοιμηθείτε
11. παντρεύεστε, παντρευτείτε
12. συλλογίζεσαι, συλλογίζεστε
13. αρραβωνιαστείς,
    αρραβωνιαστείτε
14. σκεφτείτε

15. αγωνίζεσαι
16. δανείζεις, δανείζεσαι
17. είσαι, είστε
18. είσαι, είστε
19. είσαι, είστε
20. είστε

EXERCISE 56

1. του τηλεφώνησα
2. της τηλεφώνησα
3. του έγραψα
4. της έγραψα
5. μου έστειλε
6. μου το εξήγησε
7. μου αγόρασε
8. μας αγόρασε

9. τους την διάβασα
10. του (το) διάβασα
11. τους κέρασα
12. την συνάντησα
13. τον είδα
14. την είδα
15. μας επισκέ-
    φτηκαν
16. τους επισκε-
    φτήκαμε

17. μου έστειλε
18. τον εξέτασε
19. με βοήθησε
20. με έστειλε
21. τον έδιωξε
22. την συνάντησα
23. μου έγραψε
24. μου τηλεφώνη-
    σε

EXERCISE 57 Here you write your own sentences

EXERCISE 58

1. λαχταρώντας
2. αγοράζοντας
3. θέλοντας
4. βλέποντας

5. ψάχνοντας
6. θέλοντας
7. ευχαριστώντας
8. μένοντας

9. βλέποντας
10. ρωτώντας
11. τραγουδώντας
12. περπατώντας

EXERCISE 59

1. κλαίοντας
2. γελώντας
3. μουρμουρώντας
4. πουλώντας

5. βλέποντας
6. αγοράζοντας
7. βλέποντας
8. ακούοντας

9. χορεύοντας
10. επιστρέφοντας
11. ξυπνώντας
12. φεύγοντας

EXERCISE 60

1. κουρασμένος, η
2. αγαπημένο
3. κλεισμένη
4. φορτωμένο
5. παντρεμένος
6. λυπημένη
7. κουρασμένοι
8. στενοχωρημένος
9. κλεισμένη
10. χαρούμενος, η
11. απαγοητευμένος
12. ενθουσιασμένος,η

EXERCISE 61

1. έχω
2. έχω
3. έχει
4. έχει
5. έχουν
6. έχει
7. έχει
8. έχουν
9. έχουμε
10. έχετε
11. έχουν
12. έχουμε
13. έχουν
14. έχει
15. έχει
16. έχετε
17. έχουν
18. έχουμε

EXERCISE 62

1. Είχα πάει
2. Είχαμε πάει
3. Είχε στείλει
4. Είχε αγοράσει
5. Είχαν δει
6. Είχες χορέψει
7. Είχαν ταξιδέψει
8. Είχε φάει
9. Είχε στείλει
10. Είχε ετοιμάσει
11. Είχαν φτάσει
12. Είχαμε φάει
13. είχαμε πιει
14. είχαν φύγει

EXERCISE 63

1. ωραία
2. θαυμάσια
3. γρήγορα
4. αφηρημένα
5. νωρίς
6. προσεκτικά
7. αμέσως
8. αργά
9. του χρόνου
10. φέτος
11. ποτέ
12. πάντα

EXERCISE 64

1. Στα δεξιά
2. Στα αριστερά
3. Μακριά
4. Κοντά
5. Αύριο
6. Απόψε
7. Τον Ιούλιο
8. Σε λίγο

9. Σιδηροδρομικώς (με το τρένο)
10. Αεροπορικώς
11. Με επιταγή (τσεκ)
12. Με τα πόδια
13. 5,000 δραχμές
14. Πολύ μακριά
15. 10,000 δραχμές
16. Δυο βδομάδες

EXERCISE 65

1 όταν
2. ότι
3. αφού
4. και
5. αλλά
6. αλλά
7. που

8. γιατί
9. καθώς
10. τι
11. και
12. όμως
13. ή, ή
14. ούτε, ούτε

15. μα, αλλά
16. όμως, αλλά
17. γιατί
18. μόλις
19. όσο
20. Σαν, όταν

EXERCISE 66

1. ο ψηλότερος
2. πιο έξυπνη
3. πιο ψηλό
4. κοντότερος
5. μικρότερο
6. μεγαλύτερη
7. πιο μακρύς

8. πιο ωραίο
9. ακριβότερη
10. πιο φτηνό
11. πιο ακριβή
12. ζεστότερος, τατος
13. ακριβότερο

14. πιο ακριβά
15. πιο καθαρό
16. καλύτερα
17. πιο καλοί
18. πιο ωραία
19. πιο μεγάλο
20. μικρότερη

EXERCISE 67

1. έχει
2. σαχλαμάρες
3. πειράζει
4. έτσι και έτσι
5. εδώ που τα λέμε
6. μ'αρέσουν
7. προπάντος

8. μ'αρέσουν
9. τα'κανε θάλασ-
σα
10. κόψε το
11. χωρίς άλλο
12. έχεις δίκιο
13. τα έχασε
14. για παράδειγμα

15. οπωσδήποτε
16. έχεις δίκιο
17. στην υγεία
18. κόψε τα
19. Άστα αυτά
20. δε βαριέσαι

EXERCISE 68

1. με
2. στο
3. από
4. χωρίς

7. παρά
8. σαν
9. μέχρι
10. προς

13. κάτω από
14. πίσω από
15. μαζί με
16. μέσα σε

20. έξω από
21. πριν από
22. έξω από
23. ανάμεσα
σε

5. από-μέχρι
11. με

17. κοντά σε
24. μακριά
από

6. κατά
12. για

18. γύρω σε
25. πάνω σε

EXERCISE 69

1. και τα λοιπά
2. πριν το Χριστό
3. μετά το Χριστό
4. μετά το Χριστό
5. Κύριος, Κυρία,
δεσποινίδα.
6. δραχμές
7. δραχμές

8. πριν το μεσημέρι
9. μετά το μεσημέρι
10. μετά το μεσημέρι
11. και άλλους
12. δεσποινίδα
13. παραδείγματος χάρη
14. δηλαδή - και τα λοιπά

EXERCISE 70

1. Αγαπητέ/ ή	5. γιατρός	9. δεκατεσσάρων
2. πατέρα	6. αδελφό	10. δεκαοκτώ
3. δάσκαλος	7. αδελφή	11. γλώσσες
4. μητέρα	8. δεκαέξι	12. με χαιρετισμούς

EXERCISE 71

1. Αγαπητέ / η	6. τριάντα	11. Μαθηματικά
2. σχολείο	7. μαθήματα	12. Μουσική
3. Τρίτη	8. Αγγλικά	13. Τέταρτη
4. κοντά	9. Ιστορία	14. λιγότερα
5. πεντακόσιους	10. Γαλλικά	15. Με χαιρετισμούς

EXERCISE 72

1. Αγαπητέ	5. δύο δωμάτια	9. δείπνο / βραδυνό
2. Κύριε	6. 1η Αυγούστου	10. Κοντά στη θάλασσα
3. τρεις βδομάδες	7. 20η Αυγούστου	11. Με τιμή
4. οικογένεια	8. δεύτερον όροφο	

EXERCISE 73

στέλνω, εις, ει, ουμε, ετε, ουν

θα στείλω, εις, ει, ουμε, ετε, ουν

έστειλα, ες, ε, αμε, ατε, αν

σκέφτομαι, σαι, ται, όμαστε, - εστε, ονται

θα σκεφτώ, εις, ει, ούμε, είτε, ουν

σκέφτηκα, ες, ε, αμε, ατε, αν

PART TWO

ANSWERS

EXERCISE 1

1. Στις εφτά
2. Γαλανά, γκρίζα
3. Ξυρίζεται, πλένεται
4. γκρίζο
5. όταν ήταν μικρός
6. μαύρα

7. άσπρο
8. κολύμπι
9. το χειμώνα
10. για το πρόγευμα
11. καθηγητής
12. Ελληνικά

EXERCISE 2 (Essay)

EXERCISE 3

1. καστανά, μαύρα
2. γαλάζιο
3. με τον Αλέκο
4. φούστα και μπλούζα
5. σκουλαρίκια
6. βραχιόλια, ρολόι

7. χρυσό σταυρό
8. όταν κάνει τις δουλειές του σπιτιού
9. όταν είναι κουρασμένη
10. βλέπει τις ειδήσεις στην τηλεόραση
11. το νυχτικό
12. τη ρόμπα

EXERCISE 4 (Essay)

EXERCISE 5

1. Αθηνά
2. τρία
3. δεκατριών
4. δέκα
5. σχολείο
6. το πρωϊνό

7. το βραδυνό φαγητό
8. ο Σωκράτης
9. η Κατερίνα
10. ο παππούς (πατέρας του Σωκράτη)

11. πάνε στην αγορά
12. σε φίλους, σε συγγενείς ή στη θάλασσα ή στο βουνό.

EXERCISE 6 (Essay)

EXERCISE 7

1. Στην Οδό Κορίνθου
2. Το σαλόνι
3. Ροζ
4. Την Ακρόπολη με τον Παρθενώνα
5. Χρωματιστό χαλί
6. Το γραφείο

7. Είναι καθηγητής
8. Η τραπεζαρία
9. Έξι
10. ένα βάζο με λουλούδια

11. Η κουζίνα
12. ψυγείο, πλυντήριο κ.λ.π.

EXERCISE 8 (Essay)

EXERCISE 9

1. η Έλλη
2. ο Σοφοκλής
3. στο τέταρτο
4. κρεβάτι, καρέκλες και τουαλέτα

5. τέσσερα
6. στο μπάνιο
7. τις πετσέτες
8. στο ντουλάπι

9. δίπλα στο λουτρό
10. πενήντα μέτρα
11. τριαντάφυλλα, κρίνα, γαρίφαλα
12. μηλιές, αχλαδιές και ροδακινιές.

EXERCISE 10 (Essay)

EXERCISE 11

1. Στις εφτά
2. Στο μπάνιο
3. Έπλυνε το πρόσωπό του
4. σχολική στολή
5. μαχαιροπίρουνα, πιάτα, φλιτζάνια κλ.π.
6. χυμό πορτοκάλι

7. αυγά και φρυγανιές
8. στο σχολείο
9. μια εφημερίδα
10. για τις δουλειές του σπιτού
11. το μεσημέρι
12. η γιαγιά

EXERCISE 12 (Essay)

EXERCISE 13

1. Τρίτη μεσημέρι
2. Στην πλατεία Συντάγματος
3. Καλή όρεξη
4. καθίστε, ορίστε τον κατάλογο
5. Μια κανάτα νερό και ένα βάζο με λουλούδια
6. μοσχάρι και πατάτες
7. η Έλλη
8. πορτοκαλάδα
9. αρνίσιες μπριζόλες
10. μπίρα
11. κανταΐφι και καφέ
12. 5, 000 δραχμές
13. στην Ακρόπολη

EXERCISE 14 (Essay)

EXERCISE 15

1. το σπίτι του κ. Νικολάου
2. Τρίτη 15 Δεκεμβρίου
3. στο Χαλάνδρι
4. η Έλλη
5. η Ντίνα
6. άρχισαν οι χειραψίες
7. η Λόλα
8. για το σχολείο και την τηλεόραση
9. η πολιτική, η μόδα, οι δουλειές
10. ούζο
11. έβγαλε φωτογραφίες
12. στις 11. 30
13. την κάλεσε στο σπίτι της

EXERCISE 16 (Essay)

EXERCISE 17

1. Πάει στην αγορά
2. στο πάρκιγκ
3. στην κρεαταγορά και ψαραγορά
4. στην λαχαναγορά
5. στην φρουταγορά
6. γαρίδες και μπαρμπούνια
7. 1250 δρ.
8. τα κρεμμύδια
9. τα μήλα
10. το μοσχάρι φιλέτο
11. 180 δρ.
12. 250 δρ.

EXERCISE 18 (Essay)

EXERCISE 19

1. Στην οδό Σαλαμίνας
2. Στον κυρ. Θανάση
3. 65
4. 7 το πρωί - 8 το βράδυ
5. Η κυρία Θανάση
6. ο γιος τους
7. το βράδυ
8. Καφέ, αυγά, λάδι
9. σαπούνια σαμπουάν, χαρτί τουαλέτας
10. 10,000 δρ.
11. για τον Σωκράτη
12. μια σοκολάτα

EXERCISE 20 (Essay)

EXERCISE 21

1. Πλατεία της Ομόνοιας
2. βιβλιοπωλείο
3. στο κομμωτήριο
4. για να κάνει ένα χτένισμα
5. Πανταλόνια, πουκάμισα και ένα φόρεμα
6. Ρένα
7. Φαρμακευτικά είδη
8. Τα φέρνουν από εξωτερικό
9. πολύχρωμες εικόνες
10. στο ζαχαροπλαστείο

EXERCISE 22 (Essay)

EXERCISE 23

1. Κρίτωνας
2. Θεοδώρα
3. δύο
4. φοιτητής
5. 18
6. Κηφισιά
7. πήγε στην κουζίνα να βοηθήσει τη Θεοδώρα
8. σούπα αυγολέμονο και αρνί ψητό
9. αναψυκτικά
10. Ρετσίνα
11. μπακλαβά, γαλακτομπού-ρεκα
12. στον κήπο

EXERCISE 24 (Essay)

EXERCISE 25

1. Σούζαν
2. Πέτρος - Σοφία
3. Αίθουσα Αναμονής
4. όταν σπούδαζε στο Λονδίνο
5. στις 6
6. Ολυμπιακή
7. στο τελωνείο
8. δύο μπουκάλια ουΐσκυ
9. για το ταξίδι
10. θαυμάσια πτήση
11. η Ακρόπολη με τον Παρθενώνα
12. φαγοπότι

EXERCISE 26 (Essay)

EXERCISE 27

1. για να δουν την Αθήνα
2. με το λεωφορείο
3. το μετρό, κόσμο, καταστήματα
4. ο τόπος όπου πίνουμε καφέ ή αναψυκτικό
5. εφημερίδες, περιοδικά, κάρτες κλπ.
6. σε κλασικό ρυθμό
7. εξέγερση για σύνταγμα
8. ο Φειδίας, ο Ικτίνος και ο Καλλικράτης
9. από την Αθηνά την Παρθένα Θεά
10. στενά δρομάκια, μαγαζιά

EXERCISES 28 & 29 (Essays)

EXERCISE 30

1. με το Μετρό
2. καταστήματα, κόσμο
3. για τα εισιτήρια
4. πολλά πλοία
5. έφευγαν αγαπημένα τους πρόσωπα
6. στο λιμάνι, στα εργοστάσια
7. στο Μικρολιμάνι
8. ψάρια, κεφτέδες, σαλάτα ρετσίνα

EXERCISE 31 & 32 (Essay)

EXERCISE 33

1. Για να δουν την τραγωδία Αντιγόνη
2. Στην Κόρυνθο
3. στα 1893
4. Βασιλιάς του Άργους
5. Στο 'Αργος
6. πολλά αυτοκίνητα και κόσμο
7. ο Κωστής Παλαμάς
8. ένα καρναβάλι
9. στην Ολυμπία και Σπάρτη
10. την ελληνική ιστορία

EXERCISE 34 & 35

EXERCISE 36

1. Για να αποφύγουν τη ζέστη
2. η Θήβα
3. για τις ελιές
4. μια κοιλάδα
5. Αλέξανδρο, Αριστοτέλη, Αγ. Δημήτριος
6. ο Κάσσανδρος το 315 π. Χρ.
7. Από την αδελφή του Μ. Αλεξάνδρου
8. Ο Άγιος Δημήτριος
9. Τον Πύργο, το Μουσείο, τον Δημοτικό Κήπο
10. εστιατόρια, καφενεία

EXERCISE 37 (Essays)

EXERCISE 38 (Essays)

EXERCISE 39

1. τρεις βδομάδες
2. με το αεροπλάνο
3. με τη γεωργία, εμπόριο κλπ.
4. τα Λευκά Όρη, ο Ψηλορείτης η Δίκτη
5. το παλάτι του Μίνωα
6. το Ηράκλειο, τα Χανιά, το Ρέθυμνο, Αγ. Νικόλαος
7. ο Ελεύθέριος Βενιζέλος
8. ο Νίκος Καζαντζάκης
9. 500,000
10. ο Βιτζέντζος Κορνάρος

EXERCISE 40 - 41 (Essays)

EXERCISE 42

1. στη Λεμεσό
2. οι Φράγκοι
3. το 1878
4. 680, 000
5. 200, 000 στα νότια
6. η Αμμόχωστος, η Κερύνεια η Μόρφου
7. στην Πάφο
8. ο τουρισμός
9. ο Αρχιεπίσκοπος Μακάριος
10. Οι Αποστόλοι Παύλος και Βαρνάβας

EXERCISE 43 (Essay)

EXERCISE 44

1. Οι μητέρες
2. για να πάνε στην εκκλησία
3. με Χριστουγεννιάτικα δέντρα
4. Πίτα για τον Άγιο Βασίλη (για την Πρωτοχρονιά)
5. Λένε ιστορίες,
6. παρακολουθούν τηλεόραση ή παίζουν χαρτιά
6. Ομιλίες, απαγγελίες, σκετς, κλήρωση
7. « Χρόνια Πολλά »
8. Ραντίζει τα σπίτια με αγιασμό
9. Για να φύγουν τα κακά πνεύματα
10. Λουκουμάδες

EXERCISE 45 (Essay)

EXERCISE 46

1. Υπάρχει ησυχία, ο κόσμος δεν βιάζεται.
2. στις εφτά
3. στα χωράφια τους
4. οι γέροι
5. πίνουν καφέ και μιλάνε
6. Για να βρουν δουλειά
7. ότι το χωριό μικραίνει
8. στη βουνοπλαγιά
9. το ηλιοβασίλεμα
10. φασολάδα, ελιές, σαλάτα.

471

EXERCISE 47 (Essay)

EXERCISE 48

1. Φτιάχνουν στεφάνια και τραγουδάνε για την ανάσταση του Λαζάρου
2. αυγά ή λεφτά
3. για να ευλογηθεί
4. για τα Πάθη του Χριστού
5. Μαζεύουν λουλούδια και στολίζουν τον επιτάφιο
6. για την ταφή του Χριστού

7. Φέρνουν ξύλα στον αυλόγυρο
8. το '" Χριστός Ανέστη"
9. μαγειρίτσα και αρνί στη σούβλα
10. οι συγγενείς και οι φίλοι

EXERCISE 49 (Essay)

EXERCISE 50

1. το Μάρτιο
2. Φτιάχνουν στεφάνια και εργατικές διαδηλώσεις
3. στη θάλασσα ή στο βουνό
4. ροδάκινα, καρπούζια, πεπόνια, σταφύλια κ.λ.π
5. το Σεπτέμβριο

6. στα χωράφια τους
7. μερικοί με τα τρακτέρ και μερικοί με το αλέτρι
8. το Δεκέμβριο
9. μάλλινα ρούχα
10. για τις γιορτές

EXERCISE 51 & 52 (Essay)

VOCABULARY
GREEK - ENGLISH

A

η αγάπη = love
αγαπώ = I love
η Αγγλία = England
ο Άγγλος = Englishman
η Αγγλίδα = English woman
το αγγούρι = cucumber
η αγελάδα = cow
ο άγιος = saint
η αγορά = market
αγοράζω = I buy
ο αγρότης = farmer
η αδελφή = sister
ο αδελφός = brother
ο αέρας = wind, air
το αεροδρόμιο = airport
το αεροπλάνο = aeroplane
η Αθήνα = Athens
ο αθλητής = athlete
Αθηναίος, α = Athenian person
αθόρυβος, η, ο = noiselessly
το Αιγαίο = Aegean
το αίμα = blood
ακόμα = still, yet, even
ακολουθώ = I follow
ακριβής = exact
ακριβός, η, ο = dear, expensive
η Ακρόπολη = Acropolis
το αλάτι = salt
το αλέτρι = plough
αλλά = but
αλλάζω = I change
αλλιώς = otherwise
άλλος, η, ο = the other, another
άλλοτε = formerly
αλλού = elsewhere

άλλωστε = besides
το άλογο = horse
το άμαξι = car, cab, cart
ο Αμερικάνος = American
η Αμερική = America
αμέσως = at once
η αμμουδιά = sandy beach
το αμύγδαλο = almond
αν = if
η ανάσταση - resurrection
η Ανατολή = East
ανατολικός,η,ο = to the east
αναφέρω = I mention
η αναχώρηση = departure
αναχωρώ = I depart
το αναψυκτικό = soft drink
ανεβαίνω = I go up
η ανεψιά = niece
ο ανεψιός = nephew
ανήκω = I belong
ανήσυχος,η,ο = uneasy
ο άνθρωπος = man, person
άνκαι = although, even if
ανόητος,η,ο = silly
ανοίγω = I open
άνοιξη = spring
ανοιχτός,η,ο = open
αντιλαμβάνομαι = I under-
                stand, perceive
αντίο = goodbye
ο άντρας = man, husband
το αντρόγυνο = married couple
η αξία = value
αξίζει = it is worthly
τα αξιοθέατα = sights
ο αξιωματικός = officer
απαγορεύεται = it is forbidden

η απάντηση =answer
απαντώ = I answer, reply
απαραίτητος,η,ο = indispensable
απέναντι = opposite
απέχει = it is distant
απίθανος,η,ο = unlikely
απλός = simple, plain
απλώνω = I spread
από = from, by
το απόγευμα = afternoon
αποθήκη = store, warerhouse
απολαμβάνω = I enjoy
απολυταρχικός = absolute
απότομα = abruptly
απόψε = tonight
αποφασίζω = I decide
η απόφαση = decision
αποφεύγω = I avoid
το αποχωρητήριο = toilet, W.C.
αποχτώ = I get, acquire
απόψε = tonight
ο Απρίλιος, ης = April
απροσδόκητα = unexpectedly
άραγε = (particle introducing
                          question)
ο αρακάς = peas
αργά = late, slowly
αριστερός,η,ο = left
αρκετός = enough
το αρνί = lamb
αρραβωνιάζω = to engage
αρραβωνιαστικός,ια = fiance, -é
αρχαίος,α,ο = ancient
ο αρχηγός = leader
αρχίζω = I begin
άσπρος,η,ο = white
το αστείο = joke
αστείος,α,ο = funny
το αστέρι = star
η αστυνομία = police (station)
ο αστυφύλακας = policeman

άσχημος,η,ο = bad, ugly
το ατσάλι = steel
το αυγό = egg
ο Αύγουστος = August
ο αυλόγυρος = courtyard
η Αυστραλία = Australia
αύριο = tomorrow
η Αυστρία = Austria
αυτή = she
το αυτί = ear
το αυτοκίνητο = motor - car
αυτός = he, this
αφήνω = I let, leave
η άφιξη = arrival
αφού = since, after
η Αφρική = Africa
το αχλάδι = pear
άχρηστος,η,ο = useless

B

το βάζο = vase
βάζω = I put
βαθύς = deep
η βαλίτσα = suitcase
το βαπόρι = ship
η βάρκα = small boat
ο βαρύς = heavy
το βάσανο = trouble, suffering
η βασιλεία = kingdom
βασιλεύω = reign
ο βασιλιάς = king
το βάφτισμα = baptism
βγαίνω = I go out
η βδομάδα = week
βέβαια = surely, of course
το Βέλγιο = Belgium
η βενζίνη = petrol
η βεράντα = veranda
το βερίκοκο = apricot
το βιβλίο = book

η βιβλιοθήκη = library
το βιβλιοπωλείο = bookshop
το βίντεο = video
η βιομηχανία = industry
η βιοτεχνία = handicrafts
ο βλάκας = stupid person
το βλέμμα = look
βλέπω = I see
το βόδι = ox
το βοδινό = beef
η βοήθεια = help, aid
βοηθώ = I help, aid
βολικός,η,ο = convenient
βόρειος,α,ο = northern
ο βοριάς = north
ο βοσκός = shepherd
η βουλή = Parliament
το βουνό = mountain
το βούτυρο = butter
το βράδυ = evening
βραστός,η,ο = boiled
ο βράχος = rock
βρίσκω = I find
βρίσκομαι = to be found
η βροχή = rain
βυθίζω = I sink, immerse
το βραχιόλι = bracelet

Γ
το γάλα = milk
γαλάζιος,α,ο = blue
γαλανός,η,ο = blue
η Γαλλία = France
γαλλικός,η,ο = French
ο Γάλλος = Frenchman
ο γάμος = marriage, wedding
ο γαμπρός = bridegroom, son-in
    law
το γαρίφαλο = carnation
η γάτα = cat

γεια σου = your health!
    hello, good-bye!
ο γείτονας = neighbour
το γέλιο = laughter
γελώ = I laugh
γεμάτος,η,ο = full
ο Γενάρης = January
τα γενέθλια = birthday
η Γερμανία = Germany
γερμανικός,η,ο = German
ο Γερμανός = German
ο γέρος = old man
ο γερός,η,ο = strong and healthy
το γεύμα = lunch
ο γεωργός = farmer
για = for, about
η γιαγιά = grandmother
για να = in order to
γιατί = why? because`
ο γιος = son
ο γιατρός = doctor
γίνομαι = I become
η γιορτή = holiday, festivity
το γκαράζ = garage
το γκαρσόνι = waiter
γκρίζος,α,ο = grey
γλυκός,ια,ο = sweet
η γλώσσα = tongue
γνωρίζω = I know
γοητευμένος,η,ο = charmed
ο γονέας (γονιός) = parent
η γραβάτα = tie
το γράμμα = letter
το γραμματοκιβώτιο = letter box
το γραμματόσημο = postage stamp
το γραφείο = office
γράφω = I write
γρήγορος,η,ο = quick
τα γυαλιά = spectacles
το γυμνάσιο = gymnasium,
    grammar school

η γυναίκα = woman, wife
γυρεύω = I look for
γυρίζω = I turn, return
ο γυρισμός = return
γύρω = round
η γωνιά = corner

Δ

το δάκρυ = tear
το δαμάσκηνο = plum
η δασκάλα = teacher (f)
ο δάσκαλος = teacher (m)
το δάσος = forest
το δείπνο = supper
δείχνω = I show, point at
δέκα = ten
ο Δεκέμβριος = December
το δέμα = packet, parcel
δεμένος,η,ο = tied
δεν = negative particle
το δέντρο = tree
δεξιός,α,ο = to the right
η δεσποινίδα = miss
η Δευτέρα = Monday
δεύτερος,η,ο = second
δηλαδή = that is, namely
δηλώνω = I declare
δημιουργώ = I create
διαβάζω = I read
το διαβατήριο = passport
η διαδήλωση = demonstration
η διαδρομή = trip, route
διαθέσιμος,η,ο = available
διακόσια = two hundred
διαλέγω = I choose
το διαμέρισμα = apartment, flat
διαρκώς = continually
το διάστημα = space
διάφανος,η,ο = transparent
η διαφήμιση = advertisement

διάφοροι = different, various
διδάσκω = I teach
η διεύθυνση = address
ο διευθυντής = director, manager
δικός,η,ο μου = mine
διπλός,η,ο = double
ο δίσκος = record, tray
διψώ = I am thirsty
δοκιμάζω = I try, sample
το δόντι = tooth
το δόρυ = spear
η δουλειά = work
δουλεύω = I work
η δραχμή = drachma
δεκατρείς = thirteen
ο δρόμος = road, street, way
δροσερός,η,ο = cool
δυνατός,η,ο = strong
δύο = two
η δύση = west
δυσκολεύομαι = I find it difficult
δύσκολος,η,ο = difficult
δυστυχισμένος,η,ο = unhappy
δυτικός,η,ο = western
δώδεκα = twelve
το δωμάτιο = room

Ε

ο εαυτός = myself
η εβδομάδα = week
εβδομήντα = seventy
έβδομος,η,ο = seventh
εγώ = I
εδώ = here
το έθιμο = custom
η είδηση = news
η εικόνα = picture, icon
είκοσι = twenty
εικοστός,η,ο = twentieth
ειλικρινής = sincere
είμαι = I am (to be)

476

η ειρήνη = peace
η εισβολή = invasion
το εισιτήριο = ticket
η είσοδος = entrance
είτε... είτε = either ... or
εκατόν = a hundred
το εκατομμύριο = million
ο εκατομμυριούχος = millionaire
εκατοστός = hundredth
η εκδρομή = excursion, outing
εκεί = there
εκείνος ,η,ο =that, the other
η εκκλησία = church
η έκπληξη = surprise
έκτακτος = excellent
έκτος = sixth
έλα = come
η ελιά = olive (tree)
η Ελλάδα = Greece
Έλληνας, ίδα = Greek person
ελληνικός,η,ο = Greek
εμείς = we
το εμπόριο = trade
ένας = one, a
ένατος,η,ο = ninth
ενενήντα = ninety
ενθουσιάζομαι = I get excited
το ενθύμιο = souvenir
εννιά = nine
εννιακόσια = nine hundred
εντάξει = fine, o.k.
έντεκα = eleven
εντελώς = completely
η εντύπωση = impression
ενώ = while
(ε) ξάδελφος,η = cousin
εξακόσια = six hundred
εξαργυρώνω = I cash
εξετάζομαι = I am examined
εξετάζω = I examined
εξήντα = sixty

έξι = six
η έξοδος = exit
έξυπνος,η,ο = intelligent, clever
επειδή = because, since
επευφυμώ = I cheer
ο επιβάτης = passenger
επιβλητικός,η,ο = imposing
το επίπεδο = level
επίσης = also
επισκέπτομαι = I visit
η επίσκεψη = visit
ο επιτάφιος = sepulchre
ο επιχειρηματίας = businessman
επόμενος,η,ο = following, next
η εποχή = season
ο εργάτης = worker
το έργο = work
το εργοστάσιο = factory
έρχομαι = I come
ερχόμενος,η,ο = coming, next
η ερώτηση = question
εσείς = you
το εστιατόριο = restaurant
ετοιμάζομαι = I get ready
ετοιμάζω = I prepare
έτοιμος,η,ο = ready
έτσι και έτσι = so
η ευγένεια = politeness
ευγενικός,η,ο = polite, noble
εύθυμος,η,ο = merry, cheerful
εύκολος,η,ο = easy
η ευτυχία = happiness
ευχαριστημένος,η,ο = pleased
ευχάριστος,η,ο = pleasant
ευχαριστώ = I thank
η εφημερίδα = newspaper
εφτά = seven
εφτακόσια = seven hundred
έχω = I have

477

Z

η ζακέτα = jacket
η ζάχαρη = sugar
το ζαχαροπλαστείο = confectionery
ζεστός,η,ο = hot, warm
το ζευγάρι = couple, pair
ζηλεύω = I am jealous
το ζήτημα = question, problem
ζήτω = I ask for, look for
το ζυμάρι = dough, pastry
ζω = I live
ο ζωγράφος = artist, painter
η ζωή = life
η ζώνη = belt

Η

ή = or
ο ηθοποιός = actor
ηλεκτρικός,η,ο = electric
ο ηλεκτρολόγος = electrician
η ηλικία = age
η ηλιοθεραπεία = sunbathing
ο ήλιος = sun
η (η) μέρα = day
ήμερος,η,ο = tame
η ησυχία = quiet, peace
ήσυχος,η,ο = quiet

Θ

η θάλασσα = sea
θαλασσινός,η,ο = sea (adj.)
το θάρρος = courage
θαρρώ = I think
το θαύμα = miracle
θαυμάζω = I admire
θαυμάσιος,α,ο = wonderful
η θέα = view
το θέαμα = spectacle
θεατρικός = theatrical

το θέατρο = theatre
η θεία = aunt
ο θείος = uncle
η θέληση = will
θέλω = I want
το θέμα = subject
οι Θερμοπύλες = Thermopylai
η θέση = position, seat
η Θεσσαλονίκη = Salonica
το θρανίο = desk
ο θρύλος = legend
θυμάμαι = I remember
ο θυμός = anger,
θυμώνω = I get angry

Ι

ο Ιανουάριος = January
το ιατρείο = surgery
η ιδέα = idea
ιδιαίτερος,η,ο = special
ο ιδιοκτήτης = owner
ίδιος,α,ο = same
η ιδιοτροπία = whim
ιδιωτικός,η,ο = private
ο Ιούλιος, ης = July
ο Ιούνιος, ης = June
η Ιρλανδία = Ireland
ο ισθμός = isthmus, canal
ίσιος,ια,ο = straight
ο ίσκιος = shade
ίσος,η,ο = equal
η Ισπανία = Spain
η ιστορία = history, story
ίσως = perhaps
η Ιταλία = Italy
ιταλικός,η,ο = Italian
Ιταλός, ίδα = Italian

478

K

ο καημός = sorrow
η καθαριότητα = cleanliness
καθαρίζω = I clean
καθαρός,η,ο = clean
κάθε = every
τα καθέκαστα = particulars
ο καθηγητής = professor
καθιστός,η,ο = sitting
κάθομαι = I sit
ο καθρέφτης = mirror
καθώς = as
και = and, even
καινούριος,α,ο = new
ο καιρός = weather, time
κακός,η,ο = bad, evil
το καλάθι = basket
τα κάλαντα = carols
καλημέρα = good morning
καλησπέρα = good evening
ο καλλιτέχνης = artist
το καλοκαίρι = summer
καλός,η,ο = good, nice
η κάλτσα = sock, stocking
καλώ = I invite
καλωσορίζω = I welcome
καμπάνα = church bell
καμπόσος,η,ο = a lot
καν = at all
ο καναπές = sofa
κανένας = no one, anyone
κανονίζω = I arrange
κανονικός,η,ο = regular
κάνω = I do, make
το καπέλο = hat
καπνίζω = I smoke
κάποιος,α,ο = someone
κάποτε = sometime(s), then
η καπνοδόχος = chimney
ο καπνός = smoke
το καράβι = ship

η καρδιά = heart
η καρέκλα = chair
το καρότο = carrot
το καρπούζι = water melon
η κάρτα = card
καρφώνω = I nail, fix
το κάστανο = chestnut
καστανός,η,ο = brown,
            chestnut colour
καταλαβαίνω = I understand
ο κατάλογος = list, menu
κατάμαυρος,η,ο = jet black
καταπληκτικός,η,ο = amazing
το κατάστημα = shop
καταφέρνω = I succeed
κατεβαίνω = I go down
κάτι = something
κατοικώ = I live
το κατόρθωμα = achievement
η κατοχή = occupation
κάτω = down
το καφενείο = coffee shop
ο καφές = coffee
το κέντημα = embroidery
το κέντρο = centre, place of
            refreshment
το κεράσι = cherry
το κερί = candle, wax
η Κέρκυρα = Corfu
το κεφάλι = head
ο κεφτές = meat ball
ο κήπος = gardern
κηρύσσω = I proclaim, preach
κιόλας = already
κλαίω = I cry, weep
κλασικός,η,ο = classic
κλείνω = I close
κοιμάμαι (ούμαι) = I sleep
κοιτάζω = I look at
κόκκινος,η,ο = red
το κολέγιο = college

το κολοκύθι = marrow
κολυμπώ = I swim
το κομμάτι = piece
η κομψότητα = smartness
το κονιάκ = brandy
κοντά = near
κοντός,η,ο = short
η κοπέλα = girl
η κορδέλα = ribbon
το κορίτσι = girl
το κορμί = body
ο κόσμος = world, people
η κότα = hen
το κοτόπουλο = chicken
ο κουβάς = bucket
η κουβέντα = conversation
η κουβέρτα = blanket
το κουδούνι = doorbell
η κουζίνα = kitchen
το κουλούρι = bread ring
ο κουμπάρος = bestman (wedding)
το κουνουπίδι = cauliflower
κουνώ = I move
κουράζω = I tire
κουράζομαι = I get tired
η κούραση =fatigue
η κουρτίνα = curtain
το κουτάλι = spoon
το κουτί = box
κούφιος,ια,ο = empty, hollow
το κρασί = wine
κρατημένος,η,ο = reserved
το κρεβάτι = bed
η κρεβατοκάμαρα = bedroom
το κρεμμύδι = onion
το κρεοπωλείο = butcher's
η Κρήτη = Crete
το κρίμα = pity
κρύβομαι = I hide
κρύος,α,ο = cold
κ.τ.λ. (και τα λοιπά) = etc.

η Κύπρος = Cyprus
ο Κύπριος = Cypriot
κύρ = mister (familiar)
η κυρία = Mrs., lady
η Κυριακή = Sunday
ο κύριος = Mr., gentleman

Λ
λαβαίνω = I receive
το λάδι = oil
το λάθος = mistake
ο λαιμός = throat, neck
ο λάκκος = hole, pit
η Λαμπρή = Easter Sunday
το λαχανικό = vegetable
το λάχανο = cabbage
λείπω = I am away, am lacking
η λειτουργία = church service
η λεμονάδα = lemonade
το λεμόνι = lemon
η λέξη = word
το λεπτό = minute
λεπτός,η,ο = thin, delicate
λευκός,η,ο = white, blank
η Λευκωσία = Nicosia
τα λεφτά = money
λησμονώ = I forget
λίγος,η,ο = a little, some
το λιμάνι = harbour, port
η λίρα = pound sterling
ο λογαριασμός = bill
ο λόγος = speech, reason
το Λονδίνο = London
ο λουκουμάς = honey ball
το λουλούδι = flower
το λουτρό = bathroom
λυπημένος,η,ο = sad

M

μα = but
το μαγαζί = store, shop
ο μάγειρος (ας) = chef, cook
μαγειρεύω = I cook
μαγευτικός,η,ο = charming,
                  delightful
το μαγιό = bathing costume
μαζεύω = I gather
μαζί = together
μαθαίνω = I learn
το μάθημα = lesson
ο μαθητής = pupil
ο Μάιος, ης = May
μακάρι = (particle introducing
           wish)
μακρινός,η,ο = distant
μακριά = far
μακρύς = longo
τα μαλλιά = hair
μάλλον = rather
ο μανάβης = greengrocer
το μανάβικο = greengrocer-shop
το μανιτάρι = mushroom
το μανταρίνι = mandarin
το μαντίλι = handkerchief
το μαργαριτάρι = pearl
ο Μάρτης = March
το μάτι = eye
μαύρος,η,ο = black
το μαχαίρι = knife
τα μαχαιροπίρουνα = knives and
                    forks, cutlery
με = with
μεγάλος,η,ο = big, great
μεθώ = I get drunk
το μέλι = honey
η μελιτζάνα = aubergine
η μέλισσα = bee
μένω = I stay
η μέρα = day

η μερίδα = portion, serving
μερικός,η,ο = some
μέσα = in, inside
η μέση = waist
το μεσημέρι = noon
το μεσημεριανό = lunch
μέσος,η,ο = middle
μετά = after
το μετάξι = silk
το μέτρο = underground
το μήλο = apple
ο μήνας = month
μήπως = (particle introducing
          question)
η μητέρα = mother
η μηχανή = engine, machine
μηχανικός = engineer, mechanic
μια, μία = one, a
μικρός,η,ο = small
μιλώ = I speak, talk
μισός,η,ο = half
μοιάζω = I resemble
μόλις = as soon as, just
μολονότι = although
το μολύβι = pencil
μόνο = only
μόνος,η,ο = single
το μοσχάρι = veal
μουρμουρίζω = I murmur
η μουσική = music
ο μπακάλης = grocer
το μπακάλικο = grocer's shop
η μπάλα = ball
η μπάμια = okra, lady's fingers
η μπανάνα = banana
το μπάνιο = bath, bathroom
το μπαρ = bar
το μπαρμπούνι = red mullet
το μπιζέλι = pea
η μπίρα = beer
το μπιφτέκι = hamburger

481

μπλε = blue
μποδίζω = I prevent
μπορώ = I can
το μπουκάλι = bottle
το μπράτσο = arm
η μπριζόλα = chop, cutlet
μπροστά = in front
το μυαλό = brain
η Μύκονος = Mykonos
η μύτη = nose

N

να = (verbal particle) = to
ναι = yes
ο ναύτης, ναυτικός = seaman
τα νέα = news
ο νεαρός = youth
νέος,α,ο = young, new
το νερό = water
το νησί = island
νικώ = I win, beat
νιώθω = I feel
ο Νοέμβριος, ης = November
το νοίκι = rent
η νοικοκυρά = housewife
νομίζω=I think, consider, believe
η νοσοκόμα = nurse
το νοσοκομείο = hospital
νοσταλγικός,η,ο = nostalgic
νότιος,α,ο = southern
ο νότος = south
ο ντολμάς = stuffed vine leaves
η ντομάτα = tomato
ντρέπομαι = I am ashamed, I am
shy
ντύνομαι = I get dressed
ντύνω = I dress (someone)
η νύφη = bride
το νυχτικό = night dress
νωρίς = early

Ξ

ξάδερφος,η = cousin
ξαναβλέπω = I see again
ξαναδίνω = I give back, I give
again
ξανθός,η,ο = fair, blonde
ξαπλώνω = I lie down
ξάφνου = suddenly
ξαφνικά = suddenly
ξεκουράζομαι = I rest
η ξεκούραση = rest
το ξενοδοχείο = hotel
ο ξένος = stranger, guest
ξέρω = I know
ξεχνώ = I forget
ξοδεύω = I spend
το ξύδι = vinegar
ξύλινος,η,ο = wooden
το ξύλο = wood
ξυπνώ = I wake up
ξυρίζομαι = I shave

Ο

ογδόντα = eighty
όγδοος,η,ο = eighth
ο οδηγός = driver
η οδοντόβουρτσα = toothbrush
η οδοντόκρεμα
η οδοντόπαστα } toothpaste
η οδός = street
η οικογένεια = family
οκτακόσια = eight hundred
οκτώ = eight
ο Οκτώβριος, ης = October
ολάκερος,η,ο = whole
όλο = all the time
ολόισια = straight on
ολόκληρος,η,ο = whole
όλος,η,ο = whole
ολότελα = completely

η ομάδα = team, group
η ομελέτα = omelette
η ομιλία = talk, speech
η ομορφιά = beauty
όμως = but, nevertheless
το όνειρο = dream
το όνομα = name
όποτε = whenever
όπου = where, whenever
όπως = as, like
οπωσδήποτε = in any case, without fail
η όρεξη = appetite
ορίστε = here you are
η οροφή = roof
όσο = as much as
ότι = that
ό,τι = whatever
το ούζο = ouzo, raki
ο ουρανός = sky
ούτε... ούτε = neither ... nor
οχτώ = eight

Π
παγωμένος,η,ο = frozen ice-cold
το παγωτό = ice-cream
το παιδί = child
παίζω = I play
παίρνω = I take
το παιχνίδι = game, toy
το πακέτο = packet
πάλι = again
παλιός,α,ο = old
το παλτό = overcoat
η Παναγία = Virgin Mary
το Πανεπιστήμιο = University
πάντα = always
το πανταλόνι = trousers
το παντζάρι = beetroot
πάντοτε = always

η παντόφλα = slipper
παντρεμένος,η,ο = married
παντρεύομαι = I marry
πάνω = up
ο παπάς = priest
το παπούτσι = shoe
ο παππούς = grandfather
πάρα πολύ = very much
ο παράδεισος = paradise
το παράθυρο = window
παρακαλώ = I request, please
παρακολουθώ = I attend
η παραμονή = eve
παραξενεύομαι = I am taken
                aback, surprised
παράξενος,η,ο = strange
το Παρίσι = Paris
η Παρασκευή = Friday
η παράταξη = parade
παρατώ = I abandon
η παροιμία = proverb
το πάρτυ = party
η πατάτα = potato
ο πατέρας = father
το πάτωμα = floor
το Πάσχα = Easter
πάω = I go
το πεζοδρόμιο = pavement
πεθαίνω = I die
πειράζει = it matters
η Πέμπτη = Thursday
πέμπτος,η,ο = fifth
πενήντα = fifty
η πένα = pen, penny
πεντακόσια = five hundred
πέντε = five
το πεπόνι = sweet melon
πέρα = beyond
περίεργος,η,ο = curious
περιμένω = I wait (for)
το περιοδικό = magazine

483

η περιουσία = property
η περιπέτεια = adventure
περίπου = about
το περίπτερο = kiosk
περισσότερος,η,ο = more,most
περίφημος,η,ο = famous
η πετσέτα = towel
πέφτω = I fall
το πεύκο = pine-tree
πηγαίνω = I go
το πιάνο = piano
πιάνω = I take hold of
το πιάτο = plate
ο πιλότος = pilot
πίνω = I drink
πιο = more
πιότερο = more
το πιοτό = drink
το πιρούνι = fork
πιστεύω = I believe
πίσω = behind
η πιτζάμα = pyjama
πλάι = beside
πλατύς,ια,υ = wide
ο πληθυσμός = population
η πληροφορία = information
πληρώνω = I pay
πλησιάζω = I approach
ο πλοίαρχος = captain
το πλοίο = ship
πλούσιος,α,ο = rich
ο πλούτος = wealth
το πλυντήριο = washing machine
πνευματικός,η,ο = mental, spiri
                                 tual
το ποδάρι = foot
το πόδι = foot, leg
το ποδόσφαιρο = football
πόθος = longing
ποιος;α,ο, = who?
η ποιότητα = quality

ο πόλεμος = war
πολεμώ = I fight
η πόλη = city, town
πολλοί = many
η πολυθρόνα = armchair
πολύς = much
η πολυτέλεια = luxury
η πορεία = course, march
η πόρτα = door
η πορτοκαλάδα = orangeade
το πορτοκάλι = orange
πόσος,η,ο = how much
το ποτάμι = river
πότε;= when?
ποτέ = never
το ποτήρι = glass
πού = where?
που = that
το πουκάμισο = shirt
το πούλμαν = coach
το πράγμα = thing
το πρακτορείο = agency
πράσινος,η,ο = green
πρέπει = it is necessary
πριν = before
τις προάλλες = the other day,
    recently
το πρόγευμα = breakfast
προς = towards
προσέχω = I pay attention
προσκαλώ = I invite
η προσοχή = attention
προσπαθώ = I try
ο πρόσφυγας = refugee
το πρόσωπο = face
η πρόταση = suggestion, sentence
προτείνω = I suggest
προτιμώ = I prefer
προχωρώ = I proceed
το πρωινό = breakfast, morning
η πρωτεύουσα = capital

πρώτος,η,ο = first
η Πρωτοχρονιά = New Year's day
η πτήση = flight
πυκνός,η,ο = thick
ο πυρετός = fever
πώς = how?
πως = that

Ρ

ράβω = I sew up
το ραδιόφωνο = radio
ο ράφτης = tailor
τα ρέστα = change
η ρετσίνα = retsina wine
ρίχνω = I throw
το ροδάκινο = peach
ροζ = pink
το ρόδι = pomegranate
το ρολόι = clock, watch
η ρόμπα = dressing gown
ο ρυθμός = style, rhythm
ρωτώ = I ask, inquite

Σ

σαν = like
το Σάββατο = Saturday
η σαλάτα = salad
το σαλόνι = living room
το σαπούνι = soap
σαράντα = forty
σβήνω = I rub off
σε = to
η σειρά = row, series
το σέλινο = celery
σηκώνομαι = I get up
η σημαία = flag
η σημασία = meaning, importance
το σημείο = point
σήμερα = today

σιγά = slowly
σιδηροδρομικώς = by train
ο σιδηρόδρομος = railway
το σινεμά = cinema
σιωπηλός,η,ο = silent
η σκάλα = staircase
σκεπάζω = I cover
σκέπτομαι = I think
η σκέψη = thought
σκληρός,η,ο = cruel, hard
σκοπεύω = I intend
σοβαρός,η,ο = serious
η σούπα = soup
ο Σπαρτιάτης = Spartan
το σπίρτο = match
το σπίτι = house, home
σπουδαίος,α,ο = important
ο σταθμός = station
σταματώ = I stop
η στάση = bus stop
η σταύρωση = crucifixion
στέκομαι = I stand
στέλλω (στέλνω) = I send
στενός,η,ο = narrow
στενοχωρημένος,η,ο = worried,
                    upset
στερούμαι = I lack
τα σταφύλια = grapes
σταυρωμένος,η,ο = crossed
το στεφάνι = wreath
το στήθος = breast, chest
η στιγμή = moment
στοιχίζω = I cost
στολίζω = I decorate
το στόμα = mouth
ο στρατιώτης = soldier
στρίβω = I turn
το στρίψιμο = turning
στρώνω = I spread
ο συγγενής = relative
ο συγγραφέας = author

485

η συγκέντρωση = meeting
συγκινημένος,η,ο = moved
συγκινητικός,η,ο = moving sad
συζητώ = I discuss, argue
το σύκο = fig
το συκώτι = liver
συλλογίζομαι = I think about,
               reflect
συναντώ = I meet
η συνέπεια = consequence
συνεπής = consistent
συνεχίζω = I continue
συνήθως = usually
συνοδεύω = I accompany
ο συνωστισμός = crowding
συχνά = often
συχνάζω = I frequent
σφίγγω = I squeeze
σχεδόν = almost
το σχολείο = school
σωστός,η,ο = correct, whole

T
η ταβέρνα = tavern, pub
ο ταβερνιάρης = tavern owner
η τάξη = class
το ταξί = taxi
ταξιδεύω = I travel
το ταξίδι = journey
το ταχυδρομείο = Post Office
ο ταχυδρόμος = postman
τέλειος,α,ο = perfect
τελειώνω = I finish
τελείως = completely
τελευταίος ,α,ο = last
το τέλος = end
το τελωνείο = customs-office
τέσσερις = four
η Τετάρτη = Wednesday
το τέταρτο = quarter

τέταρτος,η,ο = fourth
τετρακόσια = four hundred
η τέχνη = art
το τζάκι = hearth, fireplace
η τηλεόραση = television
το τηλέφωνο = telephone
τηλεφωνώ = I telephone
τι; = what?
τινάζω = I push away
τίποτε = nothing, anything
τονίζω = I stress
τόσος,η,ο = so much
τότε = then
ο τουρίστας = tourist
το τραγούδι = song
τραγουδώ = I sing
η τράπεζα = bank
το τραπεζάκι = small table
το τραπέζι = table
το τραπεζομάντιλο = table cloth
τρεις = three
το τρένο = train
τρέχω = I run
τριακόσια = three hundred
τριάντα = thirty
το τριαντάφυλλο = rose
η Τρίτη = Tuesday
τρίτος,η,ο = third
τρομάζω = I get frightened
τρομερά = awfully, terribly
τρώγω = I eat
το τσάι = tea
η τσάντα = handbag
η τσέπη = pocket
το τσιγάρο = cigarette
τυχερός,η,ο = lucky
τώρα = now

Y

(υ) βρίζω = I insult
ο υπάλληλος = clerk, shop assistant
υπάρχω = I exist
υπέροχος,η,ο = excellent
ο ύπνος = sleep
το υπόγειο = basement, undergroud
η υπόθεση = case, matter
η υπομονή = patience
η υπόσχεση = promise
υπόσχομαι = I promise
υπόχρεος,η,ο = obliged
υποχρεωμένος,η,ο = forced
ύστερα = after, later
η υγεία = health
ύμνος = hymn

Φ

το φαγητό = food, meal
το φαγοπότι = eating and drinking
το φαΐ = food, meal
φαίνομαι = I appear, I seem
ο φάκελος = envelope
ο φαντάρος = soldier
το φαρμακείο = chemist
ο Φεβρουάριος = February
το φεγγάρι = moon
φέρνω = I bring
φεύγω = I go away, leave
το φθινόπωρο = autumn
το φίλμ = film
ο φίλος = friend
ο φιλόσοφος = philosopher
το φλιτζάνι = cup
η φλογέρα = flute
φοβάμαι (ούμαι) = I am afraid
η φορά = time
το φορτηγό = lorry
το φόρεμα = dress
ο φουκαράς = poor chap

ο φούρνος = oven, furnace, bakery
η φούστα = skirt
το φουστάνι = dress
φρέσκος,η,ο = fresh
η φράουλα = strawberry
φροντίζω = I take care
το φρούτο = fruit
η φρυγανιά = toast
φτηνός,η,ο = cheap
φτωχός = poor
η φυλακή = prison
φυσικά = naturally
φυσώ = I blow
φωνάζω = I cry
η φωνή = voice
το φως = light
η φωτιά = fire
φωτισμένος,η,ο = lit
η φωτογραφία = photograph

X

χαϊδεμένος,η,ο = pampered
χαϊδεύω = pamper, caress
ο χαιρετισμός = greeting
χαίρομαι = I am glad
το χαλί = carpet
χαλώ = I spoil, demolish, change
χαμένος,η,ο = lost
χαμηλός,η,ο = low
το χαμόγελο = smile
χάνω = I lose
το χάπι = pill, tablet
η χαρά = joy
η χάρη = grace, charm
χαρούμενος,η,ο = joyful
ο χάρτης = map
το χαρτί = paper
τα χαρτιά = playing cards
χάρτινος,η,ο = paper
το χαρτονόμισμα = currency note

χασμουριέμαι = I yawn
τα χείλη = lips
χειρότερος,η,ο = worse
ο χειμώνας = winter
το χέρι = hand, arm
η χήρα = widow
χθες, χτες = yesterday
χίλια = a thousand
το χιόνι = snow
το χοιρινό = pork
το χοιρομέρι = bacon, ham
χοντρός,η,ο = fat, thick
χορεύω = I dance
ο χορός = dance, chorus
τα χρήματα = money
χρήσιμος,η,ο = useful
τα Χριστούγεννα = Christmas
ο χρόνος = year, time
χρυσός,η,ο = gold
το χρώμα = colour
χρωστώ = I owe
χτες = yesterday
ο χτίστης = builder
χωμάτινος,η,ο = earthen
η χώρα = country
το χωράφι = field
ο χωριάτης = villager
το χωριό = village
χωρίς = without

Ψ

ψάλλω = I chant
ο ψαράς = fisherman
ψαρεύω = I fish
το ψάρι = fish
ψάχνω = I search
το ψέμα = lie
ψες = last night
ψηλός,η,ο = tall
ψήνω = I cook
ψητός,η,ο = baked, roast
ψόφιος,α,ο = lifeless
το ψυγείο = refrigerator
ψυχρός,η,ο = cold
ο ψωμάς = baker
το ψωμί = bread

Ω

ο ωκεανός = ocean
η ώρα = hour, time
ωραίος,α,ο = beautiful
ως = up to
ώσπου = till
ώστε = so that
ωφέλιμος,η,ο = useful

ENGLISH - GREEK

A
a, an = ένας, μια, ένα
I abandon = παρατώ
about = για, περίπου
abrupt = απότομος,η,ο
I accompany = συνοδεύω
I acquire = αποκτώ
address = η διεύθυνση
adventure = η περιπέτεια
advertisement = η διαφήμιση
aeroplane = το αεροπλάνο
afraid, I am = φοβούμαι
after = μετά, ύστερα
afternoon = το απόγευμα
again = πάλι, ξανά
agency = το πρακτορείο
I agree = συμφωνώ
aid = η βοήθεια
airport = το αεροδρόμιο
all = όλος,η,ο
almonds = τα αμύγδαλα
almost = σχεδόν
alone = μόνος,η,ο
already = κιόλας
also = επίσης
although = αν και, μολονότι
always = πάντα, πάντοτε
I am = είμαι
amazing = καταπληκτικός,η,ο
America = η Αμερική
American = Αμερικάνος,α
ancient = αρχαίος,α,ο
and = και
anger = ο θυμός
animal = το ζώο
another = άλλος,η,ο
I answer = απαντώ
anyone = κάποιος, κανένας

apartment = το διαμέρισμα

I appear = φαίνομαι
appetite = η όρεξη
apple = το μήλο
I approach = πλησιάζω
apricot = το βερίκοκο
April = ο Απρίλιος
I argue = συζητώ
arm = το μπράτσο, το χέρι
armchair = η πολυθρόνα
arrival = η άφιξη
art = η τέχνη
artist = ο καλλιτέχνης
as = καθώς, όπως
as much as = όσο
as soon as = μόλις
ashamed, I am = ντρέπομαι
I ask for = ζητώ
at once = αμέσως
Athens = η Αθήνα
I attend = παρακολουθώ
attention = η προσοχή
aubergine = η μελιτζάνα
August = ο Αύγουστος
aunt = η θεία
author = ο συγγραφέας
autumn = το φθινόπωρο
available = διαθέσιμος,η,ο
awful = τρομερός,η,ο

B
bad = κακός, άσχημος, η,ο
baker = ο ψωμάς
bakery = ο φούρνος
ball = η μπάλα
banana = η μπανάνα

bank = η τράπεζα
bar = το μπαρ
basket = το καλάθι
bath = το μπάνιο, το λουτρό
bathing costume = το μαγιό
bean = το φασόλι
beautiful = ωραίος,α,ο
because = γιατί
I become = γίνομαι
bed = το κρεβάτι
bedroom = η κρεβατοκάμαρα
beef = το βοδινό
beefbuger = το μπιφτέκι
beer = η μπύρα
beetroot = το παντάρι
before = πριν
I begin = αρχίζω
behind = πίσω
I believe = πιστεύω
bell = η καμπάνα, το κουδούνι
I belong = ανήκω
belt = η ζώνη
beside = δίπλα, πλάι
besides = άλλωστε
beyond = πέρα
big = μεγάλος,η,ο
bill = ο λογαριασμός
bird = το πουλί
birthday = τα γενέθλια
birthplace = η γενέτειρα
black = μαύρος,η,ο
blanket = η κουβέρτα
blonde = ξανθός,η,ο
blood = το αίμα
I blow = φυσώ
blue = γαλάζιος, μπλε
book = το βιβλίο
bottle = το μπουκάλι
box = το κουτί
brain = το μυαλό
bread = το ψωμί

breakfast = το πρόγευμα,
    το πρωϊνό
breast = το στήθος
I bring = φέρνω
brother = ο αδελφός
brown = καφετής, ια, ι, (καφέ)
builder = ο χτίστης
bus = το λεωφορείο
bus stop = η στάση
but = αλλά, μα όμως
butter = το βούτυρο
by = κοντά, με
by air = αεροπορικώς

C
cafe = το καφενείο
cake = το γλύκισμα
capital = η πρωτεύουσα
I can = μπορώ
captain = ο πλοίαρχος
car = το αυτοκίνητο, το αμάξι
cards = τα χαρτιά, οι κάρτες
I caress = χαϊδεύω
carnation = το γαρίφαλο
carpet = το χαλί
I cash = εξαργυρώνω
cat = η γάτα
centre = το κέντρο
cheerful = εύθυμος
chair = η καρέκλα
I change = αλλάζω, χαλώ
change = τα ρέστα
charm = η χάρη
charmed = γοητευμένος
charming = μαγευτικός
chemist = το φαρμακείο
cherry = το κεράσι
chicken = το κοτόπουλο
child = το παιδί
chips = οι τηγανητές πατάτες

Christmas = τα Χριστούγεννα
church = η εκκλησία
cigarette = το τσιγάρο
cinema = το σινεμά
city = η πόλη
class = η τάξη
clean = καθαρός,η,ο
cleanliness = η καθαριότητα
clever = έξυπνος,η,ο
clock = το ρολόι
I close = κλείω
club = το σωματείο
coach = το πούλμαν
cod = ο μπακαλιάρος
coffee = ο καφές
cold = κρύος, ψυχρός,η,ο
college = το κολέγιο
colour = το χρώμα
completely = εντελώς
consequence = η συνέπεια
consistent = συνεπής
I continue = συνεχίζω
convenient = βολικός,η,ο
conversation = η κουβέντα,
                  συνδιάλεξη
I cook = μαγειρεύω
cook = ο μάγειρας, ος
cool = δροσερός,η,ο
corner = η γωνιά
correct = σωστός,η, ο
I cost = στοιχίζω, κοστίζω
country = η χώρα
couple = το ζευγάρι
courage = το θάρρος
course = η πορεία
cousin = ξάδελφος,η
I cover = σκεπάζω
Crete = Η Κρήτη
crowding = ο συνωστισμός
cruel = σκληρός,η,ο
I cry = κλαίω, φωνάζω

crystal = το κρύσταλλο
cucumber = το αγγούρι
cup = το φλιτζάνι, το κύπελο
curious = περίεργος,η,ο
currency = το χαρτονόμισμα
curtain = η κουρτίνα
custom = το έθιμο
customs office = το τελωνείο
Cypriot = Κύπριος,α
Cyprus = η Κύπρος

D
daily = καθημερινός,η,ο
dance = ο χορός
I dance = χορεύω
date = η ημερομηνία
date = ο χουρμάς
daughter = η κόρη
dawn = τα χαράματα, η αυγή
day = η μέρα
dear = ακριβός,η,ο αγαπητός,η,ο
December = ο Δεκέμβριος
I decide = αποφασίζω
decision = η απόφαση
I declare = δηλώνω
deep = βαθύς, ια,υ
delicate = λεπτός,η,ο
I demolish = χαλώ
departure = η αναχώρηση
I die = πεθαίνω
different = διαφορετικός,η,ο
difficult = δύσκολος,η,ο
director = ο διευθυντής
I discuss = συζητώ
distance = η απόσταση
distant = μακρινός,η,ο
distant, it is = απέχει
I do = κάνω
doctor = ο γιατρός
dog = ο σκύλος

door = η πόρτα
double = διπλός,η,ο
down = κάτω
I dream = ονειρεύομαι
dream (the) = το όνειρο
dress (the) = το φουστάνι,
           φόρεμα
I dress = ντύνομαι
dressing gown = η ρόμπα
I drive = οδηγώ
driver = ο οδηγός
I drown = πνίγομαι
duck = η πάπια
during = κατά τη διάρκεια

E
ear = το αυτί
early = νωρίς
east = η ανατολή
Easter = το Πάσχα, η Λαμπρή
easy = εύκολος,η,ο
I eat = τρώγω
eight = οκτώ
eight hundred = οκτακόσια
eighty = ογδόντα
either... or = είτε... είτε
elephant = ο ελέφαντας
eleven = έντεκα
elsewhere = αλλού
end = το τέλος
engine = η μηχανή
engineer = ο μηχανικός
engineering = η μηχανική
I enjoy = απολαμβάνω
enough = αρκετός,η,ο
envelope = ο φάκελος
equal = ίσος,η,ο
even = ακόμα
even if = άνκαι
ever = ποτέ

every = κάθε
eye = το μάτι
exact = ακριβής
I examine = εξετάζω
excellent = έκτακτος,η,ο
           υπέροχος,η,ο
excursion = η εκδρομή
I expect = περιμένω
expensive = ακριβός,η,ο
exeperience = η πείρα
expert = ειδικός

F
face = το πρόσωπο
factory = το εργοστάσιο
fair = ξανθός, πανηγύρι
I fall = πέφτω
family = η οικογένεια
famous = περίφημος,η,ο
far = μακριά
fat = χοντρός,η,ο
father = ο πατέρας
fatigue = η κούραση
feat = το κατόρθωμα
February = ο Φεβρουάριος
I feel = νιώθω
field = το χωράφι
fig = το σύκο
fight = πολεμώ
film = το φιλμ
I finish = τελειώνω
I find = βρίσκω
I find it difficult = δυσκολεύομαι
fire = φωτιά
first = πρώτος,η,ο
fish = το ψάρι
fisherman = ο ψαράς
five = πέντε
five hundred = πεντακόσια
flat = το διαμέρισμα

flight = η πτήση
flower = το λουλούδι
follow = ακολουθώ
following = επόμενος,η,ο
food = το φαγητό
foot = το πόδι
football = το ποδόσφαιρο
forced = υποχρεωμένος,η,ο
I forget = λησμονώ, ξεχνώ
fork = το πιρούνι
formerly = άλλοτε
forty = σαράντα
four = τέσσερις
four hundred = τετρακόσια
France = η Γαλλία
French (person) = Γάλλος,ίδα
I frequent = συχνάζω
Friday = η Παρασκευή
friend = ο φίλος
from = από
frozen = παγωμένος,η,ο
fruit = το φρούτο
full = γεμάτος,η,ο
funny = αστείος,α,ο
furnace = φούρνος

G

game = το παιχνίδι
garage = το γκαράζ
garden = ο κήπος
I gather = μαζεύω
gentleman = ο κύριος
Germany = η Γερμανία
German (person) =
                 Γερμανός,ίδα
I get dressed = ντύνομαι
I get angry = θυμώνω
I get frightened = τρομάζω
I get ready = ετοιμάζομαι
I get tired = κουράζομαι

I get up = σηκώνομαι
girl = το κορίτσι, η κοπέλα
I give = δίνω
glad = χαίρομαι
glass = το ποτήρι
I go = πηγαίνω, πάω
I go away = φεύγω
I go down = κατεβαίνω
I go out = βγαίνω
I go up = ανεβαίνω
gold = ο χρυσός
good = καλός,η,ο
good by = αντίο, γεια σου
good morning = καλημέρα
good night = καληνύχτα
grace = η χάρη
grammar-shool = το γυμνάσιο
granddaughter = η εγγονή
grandfather = ο παππούς
grandmother = η γιαγιά
grandson = ο εγγονός
grapes = τα σταφύλια
great = μεγάλος,η,ο
Greece = η Ελλάδα
Greek = ελληνικός,η,ο
Greek (person) = Έλληνας, ίδα
green = πράσινος,η,ο
greengrocer = ο μανάβης
greeting = ο χαιρετισμός
grey = γκρίζος
grocer = ο μπακάλης
guest = ο ξένος

H

hair = τα μαλλιά
half = μισός,η,ο
hamburger = το μπιφτέκι
hand = το χέρι
handbag = η τσάντα
happiness = η ευτυχία

happy = ευτυχής,
    ευτυχισμένος,η,ο
harbour = το λιμάνι
hard = σκληρός,η,ο
hat = το καπέλο
I have = έχω
  he = αυτός
  head = το κεφάλι
I hear = ακούω
  heart = η καρδιά
  heavy = βαρύς, ια, υ
  here = εδώ
I hide = κρύβω, κρύβομαι
  history = η ιστορία
  holiday = η γιορτή, διακοπές
  home = το σπίτι
  horizon = ο ορίζοντας
  horse = το άλογο
  hospital = το νοσοκομείο
  hot = ζεστός,η,ο
  hotel = το ξενοδοχείο
  hotelier = ο ξενοδόχος
  hour = η ώρα
  house = το σπίτι
  housewife = η νοικοκυρά
  how? = πως
  how much = πόσος,η,ο
  husband = ο άντρας, ο σύζυγος

I

I = εγώ
  ice cream = το παγωτό
I immerse = βυθίζω
  important = σπουδαίος,α,ο
  in = μέσα
  in front = μπροστά
  in order to = για να
  indispensable = απαραίτητος,η,ο
  information = η πληροφορία
  ink = το μελάνι

I inquire = ρωτώ
  inside = μέσα
  intelligent = έξυπνος,η,ο
I intend = σκοπεύω
  invasion = η εισβολή
  invitation = η πρόσκληση
I invite = προσκαλώ
  island = το νησί
  Italy = η Ιταλία

J

jacket = η ζακέτα
January = ο Ιανουάριος
jaw = το σαγόνι
job = η δουλειά
joke = το αστείο
journey = το ταξίδι
joy = η χαρά
juice = ο χυμός
July = ο Ιούλιος
jump = πηδώ
June = ο Ιούνιος

K

I keep = κρατώ, συντηρώ
  kind = ευγενικός,η,ο
  kipper = καπνιστή ρέγγα
  kitchen = η κουζίνα
  knife = το μαχαίρι
I know = ξέρω, γνωρίζω

L

I lack = στερούμαι
  lady = η κυρία
  lamb = το αρνί
  last = τελευταίος,α,ο
  late = αργά
I laugh = γελώ

laughter = το γέλιο
I learn = μαθαίνω
left = αριστερός,η,ο
legend = ο θρύλος, ο μύθος
lemon = το λεμόνι
lemonade = η λεμονάδα
lesson = το μάθημα
I let = αφήνω, ενοικιάζω
letter = το γράμμα
letter box = το γραμματοκιβώτιο
level = το επίπεδο
library = η βιβλιοθήκη
lie = το ψέμα
I lie down = ξαπλώνω
life = η ζωή
lifeless = ψόφιος,α,ο
light = το φως
I light = ανάβω
lightning = η αστραπή
like = σαν
lips = τα χείλη
list = ο κατάλογος
literature = η λογοτεχνία
little = λίγος, μικρός,η,ο
I live = ζω
liver = το συκώτι
living room = το σαλόνι
London = το Λονδίνο
long = μακρύς,ια,υ
look = το βλέμμα
I look = κοιτάζω
I look for = γυρεύω, ζητώ
I lose = χάνω
lost = χαμένος,η,ο
a lot = καμπόσος,η,ο
I love = αγαπώ
love = η αγάπη
low = χαμηλός,η,ο
lucky = τυχερός,η,ο
luggage = οι αποσκευές
lunch = το γεύμα, το μεσημεριανό

M

machine = η μηχανή
magazine = το περιοδικό
I make = κάνω
man = ο άνθρωπος, ο άντρας
many = οι πολλοί
March = ο Μάρτης
I marry = παντρεύομαι
match = το σπίρτο, ο αγώνας
It matters = πειράζει
May = ο Μάιος
meal = το φαγητό
meaning = η σημασία
mechanic = ο μηχανικός
I meet = συναντώ
meeting = η συγκέντρωση
melon = το πεπόνι
mental = πνευματικός,η,ο
menu = ο κατάλογος
merry = εύθυμος,η,ο
message = το μήνυμα
middle = μέσος,η,ο
milk = το γάλα
million = το εκατομμύριο
millionaire = ο εκατομμυριούχος
mine = δικός μου, το ορυχείο
minute = το λεπτό
miracle = το θαύμα
mirror = ο καθρέφτης
Mr. = ο κύριος
Mrs. = η κυρία
moment = η στιγμή
money = τα λεφτά, τα χρήματα
moon = το φεγγάρι
month = ο μήνας
more = περισσότερος,η,ο
more (adj) = πιο
morning = το πρωί, το πρωινό
mother = η μητέρα, η μάνα
motor-car = το αυτοκίνητο
mountain = το βουνό

mouth = το στόμα
I move = κουνώ
moving (sad) = συγκινητικός,η,ο
much = πολύς
music = η μουσική

N

name = το όνομα
napkin = η πετσέτα
naturally = φυσικά
near = κοντά
necessary, it is = πρέπει
need = η ανάγκη
neighbour = ο γείτονας
niece = η ανεψιά
neither... nor = ούτε... ούτε
nephew = ο ανεψιός
never = ποτέ
nevertheless = όμως
new = νέος, καινούριος,α,ο
news = τα νέα, οι ειδήσεις
newspaper = η εφημερίδα
next = ο επόμενος, ερχόμενος
nice = καλός, ωραίος
Nicosia = η Λευκωσία
night = η νύχτα
night club = το καμπαρέ
nine = εννιά
nine hundred = εννιακόσια
ninety = ενενήντα
no = όχι
no one = κανένας, καμιά, κανένα
noiselessly = αθόρυβα
noon = το μεσημέρι
north = ο βοριάς
northern = βόρειος, α, ο
            βορινός,η,ο
nose = η μύτη
nothing = τίποτε
November = ο Νοέμβριος

O

obliged = υπόχρεος,η,ο
of course = βέβαια, βεβαίως
office = το γραφείο
officer = ο αξιωματικός
often = συχνά
old = παλιός,α,ο = ο γέρος, γριά
olive = η ελιά
one = ένας
onion = το κρεμμύδι
only = μόνο
open = ανοιχτός, η,ο
I open = ανοίγω
opposite = απέναντι
or = ή
orange = το πορτόκαλι
orangeade = η πορτοκαλάδα
other = άλλος,η,ο
otherwise = αλλιώς
out = έξω
outing = η εκδρομή
outside = έξω
oven = ο φούρνος
overcoat = το παλτό
I owe = χρωστώ
owner = ο ιδιοκτήτης

P

packet = το πακέτο
pair = το ζευγάρι
paper = το χαρτί
parade = η παράταξη,
            η παρέλαση
paradise = ο παράδεισος
parent = ο γονέας, γονιός
party = το πάρτυ
I pass = περνώ
passport = το διαβατήριο
pavement = το πεζοδρόμιο
I pay = πληρώνω
I pay attention = προσέχω

peach = το ροδάκινο
pear = το αχλάδι
pearl = το μαργαριτάρι
peas = τα μπιζέλια, αρακάς
pen = η πένα, το στυλό
pencil = το μολύβι
penny = η πένα
people = ο κόσμος
perfect = τέλειος,α,ο
petrol = βενζίνη (α)
petrol station = πρατήριο
                      βενζίνης
philosopher = ο φιλόσοφος
photograph = η φωτογραφία
piano = πιάνο
pilot = ο πιλότος
pine-tree = το πεύκο
pity = το κρίμα
plate = το πιάτο
I play = παίζω
pleasant = ευχάριστος,η,ο
please = παρακαλώ
pleased = ευχαριστημένος,η,ο
piece = το κομμάτι
poem = το ποίημα
poet = ο ποιητής
poetic = ποιητικός,η,ο
point = το σημείο
I point = δείχνω
policeman = ο αστυφύλακας`
polite = ευγενικός,η,ο
politenes = ευγένεια
poor = φτωχός,η,ο
population = ο πληθυσμός
pork = το χοιρινό
portion = η μερίδα
position = η θέση
postage-stamp = το
                      γραμματόσημο
postman = ο ταχυδρόμος
post office = το ταχυδρομείο

potato = η πατάτα
I prefer = προτιμώ
I prevent = εμποδίζω
priest = ο παπάς
private = ιδιωτικός,η,ο
problem = το πρόβλημα,
                      το ζήτημα
I proceed = προχωρώ
I promise = υπόσχομαι
property = η περιουσία
proud = περήφανος,η,ο
pub = η ταβέρνα
pupil = ο μαθητής
I put = βάζω

Q
quality = η ποιότητα
quantity = η ποσότητα
quarrel = ο καυγάς
quarter = το τέταρτο
queen = η βασίλισσα
question = η ερώτηση
quick = γρήγορος,η,ο
quiet = ήσυχος,η,ο
quietness = η ησυχία

R
radio = το ραδιόφωνο
rather = μάλλον
I reach = φτάνω
I read = διαβάζω
ready = έτοιμος,η,ο
reason = ο λόγος
I receive = λαμβάνω, παίρνω
red = κόκκινος,η,ο
regular = κανονικός,
                      τακτικός,η,ο
I remember = θυμάμαι
rent = το νοίκι

I request = παρακαλώ, ζητώ
I resemble = μοιάζω
reserved = κρατημένος,η,ο
restaurant = το εστιατόριο
I return = γυρίζω
ribbon = η κορδέλα
rich = πλούσιος,α,ο
ring = το δαχτυλίδι
river = το ποτάμι
road = ο δρόμος
roast = ψητός,η,ο
roof = η οροφή, η στέγη
room = το δωμάτιο
rose = το τριαντάφυλλο
round = γύρω
row = η σειρά
I rub off = σβήνω
I run = τρέχω

S

sad = λυπημένος,η,ο
salad = η σαλάτα
Salonica = η Θεσσαλονίκη
same = ίδιος,α,ο
Saturday = το Σάββατο
I say = λέγω
sea = η θάλασσα
I search = ψάχνω
season = η εποχή
second = δεύτερος,η,ο
secretary = ο,η γραμματέας
I see = βλέπω
I seem = φαίνομαι
I sell = πουλώ
I send = στέλνω
sentence = η πρόταση
September = ο Σεπτέμβριος
series = η σειρά
serious = σοβαρός,η,ο
I set off = ξεκινώ

seven hundred = εφτακόσια
seventy = εβδομήντα
speech = ο λόγος, η ομιλία
shade = η σκιά
I shave = ξυρίζομαι
ship = το πλοίο, το καράβι
shirt = το πουκάμισο
shoes = τα παπούτσια
shop = το κατάστημα, το μαγαζί
I show = δείχνω
silent = σιωπηλός,η,ο
silk = το μετάξι
silly = ανόητος,η,ο
simple = απλός,η,ο
sincere = ειλικρινής
I sing = τραγουδώ
single = μόνος,η,ο
sister = αδελφή
six = έξι
six hundred = εξακόσια
sixty = εξήντα
skirt = η φούστα
sky = ο ουρανός
sleep = ο ύπνος
I sleep = κοιμάμαι
slow = σιγανός,η,ο
slowly = σιγά, σιγά
small = μικρός,η,ο
smartness = η κομψότητα
smile = το χαμόγελο
I smile = χαμογελώ
I smoke = καπνίζω
snow = το χιόνι
so = έτσι, τόσο
soap = το σαπούνι
socks = οι κάλτσες
soldier = ο στρατιώτης
some = λίγος, μερικό
someone = κάποιος,α,ο
sometime (s) = κάποτε
son = ο γιος

song = το τραγούδι
sorry, I am = λυπούμαι
soup = η σούπα
souvenir = το ενθύμιο
I speak = μιλώ
special = ιδιαίτερος,η,ο
spactacles = τα γυαλιά
I spend = ξοδεύω
I spoil = χαλώ
spoon = το κουτάλι
I spread = απλώνω
Spring = η Άνοιξη
square = η πλατεία
staircase = η σκάλα
stamp = το γραμματόσημο
standing = όρθιος,α,ο
star = το άστρο, το αστέρι
station = ο σταθμός
I stay = μένω
still = ακόμα
I stop = σταματώ
story = η ιστορία
straight on = ίσια
strange = παράξενος,η,ο
stranger = ο ξένος
street = ο δρόμος, η οδός
I stress = τονίζω
strong = δυνατός,η,ο
stupid person = ο βλάκας
subject = το θέμα
suddenly = ξαφνικά
sugar = η ζάχαρη
summer = το καλοκαίρι
sun = ο ήλιος
sunbathing = η ηλιοθεραπεία
Sunday = η Κυριακή
supper = το δείπνο
sure = βέβαιος,η,ο
surely = βέβαια
surgery = το ιατρείο
surprise = η έκπληξη

sweet = το γλυκό, η καραμέλα
swim = κολυμπώ
swimming = το κολύμπι

T

table = το τραπέζι
tailor = ο ράφτης
I take = παίρνω
I take care = φροντίζω
I take hold of = πιάνω
talk = η ομιλία
I talk = μιλώ
tall = ψηλός,η,ο
taxi = το ταξί
tea = το τσάι
teacher = ο δάσκαλος, η δασκάλα
tears = τα δάκρυα
telephone = το τηλέφωνο
I telephone = τηλεφωνώ
television = η τηλεόραση
ten = δέκα
I thank = ευχαριστώ
that = εκείνος, ότι, πως
theatre = το θέατρο
then = τότε
thick = πυκνός,η,ο
thing = το πράγμα
I think = νομίζω, θαρρώ,
σκέφτομαι
thirteen = δεκατρία
thirty = τριάντα
this = αυτός,η,ο
thought = η σκέψη
a thousand = χίλια
three = τρία, τρεις
three hundred = τριακόσια
I throw = ρίχνω
Thursday = η Πέμπτη
thus = έτσι
tie = η γραβάτα

499

tied = δεμένος,η,ο
till = ως, ώσπου
time = ο χρόνος, η ώρα
tired = κουρασμένος,η,ο
to = σε
toast = η φρυγανιά
today = σήμερα
toilet = η τουαλέτα
toilet paper = χαρτί τουαλέτας
together = μαζί
tomato = η ντομάτα
tomorrow = αύριο
tonque = γλώσσα
tonight = απόψε
tooth = το δόντι
tooth brush = η οδοντόβουρτσα
toothpaste = η οδοντόκρεμα
tower = ο πύργος
town = η πόλη
train = το τρένο
travel = ταξιδεύω
tree = το δέντρο
troubles = τα βάσανα
trousers = το πανταλόνι
I try = δοκιμάζω, προσπαθώ
Tuesday = η Τρίτη
I turn = γυρίζω, στρίβω
turning = το στρίψιμο
twelve = δώδεκα
twenty = είκοσι
two = δύο
two hundred = διακόσια

U

ugly = άσχημος,η,ο
umbrella = η ομπρέλα
uncle = ο θείος
under = κάτω
I understand = καταλαβαίνω,
                αντιλαμβάνομαι

uneasy = ανήσυχος,η,ο
unhappy = δυστυχισμένος,η,ο
University = το Πανεπιστήμιο
unlikely = απίθανος,η,ο
up = πάνω
up to = ως
useful = χρήσιμος,η,ο
usually = συνήθως

V

value = η αξία
variety = η ποικιλία
various = διάφοροι
veal = το μοσχάρι
vegetable = το λαχανικό
veranda = η βεράντα
very much = πάρα πολύ
video = το βίντεο
village = το χωριό
villager = ο χωριάτης/ισα
vine = το αμπέλι
vinegar = το ξύδι
Virgin Mary = η Παναγία
visit = η επίσκεψη
I visit = επισκέπτομαι
voice = η φωνή

W

I wait = περιμένω
waiter = το γκαρσόνι
I wake up = ξυπνώ
I walk = περπατώ
wall = ο τοίχος
I want = θέλω
war = ο πόλεμος
warm = ζεστός,η,ο
watch = το ρολόι
water = το νερό
water-melon = το καρπούζι

way = ο δρόμος
we = εμείς
wealth = ο πλούτος
weather = ο καιρός
wedding = ο γάμος
Wednesday = η Τετάρτη
week = η εβδομάδι
week-end = το Σαββατοκύριακο
weekly = εβδομαδιαίος,η,ο
I weep = κλαίω
west = η δύση
western = δυτικός,η,ο
what? = τι; ότι
when? = πότε;
whenever = όποτε
where = όπου
while = ενώ
whim = η ιδιοτροπία
white = άσπρος,η,ο
whole = ολάκερος,ολόκληρος,
        σωστός,η,ο
why? = γιατί
wide = πλατύς,ια,υ
widow = η χήρα
wife = η γυναίκα, η σύζυγος
will = η θέληση
I win = νικώ, κερδίζω
window = το παράθυρο
wine = το κρασί
winter = ο χειμώνας
with = με
without = χωρίς
without fail = οπωσδήποτε
woman = η γυναίκα
word = η λέξη
work = η δουλειά
I work = δουλεύω
worker = ο εργάτης
world = ο κόσμος
worried = στενοχωρημένος,η,ο
worse = χειρότερος,η,ο

worth = αξίζει
I write = γράφω
writer = ο συγγραφέας

Y

year = ο χρόνος
yellow = κίτρινος,η,ο
yes = ναι
yet = ακόμα
yoghurt = το γιαούρτι
you = εσύ, εσείς
young = νέος, α
youth = νέος, νεαρός

Z

zero = μηδέν
zip = το φερμουάρ
zither = το σαντούρι
zoo = ο ζωολογικός κήπος

THE GREEK INSTITUTE
(Founded 1969)
ΕΛΛΗΝΙΚΟ ΙΝΣΤΙΤΟΥΤΟ ΑΓΓΛΙΑΣ
FOR THE PROMOTION OF MODERN GREEK STUDIES

Past Presidents: Sir Maurice Bowra, Sir Compton Mackenzie

Hon. Presidents: H.E. Archbishop of Thyateira and Gt. Britain
Professor R. Browning, B.A., M.A., F.B.A.
C.M. Woodhouse, D.S.O., O. B. E., M.A.

Hon. Fellows: Prof. C.A. Trypanis (Athens Academy)
Petros Harris (Athens Academy)
Odysseas Elytis (Nobel Prize Winner)

Director:

Dr. KYPROS TOFALLIS BA, MA, PhD, DipEd, FIL.

34, BUSH HILL ROAD, LONDON N21 2DS.
Telephone: 081 - 360 7968
Fax: 081-360 7968

REGIONAL REPRESENTATIVES

Aberdeen	Durham	Newcastle
Barnet	Glasgow	Oxford
Belfast	Huddersfield	Peterborough
Birmingham	Hull	Plymouth
Blackpool	Leicester	Preston
Bolton	Lowestoft	Southampton
Bristol	Luton	Staffordshire
Cardiff	Manchester	Ware, Herts
Coventry	Middlesbrough	Weymouth
Dorset	Maidstone	Wigan

THE GREEK INSTITUTE

The Greek Institute was founded in 1969 and its aims are academic and cultural. The Institute is affiliated to the Greater London Arts Association, the Enfield Arts Council and the Haringey Arts Council. It is listed in the Directory World of Learning, the Directory of British Associations and British Qualifications. It promotes Modern Greek Studies in the United Kingdom through lectures, publications, literary competitions, Greek cultural evenings and through examinations and awards Certificates and Diplomas to the successful candidates. Above all it promotes British - Greek friendship and understanding.

Many British Universities and Polytechnics recognise and accept the Greek Institute Certificates as equivalent to the G.C.E. "A" level and G.C.S.E. in Modern Greek.

Modern Greek courses are offered in London by a number of evening Institutes and Colleges such as the North London College. The Institute besides its cultural role is a professional and examining body and its members, i.e. Associatess and Fellows work as translators, interpreters, language teachers, research workers and in other fields of employment or professions in which high standards of proficiency in the Greek and English languages are required.

The cultural functions are usually held in London and in other cities. Greek language courses (Beginners, Intermediate and Advanced) are held both during the day and evenings, at North London College, 444 Camden Road, Holloway, London, N. 7.

GRADES OF MEMBERSHIP:

Membership Subscription for 1992
Members £20.00   Associates £ 22.00   Fellows £ 25.00

ADVANTAGES OF MEMBERSHIP

Membership is open to anyone interested in Greece or Cyprus. There is no entry requirement for the ordinary membership but Associates and Fellows must first pass the respective examinations or hold such other qualifications which may exempt them.

1. All members may attend any of the cultural activities organised by the Institute.
2. Receive free of charge the " Greek Institute Review" and Newsletters.
3. Purchase the Institute's publications at reduced rates.
4. Enrol for the Greek Correspondence Courses at reduced rates.
5. Travel to Greece or Cyprus at specially reduced rates (Discount of 10%) on producing a valid Membership Card.

GREEK INSTITUTE PUBLICATIONS:

Books by Dr. Kypros Tofallis

1. **A TEXTBOOK OF MODERN GREEK** (New 1991 edition) (For Beginners to GCSE)

2. **MODERN GREEK TRANSLATION**

   (FOR GCSE AND " A" level) £5.00

3. **ENGLISH - GREEK TRANSLATION**

   (For GCSE and " A" level) £5.00

4. **LANDMARKS IN MODERN GREEK LITERATURE**

   (For GCE " A" level and general interest)................ £5.00

5. **ISTORIA TIS NEOELLINIKES LOGOTECHNIAS**

   (History of Modern Greek Literature) £7.50

6. **THE GREEK LANGUAGE & ONE ACCENT SYSTEM**

   (Introd. by Greek Govt. 1982) £2.00

7. **SOCRATES: MAN AND PHILOSOPHER**

   (His life and Work) £2.50

8. **A SHORT HISTORY OF CYPRUS**

(From the ancient times to the present) £5.00

9. **GREECE AND CYPRUS** - A Yearbook 1986 and 1990 £5.00

10. **GREEK INSTITUTE EXAMINATION PAPERS.** Each stage
.... £1.25

The above books are obtained from the Institute.The prices include postage and packing.

EXAMINATIONS 1992

The examinations of the Institute are held once a year, in early June. Candidates wishing to enter must submit their entry form by the **28th February**. Late entries are accepted up to the 30th April but a **late fee of £15.00** is payable in addition to the examination fee.

EXAMINATION STAGES	EXAMINATION FEES FOR 1992
PRELIMINARY CERTIFICATE	£ 25.00
INTERMEDIATE CERTIFICATE	£ 30.00
ADVANCED CERTIFICATE	£ 35.00
DIPLOMA IN MODERN GREEK STUDIES.......	£ 65.00

SYLLABUS OF EXAMINATIONS
PRELIMINARY CERTIFICATE

The aim of this examination is to test candidates in four basic skills: **1. Listening 2. Reading 3. Speaking and 4. Writing.** The examination **is** suitable for people who complete **one year´s study** of Modern Greek at School, College, Adult Education Centre or Private Study. The Oral Test is carried out by the Local Teacher. The standard of this examination is very basic.

There will be **One Paper of 2 hours and an Oral Test of about 10 minutes.** The Examination will consist of the following five parts:

1. Prepared Talk. The candidate must select **two topics** from the following list and talk to the Examiner for 2 minutes on each topic. The topics for **1992** are the following: -

1. My family
2. My friend (s)
3. My holidays
4. My home
5. My town (Village)

6. My school (work)
7. A visit
8. Easter (or Christmas)
9. My favourite TV Programme
10. What I do at Weekends

2. Conversation. To talk to the Examiner for about five minutes on simple topics, e.g. ordering a meal at a restaurant, booking rooms at a hotel, likes and dislikes, shopping, holidays, visiting friends or places etc.

3. Listening Comprehension. Candidates will **listen** to thirty simple statements in Greek. Each statement will be read twice and immediately afterwards candidates will write short answers **in English.** They will have **30 seconds** for each answer.

4. Reading Comprehension. Candidates will **read** thirty simple statements in Greek and will answer **in English** the questions that follow the statements.

5. Basic Writing. Candidates will have a choice of **either** writing a letter **or** a short essay in Greek of about 100 words.

INTERMEDIATE CERTIFICATE

The aim of this examination is to test candidates in four skills at Intermediate level:

1. Listening 2. Reading 3. Speaking and 4. Writing. The examination is suitable for people who complete **two years study** of Modern Greek at School, College, Adult Education Centre or Private Study. The Oral Test is carried out by the Local Teacher. The standard of this examination is about the same as the GCSE in Modern Greek.

There will be ONE Paper of 2 1/2 hours and an Oral Test of about 15 minutes. The examination will consist of the following parts:

1. Prepared Talk. The Candidate must select **two topics** from the following list and talk to the Examiner for **3 minutes** on each topic. The topics for **1992** are the following: -

1. Television
2. Young People
3. A Greek Custom
4. A Wedding
5. A Greek Island

6. A book you have read
7. LIfe in a town or village
8. My childhood
9. My relatives
10. My ambition in life

2. Conversation. To talk to the Examiner for about 6 - 8 minutes on general topics, e.g. your work / studies, holidays, interests, visits to friends / places, books, films etc.

3. Listening Comprehension. Candidates will listen to 30 statements in Greek. Each statement will be read twice and candidates will be given **30 seconds** to write in English or in Greek short answers.

4. Reading Comprehension. Candidates will read 30 statements in Greek (they could be extracts from newspapers, magazines, advertisements, notices, announcements etc) and they will answer each question **in English or in Greek** (they must **not** use both languages).

5. Greek Essay. Candidates will write an essay in Greek (about 150 to 200 words) on a general topic.

ADVANCED CERTIFICATE

The aim of this examination is to test candidates' ability to speak, read, write and understand the Greek language at an Advanced level. The examination is suitable for people who have either the Intermediate Certificate or the GCSE in Modern Greek. The Standard of this examination is about the same as the GCE "A" level in Modern Greek.

There will be TWO Papers of 3 hours and an Oral Test of about 20 minutes.

Paper 1 Language (3 hours)

To translate one passage from Greek into English (about 200 words).

To translate two passages from English into Greek.

To write an essay in Greek (250 - 300 words) on Greek Life, Culture, Institutions

Paper 2 Literature (3 hours)

Candidates must choose any FOUR of the following prescribed books and write **four** essays in English or in Greek. The prescribed books for 1992 are:

1. V. Kornaros: Erotokritos (Book 1)
2. D. Solomos: Poiemata
3. K. Theotokis: I Zoe kai o thanatos tou Karavela
4. N. Kazantzakis: O Kapetan Michales
5. K. Politis: Eroica
6. G. Theotokas: Leonis
7. L. Akritas: Armatomenoi
8. D. Soteriou: Ta Matomena Chomata

Oral Test. Conversation with the Examiner on current affairs and general topics to test the Candidates' fluency in the Greek language.

DIPLOMA IN MODERN GREEK STUDIES

The aim of this examination is to test the candidates' ability to speak, read, write and understand the Greek Language, Literature, History and Culture at University Degree level. The examination is suitable for people who have passed the Advanced Certificate. The standard of this examination is about the same as the Cambridge Diploma of English Studies. Candidates must pass in all papers to qualify for the Diploma. The Diploma is a useful qualification to all those who are interested to work as translators and interpreters or wish to teach Greek in Adult Education Centres in the United Kingdom or in Greek community schools.

There will be FOUR Papers of 3 hours each and an Oral Test.

Paper 1 Translations (3 hours)

To translate two passages from Greek into English.
To translate two passages from English into Greek.

Paper 2 Greek Essays (On Life and Institutions)

To write **three** essays in Greek (about 500 words each) on
Greek Life and Institutions

Paper 3   Greek Literature

Candidates must choose **five** of the following prescribed books
and write **five** essays in English or in Greek. The prescribed
books for 1992 are:

1. Makriyiannis: Apomnemonevmata (Chapters 1- 10)
2. A. Karkavitsas: O Zetianos
3. K. Theotokis: O Katadikos
4. N. Kazantzakis: Alexis Zorbas
5. K. Palamas: O Dodecalogos tou Gyftou
6. E. Venezis: Aeolike Ge
7. Y. Ritsos : Romiosyni
8. O. Elytis: Axion Esti

Paper 4   Greek History (1800 - 1974)

Candidates will answer **four** questions in **English** on the
History of Modern Greece.

Oral Test: 20 - 30 minutes. Conversation on Current affairs
relating to Greece and Cyprus.

RESULTS OF THE EXAMINATIONS

The results are issued in the **middle of August.** Grades A, B,
C, D and E are Grades of Pass. Grade F indicates failure.

PROFESSIONAL DESIGNATION

Successful candidates in the Diploma and Advanced stages may be elected Fellows and Associates of the Institute and may append after their names the initials FGI and AGI respectively, denoting Membership of the Greek Institute, so long as they remain Members.

EXEMPTIONS

Candidates who already possess the GCE " A " level in Modern Greek may proceed to the Diploma Examination. Candidates who hold other qualifications related to Greek Studies may write to enquire if they can be exempted from any part of the Advanced or Diploma Examination.

CORRESPONDENCE COURSES

The Institute offers the following Correspondence Courses: 1. Beginners Course. 2. Intermediate Course. 3. Advanced Course. 4. Diploma Course. The first two courses are based on the **Textbook of Modern Greek** by Dr Kypros Tofallis and lead to the Preliminary and Intermediate examinations and the GCSE. The Advanced Course leads to the GCE " A" level and the Advanced Certificate of the Greek Institute. The Diploma Course leads to the Diploma in Modern Greek Studies examination of the Greek Institute.

TRANSLATORS AND INTERPRETERS

The Institute´s panel of expert Translators and Interpreters exists to help members and others to translate from and into Greek, in any subject.

GENERAL ENQUIRIES

All enquiries must be accompanied by a SAE and sent to:

THE GREEK INSTITUTE, 34, BUSH HILL ROAD, LONDON, N21 2DS.

THE GREEK INSTITUTE

Director : Dr. KYPROS TOFALLIS, BA, MA, PhD, DipEd, FIL
34, BUSH HILL ROAD, LONDON N21 2DS. Tel: 081- 360 7968

MEMBERSHIP FORM

NAME (Mr. / Mrs./ Miss _____

ADDRESS _____

_____

DATE OF BIRTH _____ Telephone _____

PROFESSION _____

QUALIFICATIONS (If any) _____

I wish to become a Member of the Greek Institute.

I enclose the sum of £ _____ this being my Subscription.

Signature _____ Date _____ 19_____

MEMBERSHIP FEES (1992)

Members   £ 20.00
Associates £ 22.00
Fellows   £ 25.00

All cheques and P.O. should be made payable to
" THE GREEK INSTITUTE"

FOR OFFICIAL USE

Application Received _____ Result Sent _____